Z

CONTES ET NOUVELLES

(1875-1899)

Choix de textes, présentation, notes, vie de Zola, chronologie des contes et nouvelles, et bibliographie
par

François-Marie MOURAD

GF Flammarion

Récemment parus
dans la même collection

BALZAC, *Illusions perdues.*

BALZAC, *Nouvelles* (*El Verdugo. – Un épisode sous la Terreur. – Adieu. – Une passion dans le désert. – Le Réquisitionnaire. – L'Auberge rouge. – Madame Firmiani. – Le Message. – La Bourse. – La Femme abandonnée. – La Grenadière. – Un drame au bord de la mer. – La Messe de l'athée. – Facino cane. – Pierre Grassou. – Z. Marcas*).

BALZAC, *Le Père Goriot.*

BALZAC, *Splendeurs et misères des courtisanes.*

Jules et Edmond DE GONCOURT, *Charles Demailly.*

HUGO, *Le Dernier Jour d'un condamné* (édition avec dossier).

HUGO, *William Shakespeare* (édition avec dossier).

HUYSMANS, *À rebours* (édition avec dossier).

HUYSMANS, *Nouvelles (Sac au dos. – À vau-l'eau. – Un dilemme. – La Retraite de Monsieur Bougran).*

MÉRIMÉE, *Chronique du règne de Charles IX.*

MÉRIMÉE, *La Vénus d'Ille et autres nouvelles.*

MAUPASSANT, *Le Horla et autres contes d'angoisse.*

VALLÈS, *L'Enfant* (édition avec dossier).

ZOLA, *Contes et nouvelles (1864-1874).*

ZOLA, *La Bête humaine* (édition avec dossier).

ZOLA, *Le Roman expérimental* (édition avec dossier).

ISBN : 978-2-0812-0823-0.

PRÉSENTATION

Au sein d'une œuvre aussi considérable que variée[1], les nouvelles de Zola sont généralement méconnues, masquées par l'ombre des « grands » romans. Il semble que la postérité, au lieu de rétablir la richesse et la complexité d'une écriture plurielle, soit restée un peu myope, malgré les efforts de communication du maître lui-même, qui se plaignait déjà en son temps des redoutables gauchissements de la réception.

Avant d'accéder, par le scandale et le succès de *L'Assommoir* (1877), à une brutale et définitive célébrité, Zola avait pourtant multiplié les « débuts » prometteurs dans une carrière des lettres extensive et diversifiée. Baudelaire faisait observer en 1846, dans ses *Conseils aux jeunes littérateurs*, « que tout début a toujours été précédé et qu'il est l'effet de vingt autres débuts qu'ils n'ont pas connus[2] ». C'est bien le cas pour l'auteur des *Contes à Ninon* (1864), de *La Confession de Claude* (1865) et de *Mes Haines* (1866), des œuvres à peu près contemporaines : il s'est lancé avec une même ferveur dans la critique d'art, la

1. Les *Œuvres complètes* de Zola, dans l'édition de référence (Cercle du Livre précieux, 1966-1970 ; édition désormais désignée par l'abréviation *OC*), comptent quinze tomes, dont seulement cinq pour *Les Rougon-Macquart*. La nouvelle édition en cours, chez Nouveau Monde, est prévue en vingt et un volumes.

2. Baudelaire, *Conseils aux jeunes littérateurs*, article publié dans *L'Esprit public*, le 15 avril 1846, et recueilli en 1868 dans *L'Art romantique*, in *Œuvres complètes*, éd. Claude Pichois, Gallimard, « Bibliothèque de la Pléiade », t. II, 1976, p. 13.

critique littéraire, et, au sein de la fiction, dans le roman, le conte et la nouvelle. Son génie est la résultante de ces expériences conjointes. Comme le remarque encore Baudelaire, avec bon sens : « je crois plutôt qu'un succès est, dans une proportion arithmétique ou géométrique, suivant la force de l'écrivain, le résultat des succès antérieurs, souvent invisibles à l'œil nu. Il y a lente agrégation de succès moléculaires ; mais de générations miraculeuses et spontanées, jamais [1] ». Mais l'histoire littéraire privilégie le simple plutôt que le complexe, elle substitue la ligne au rhizome et adopte comme seul principe d'explication le *post hoc propter hoc.* Répétons donc que, pour Zola, elle adopte le cap du seul roman, et qu'elle fait de lui, en résumé, l'auteur de trois ou quatre chefs-d'œuvre figés dans l'intangible panthéon des classiques. Si les premières nouvelles végètent depuis longtemps dans le terrain vague des apprentissages préalables aux premiers *Rougon-Macquart* [2], celles dont nous proposons ici un échantillon sont masquées par les grands édifices de la maturité. Il ne s'agit évidemment pas de contester une évolution, des priorités et des préférences assumées par l'écrivain lui-même : Zola s'est très vite signalé et revendiqué comme romancier professionnel. Mais n'oublions pas que la catégorie du roman est alors la plus ouverte, la plus *expérimentale* [3]. Si l'héritier de Balzac et de Flaubert accepte encore ce mot de *roman*, « ce qui est un tort, car il a perdu toute signification [4] », c'est à condition d'en repousser énergiquement les bornes sémantiques : « Le

1. *Ibid.*

2. Voir Colette Becker, *Les Apprentissages de Zola*, PUF, 1993. Un autre volume de la même collection est consacré aux récits que Zola a écrits pendant la décennie 1864-1874 : *Contes et nouvelles (1864-1874)*, éd. François-Marie Mourad, GF-Flammarion, 2008. Nous y renvoyons le lecteur.

3. Zola, *Le Roman expérimental*, éd. François-Marie Mourad, GF-Flammarion, 2006.

4. *Le Naturalisme au théâtre*, in *Le Roman expérimental*, *ibid.*, p. 138.

roman n'a donc plus de cadre, il a envahi et dépossédé les autres genres. Comme la science, il est maître du monde. Il aborde tous les sujets, écrit l'histoire, traite de physiologie et de psychologie, monte jusqu'à la poésie la plus haute, étudie les questions les plus diverses, la politique, l'économie sociale, la religion, les mœurs. La nature entière est son domaine, il s'y meut librement, adoptant la forme qui lui plaît, prenant le ton qu'il juge le meilleur, n'étant plus borné par aucune limite [1]. »

Au terme d'une évolution à laquelle il travaille ardemment, Zola conçoit ainsi le « nouveau roman » comme un genre absolu, totalisateur et glouton, en fait un non-genre ou un antigenre, et le synonyme d'une littérature contemporaine des avancées scientifiques. Comme l'écrivain ne peut pas non plus complètement s'abstraire du champ spécialisé auquel il appartient, il s'interroge régulièrement sur la poétique du roman. Confronté aux questions techniques – la description, l'intrigue, les personnages –, il essaie d'articuler les exigences contradictoires de la forme et de la réforme. Avec la nouvelle, Zola ne ressent pas le besoin de se situer à un même niveau de promotion et de justification. Si certains textes continuent de relever de la doctrine naturaliste, comme *Le Capitaine Burle* (1880), c'est sans exclusive. Le naturalisme figure sur la palette de l'artiste comme une option parmi d'autres, à côté du fantastique, du reportage dramatisé ou de l'idylle. Le souci de variété qui a régi l'inspiration préside aussi à la constitution des recueils. Du coup, la poétique de la nouvelle zolienne n'est l'objet d'aucun débat intérieur ; aucun scrupule, aucune justification ne l'encombrent. Le récit est comme libéré. La nouvelle, c'est un peu le romancier en vacances. Il garde ses réflexes, mais n'en est pas prisonnier. Le charme de la nouvelle repose sur ce bonheur du récit, dont elle est une exaltation intense et momentanée, avant

1. *Ibid.*, p. 141.

que celui-ci se complique, s'il veut s'afficher roman, de mots d'ordre idéologiques et de justifications historiques. Dans la nouvelle, on peut se livrer au plaisir d'écrire et de conter sans nécessairement rendre de comptes, sans en référer expressément à des théories ou à des principes. Les textes rassemblés ici témoignent de cet épanouissement, de cette « détente ». Ils correspondent à la troisième et dernière période de production des récits brefs. La première, qui inclut les premiers manuscrits (1859-1864), avait été dominée par le conte, la deuxième (1865-1874) par la chronique. À partir de 1875, grâce au *Messager de l'Europe*, Zola est plus nettement un auteur de nouvelles, si l'on entend par là un récit à lire d'une traite dont tous les éléments qui le constituent convergent efficacement vers l'issue qui lui donne son sens.

Le Messager de l'Europe

La contribution de Zola au *Messager de l'Europe* entre 1875 et 1880 est exceptionnelle, aussi bien dans l'histoire des relations culturelles franco-russes que dans la carrière de l'écrivain. *Vestnik Evropy* était une grande revue libérale, encourageant les réformes et l'instruction [1]. Destinée à un public lettré, et sous la direction de son rédacteur en chef, Michel Stassioulevitch, elle suivait une ligne généraliste et publiait, à côté des articles de politique intérieure et internationale, des pages de littérature et de critique. Recommandé et soutenu par son ami Tourgueniev, qui a joué un rôle essentiel de médiateur culturel

1. Fondée en 1866, elle sera publiée jusqu'en mars 1918. Le tirage était important : 8 000 exemplaires. Dans une lettre du 25 décembre 1876, Zola écrivait à Jules Vallès : « La revue russe où j'écris est *Le Messager de l'Europe* ; [...] elle est de la nuance du *Temps* », c'est-à-dire, d'après les catégories de cette époque, de centre gauche.

entre Paris et son pays d'origine, Zola a pu s'émanciper du carcan de la petite presse dans laquelle il était enserré depuis le début des années 1860, et qui allait de pair avec un certain nombre de contraintes : l'obligation d'être un « amuseur public », un style un peu tape-à-l'œil, le format réducteur de la chronique, la censure...[1]. Le jeune rédacteur s'était à peu près bien arrangé de cette servitude, et il a tiré une légitime fierté de cette formation continue[2], de cette dure école qui exalte ou tue le talent. Mais, dès son entrée par la petite porte dans le journalisme, il avait lorgné vers les citadelles de la respectabilité, les lieux du haut desquels on jouissait d'une vue imprenable sur les évolutions de la littérature et de la pensée, le *Journal des débats* ou *Le Constitutionnel*. Indépendamment de la question politique, ce sont alors les espaces légitimes de l'autorité morale et culturelle, uniquement accessibles à des universitaires de renom, aux normaliens, ou à de hautes figures de l'*intelligentsia*, dont Sainte-Beuve est l'archétype. Zola, qui n'était même pas bachelier, ne pouvait prétendre à ce statut. Dans une chronique de *L'Événement* du 25 septembre 1866, il avait commenté cette séparation entre les deux presses, et distingué deux journalismes, celui de la revue littéraire d'une part, « prenant ses aises, étendant les matières autant qu'il le veut, ne faisant aucune concession au goût des lecteurs pressés », et l'autre, celui de l'écriture à l'emporte-pièce, « haletant et fiévreux » : « Nous portons le plus légèrement possible la tâche ingrate qui nous est échue. Nous ne sommes que les modestes serviteurs du Roi Public, nous nous inclinons devant son désir ardent d'être vite renseigné et en peu de mots, nous cherchons à l'amuser, puisque, avant tout, il veut être maintenu dans une heureuse

1. Voir Émile Zola, *Contes et nouvelles (1864-1874)*, *op. cit.*, Présentation, p. 6 *sq*.

2. Voir son article sur *L'Argent dans la littérature*, in *Le Roman expérimental*, *op. cit.*, p. 167-202, en particulier les parties III à V, qui analysent l'entrée dans la littérature par le journalisme.

gaieté[1]. » L'obtention d'une chronique régulière dans le prestigieux *Messager de l'Europe* satisfait donc un désir ancien de Zola. De surcroît, cette revue lui offre des débouchés et des garanties financières qu'il avait de plus en plus de difficulté à s'assurer à Paris, où il commençait à pâtir de sa réputation d'indépendance. Incontrôlable au point de faire renverser un journal, comme l'avait montré la mésaventure du *Lendemain de la crise*[2], écrivain sulfureux considéré, même par les républicains, comme un dangereux contestataire, Zola devenait *persona non grata* dans les salles de rédaction.

Vite à l'aise dans le grand format exigé par ce nouveau support – une vingtaine de pages imprimées –, Zola enverra à Saint-Pétersbourg soixante-quatre *Lettres de Paris*[3], qui fourniront ensuite, pour l'essentiel, la matière d'importants recueils de critique littéraire et de nouvelles : *Le Roman expérimental* (1880), *Documents littéraires* (1881), *Les Romanciers naturalistes* (1881), puis *Le Capitaine Burle* (1882) et *Naïs Micoulin* (1884). On voit sans peine quelle fut l'orientation majeure de l'inspiration zolienne, impatiente, en ces années décisives, de s'imposer par la théorie et les idées. En un sens donc, *Le Messager de l'Europe* fut bien, comme l'a dit Alain Pagès, « l'école du discours naturaliste[4] », une tribune où Zola a pu exprimer le plain-chant de sa pensée. Il pouvait enfin

1. Zola, *Livres d'aujourd'hui et de demain*, in *OC*, t. X, p. 631.

2. *Le Lendemain de la crise*, qui deviendra *Le Chômage* dans les *Nouveaux Contes à Ninon*, a créé un énorme scandale et entraîné l'interdiction du *Corsaire*, le journal d'extrême gauche radicale qui avait publié ce texte le 22 décembre 1872 ; voir *Contes et nouvelles (1864-1874)*, *op. cit.*, p. 35 et 225, note 1. Dans son récit, inspiré par le marasme économique qu'entraînait alors la crise politique fomentée par les adversaires de la République, Zola met au premier plan les ouvriers et montre crûment leur misère.

3. On en trouvera le détail dans l'article de Jean Triomphe, « Zola collaborateur du *Messager de l'Europe* », *Revue de littérature comparée*, 17e année, 1937, p. 754-765.

4. Alain Pagès, *La Bataille littéraire. Essai sur la réception du naturalisme à l'époque de Germinal*, Librairie Séguier, 1989, p. 83.

capter l'attention d'un public idéal, curieux, attentif et bienveillant, tandis qu'en France régnaient l'hostilité et les préjugés. Néanmoins, l'écrivain a tout de suite conçu sa correspondance littéraire dans la perspective de rééditions en France. Dans la lettre de recommandation de son premier article « russe », le 22 février 1875, il prie instamment Tourgueniev de signaler à Stassioulevitch que ses manuscrits doivent lui être renvoyés après qu'ils auront été traduits. Cette circulation textuelle montre que Zola restait fidèle à une stratégie hégémonique de conquête et d'occupation des espaces éditoriaux.

L'inspiration de l'auteur s'est épanouie pendant ces cinq années de collaboration, mais ses choix et ses préoccupations d'écriture n'en ont pas été pour autant sensiblement modifiés. Au contraire, puisqu'elles ont été rédigées sans contrainte excessive et dans un évident confort, ces soixante-quatre *Lettres de Paris* peuvent même être considérées comme un *corpus* exemplaire et suggestif. La critique littéraire domine, avec des textes essentiels sur le romantisme, le naturalisme et la poétique du roman. Hanté par la figure de Sainte-Beuve, disciple de Taine [1], Zola peut enfin statuer sur l'évolution littéraire en cours et inscrire durablement des principes d'analyse forgés une dizaine d'années auparavant, à l'époque de *Mes Haines*. Le premier article qu'il a proposé à Stassioulevitch – sur la réception d'Alexandre Dumas fils à l'Académie française – a ouvert une série qui relève de la critique littéraire, mais de celle qui se donne à voir à travers le prisme de l'actualité et de la polémique. Les commentaires sur la saison théâtrale complètent cette chronique de la vie culturelle parisienne.

La dimension exposante du propos de Zola était évidemment inscrite dans l'horizon d'attente d'une

1. Voir notre article, « Zola critique littéraire entre Sainte-Beuve et Taine », *Revue d'histoire littéraire de la France*, 2007, n° 1, p. 67-87.

correspondance cosmopolitique, mais elle relaye un penchant pour l'enquête ethnographique et sociale qui a fait de l'auteur des *Rougon-Macquart* l'un des témoins essentiels de son époque. Une douzaine de textes sont présentés par lui comme des « études sociales [1] ». Nous avons retenu l'exemple de *Comment on meurt* pour rappeler les liens étroits que la « nouvelle » zolienne entretient avec l'analyse des mœurs, l'enquête, la dénonciation. Comme d'autres écrivains de son temps, comme Vallès ou Maupassant, Zola ne pense pas que la mise en récit, d'abord utile pour contourner les interdits, soit un handicap pour rendre compte du réel ; il adhère au contraire à une esthétique de la représentation où le vraisemblable sert à mettre le vrai en lumière. Placé entre *Le Capitaine Burle* et *Pour une nuit d'amour* au sein du recueil de nouvelles de 1882, *Comment on meurt* tranche évidemment sur l'invention plus délibérée de textes structurés par l'anecdote et les effets de surprise. Ici, l'imagination, conformément aux idées que Zola va bientôt développer dans *Le Roman expérimental*, est subordonnée au « sens du réel » : « Le romancier n'aura qu'à distribuer logiquement les faits. De tout ce qu'il aura entendu se dégagera le bout de drame, l'histoire dont il a besoin pour dresser la carcasse de ses chapitres. L'intérêt n'est plus dans l'étrangeté de cette histoire ; au contraire, plus elle sera banale et générale, plus elle deviendra typique [2]. » L'imagination, dans une perspective aristotélicienne, n'est que la mise en intrigue d'un réel qu'il convient de re-décrire énergiquement pour en dégager la leçon. Les cinq tableaux de la fin de vie qui se succèdent, de la mort du grand bourgeois à celle du petit paysan, ces variations socioculturelles du rituel du deuil équivalent ici à un procès en bonne et due forme des injustices et des inégalités

1. Zola emploie l'expression dans sa lettre à Stassioulevitch du 13 octobre 1878.

2. Zola, « Le sens du réel », *Du roman*, in *Le Roman expérimental*, *op. cit.*, p. 205-206.

qui persistent par-delà la dernière heure. La typicité de ces « études », loin d'être menacée par la fiction, est au contraire rendue plus sensible par le recours aux techniques d'écriture bien maîtrisées, par exemple l'alternance entre le discours direct et le discours indirect libre qui sert, sans peser, la régie d'un narrateur forcément soucieux de ne pas perdre le fil de son évocation. La compétence de Zola dans cette manière d'approche et de restitution du réel est indéniable, il excelle dans cette « lecture-écriture » du monde, dans cette *mimèsis* apte à dégager les caractères prégnants, les détails signifiants et les structures profondes. « Tout le mécanisme de l'originalité est là, dans cette expression personnelle du monde réel qui nous entoure [1]. » L'intérêt de ce genre de nouvelle, précise et documentaire, sans fioritures, néanmoins saisissante, est d'apporter une confirmation au naturalisme théorisé par Zola, lorsqu'il pense au renouvellement du roman. Celui-ci ne sera jamais l'addition sans reste d'études se maintenant, comme dans *Comment on meurt* ou *Comment on se marie* [2], dans une équivalence parfaite, mais il y a là une dimension non négligeable de l'œuvre de Zola. C'est celle que l'on retrouve dans les *Ébauches*, ces gros dossiers manuscrits qui précédaient la rédaction des romans du cycle des *Rougon-Macquart*, et elle est encore nettement perceptible dans les tableaux que l'auteur conçoit isolément avant de les inscrire ensuite dans le tissu narratif. Le découpage et la réitération, fréquents chez le nouvelliste, signalent la maîtrise d'une écriture tentée par l'épure. Si l'on se réfère au tableau des publications, p. 326-327, on verra que *Comment on meurt* a donné lieu à six rééditions partielles entre 1881 et 1895. Les titres choisis pour chacune de ces publications, *Misère* ou *La Mort du pauvre*, attestent la fixité d'une

1. Zola, « L'expression personnelle », *Du roman*, in *Le Roman expérimental*, *ibid.*, p. 212.

2. *Contes et nouvelles* de Zola, éd. Roger Ripoll, Gallimard, « Bibliothèque de la Pléiade », 1976, p. 957-981.

intention démonstrative que Zola s'efforcera au contraire d'effacer pour d'autres textes, moins enchâssés dans la réalité politique et sociale.

Un maître de la nouvelle

Ces textes ne sont pas très nombreux – une douzaine tout au plus. Ils témoignent d'un art de la nouvelle plus consommé et conforme à notre horizon d'attente, à nos habitudes de lecture. Par là, si l'on veut, Zola prend place à côté de Maupassant, la quantité en moins. Cette fois le versant de la fiction est développé plus franchement, les histoires racontées sont dramatiques, drôles, fantastiques… L'identité générique des textes est moins brouillée, moins problématique. Avec *Le Capitaine Burle*, *La Mort d'Olivier Bécaille* ou *Les Coquillages de Monsieur Chabre*, Zola rentre enfin dans le répertoire de la nouvelle « classique », régie par ce que les spécialistes nomment la « saturation narrative ».

La formule de la nouvelle ne se livre évidemment pas *sub specie æternitatis*, mais un certain nombre d'éléments fortement concordants encouragent et facilitent un mode de production et de réception du récit qui établit clairement la répartition des rôles : l'écrivain se hâte de mettre en place un cadre dans lequel le lecteur accepte de se laisser guider, sans arrière-pensée. *The willing suspension of disbelief*, la suspension volontaire de l'incrédulité dont parle Coleridge[1], est à son comble, d'où l'attrait des atmosphères et l'importance de la clausule, le triomphe de l'étonnement et du retournement en ce terrain propice. Les techniques de cadrage sont évidemment essentielles, mais le nouvelliste peut se laisser aller à quelques licences à partir du moment

1. Samuel Taylor Coleridge, *Biographia Literaria* (1817), in *The Collected Works*, Princeton, Princeton University Press, 1983, t. VII, vol. 2, p. 134.

où le lecteur sent que le pacte de confiance ne sera pas rompu, la brièveté d'un texte mesuré à l'aune d'une saisie immédiate étant une garantie formelle assez peu contestable. Pour aller à son terme et atteindre son but, la nouvelle aura tendance à expulser de son champ tout ce qui n'est pas son sujet. Elle progresse coûte que coûte, et on la voit abandonner, éliminer en chemin, tout ce qu'un roman se serait complu à développer : psychologie des personnages, description des lieux, intrigues secondaires... Les éléments retenus ont une valeur d'usage.

La nouvelle est non seulement plus courte que le roman, mais dans ce dernier la relation entre le narrateur et le lecteur est plus sophistiquée. Le roman répugne à l'organisation trop simple de la matière, à la lumière sans ombre. Comme l'a souligné Mikhaïl Bakhtine [1], sa polyphonie en fait un genre complexe, dans lequel de multiples voix peuvent entrer en concurrence et suspendre non seulement l'incrédulité du lecteur mais aussi son jugement, sa « vision » du monde, son éthique. Dans le roman authentique, les vérités seront contradictoires et les personnages insaisissables, tandis que dans la nouvelle le lecteur ne sera dérouté que pour mieux retrouver son chemin. Comme l'indique Thomas Pavel, « pour saisir et apprécier le sens d'un roman, il ne suffit pas de considérer la technique littéraire utilisée par son auteur ; l'intérêt de chaque œuvre vient de ce qu'elle propose, selon l'époque, le sous-genre et parfois le génie de l'auteur, une *hypothèse substantielle* sur la nature et l'organisation du monde humain [2] ». Ainsi la distinction entre le roman et la nouvelle ne repose-t-elle pas essentiellement sur la question du matériau – on est toujours dans la fiction en prose –, mais sur la nature et la qualité du questionnement mis en

1. Mikhaïl Bakhtine, *Esthétique et théorie du roman*, Gallimard, 1978.

2. Thomas Pavel, *La Pensée du roman*, Gallimard, 2003, p. 46.

œuvre au sein d'une structure complexe et englobante. La nouvelle s'épanouit dans le jeu tandis que le roman est fait d'enjeux. Les deux genres peuvent entrer en interaction, comme dans le *Don Quichotte* de Cervantès, mais la modernité de cette œuvre sourd justement de l'incroyable tension qui résulte du conflit entre l'imaginaire et le réel, incarné dans une créature de papier exemplaire, un personnage de conte et d'historiettes égaré dans l'âpre roman de l'existence.

Rédigées en marge des grands romans, souvent pendant des périodes de vacances où Zola séjournait en province, la plupart des nouvelles du *Capitaine Burle* et de *Naïs Micoulin* sont d'une imagination libérée des contraintes de l'organisation cyclique et des auto-consignes récurrentes qui rythment l'élaboration quotidienne des manuscrits : « Je veux montrer… Expliquer… Décrire… [1]. » Livré à lui-même, Zola ne laisse évidemment pas son imagination vagabonder au hasard, il ne verse pas dans la pure fantaisie ou le « conte bleu ». Il ne s'interdit pas les prélèvements au sein du *corpus* narratif des *Rougon-Macquart*, avec *Le Capitaine Burle* et *Nantas*. Des souvenirs sont exploités (*Aux champs* [2], *La Mort d'Olivier Bécaille*). Sa correspondance atteste en outre qu'il est toujours en alerte devant les « beaux sujets » : il est attentif aux faits divers relatés dans les journaux et il observe inlassablement son environnement. Ainsi sont nés *L'Inondation*, *Naïs Micoulin* [3], *Les Coquillages de Monsieur Chabre*. Ivan Tourguéniev a parfois joué un rôle dans le choix des sujets, et la liberté octroyée à Zola par *Le Messager de l'Europe* n'allait pas jusqu'à lui faire négliger la demande du

1. Voir *La Fabrique des Rougon-Macquart : édition des dossiers préparatoires*, Honoré Champion, 2003-2007, 3 vol.

2. *Aux champs*, in Émile Zola, *Contes et nouvelles*, éd. Roger Ripoll, *op. cit*, p. 662-675.

3. *Naïs Micoulin*, in Émile Zola, *Contes et nouvelles*, *ibid.*, p. 741-771 ; voir également l'édition proposée par Nadine Satiat : *Naïs Micoulin et autres nouvelles*, GF-Flammarion, 1997.

public russe, friand des réalités françaises. Aussi, comme le souligne Roger Ripoll, ces récits sont-ils souvent des « reportages dramatisés [1] », ainsi que l'indiquent les premiers titres et sous-titres choisis : *Bains de mer en France* pour *Les Coquillages de Monsieur Chabre* ou *La Vie contemporaine* pour *Nantas*. Mais les titres finalement retenus par Zola, moins sériels, plus adéquats, libèrent les récits de ces faibles entraves et invitent à d'autres lectures.

Le Capitaine Burle

Dernier texte envoyé à Stassioulevitch en 1880, *Le Capitaine Burle*, placé en tête du recueil éponyme paru chez Charpentier en 1882, a tous les caractères de la nouvelle naturaliste. Les prépublications françaises dans deux journaux favorables aux idées de Zola, *La Vie moderne* en 1881 et *Le Rabelais* à l'automne 1882, alors que l'anthologie était déjà sous presse, ont une indéniable valeur de signalement. Décisivement placé en ouverture, et comme *L'Inondation* qui lui répond en fin de volume, le récit affiche une affinité généalogique avec le fait divers, puisqu'il se termine par un duel fatal dans une petite ville de garnison. Le choix du milieu militaire fait écho aux *Soirées de Médan*, qui ménagera une plus large place à la petite histoire démentant la grande, à la contre-histoire, en réaction au patriotisme revanchard éclos après la guerre de 1870. Aux circonstances de publication s'ajoutent, toujours au crédit de la spécification naturaliste, celles de la conception et de la composition. Zola s'est saisi d'un récit que lui avait fourni son ami intime Henry Céard, l'un de ses principaux limiers et collaborateurs. Écrivain fonctionnaire comme Huysmans et Maupassant, Céard récupérait, du ministère de la

1. Émile Zola, *Contes et nouvelles*, éd. Roger Ripoll, *op. cit.*, p. 1475.

Guerre où il était employé, les anecdotes et les informations plates et réalistes [1] que réclamait un naturalisme visant à représenter « la vie telle qu'elle est [2] ». *Le Capitaine Burle* n'est donc mis en évidence que pour mieux faire sentir la platitude et la déchéance des modèles héroïques dont la littérature du XIXe siècle était encombrée. Le procès de dévaluation est double, même triple, puisqu'il affecte, outre l'intrigue, le personnage, et un personnage qui aurait naturellement une vocation de héros, le militaire. Ni le capitaine Burle, ni le major Laguitte, tous deux enfoncés dans les médiocrités de la vie de garnison, ne suscitent la sympathie, et le narrateur prend bien le soin de maintenir sa pauvre intrigue – pour financer ses vices, le capitaine-trésorier Burle vole dans la caisse du régiment – dans la grisaille générale d'une ville de province engluée dans les commérages et les intempéries. Zola est ici plus proche de Flaubert que de Balzac, un écrivain qu'il reconnaissait comme l'un de ses maîtres, mais dont il répudiait « la fantasmagorie [3] ». Fasciné par *La Cousine Bette*, il s'en inspire pour sa nouvelle : la dernière tentation honteuse de « Juponeux » (le surnom de Burle) pour une souillon était déjà celle du baron Hulot pour Agathe, la fille de cuisine, et, comme l'a signalé Roger Ripoll, « les rapports qu'entretiennent Burle et Laguitte ne sont pas sans rappeler ceux qu'entretiennent le baron Hulot et son frère le maréchal [4] » ; ce dernier,

1. Les détails du truquage de la comptabilité militaire ont été fournis à Zola par Henry Céard, comme l'indique une lettre du 2 juillet 1879 : « Je vais recueillir tous les renseignements relatifs à la façon dont les officiers comptables volent dans les régiments, et je compte pouvoir vous fournir dimanche prochain des documents précis et des notes complètes » (cité par Roger Ripoll dans son édition des *Contes et nouvelles* de Zola, *op. cit.*, p. 1481). Sur Henry Céard (1851-1924), voir Colin A. Burns, *Henry Céard et le naturalisme*, Birmingham, Goodman and Sons, 1982.

2. Émile Zola, « Le sens du réel », *Du roman*, in *Le Roman expérimental*, *op. cit.*, p. 207.

3. *Ibid*, p. 209.

4. Roger Ripoll, dans son édition des *Contes et nouvelles* de Zola, *op. cit.*, p. 1482.

dans son indignation contre son frère qui, par son comportement déréglé, a entaché la réputation de la famille, est même tenté de le tuer. Mais la transposition zolienne ôte aux passions balzaciennes tout ce que celles-ci pouvaient avoir d'épique et de démesuré. Les ravages qu'admirait Taine dans *La Cousine Bette* [1] se résument ici à une « saleté » (p. 54) et aboutissent à une fin d'autant plus dérisoire qu'elle se redouble de la mort brutale du petit Charles. Dans son projet de réduction narrative, Zola est évidemment servi par le principe d'économie qui régit la nouvelle. Dans *Nana*, également inspiré par *La Cousine Bette*, les bonnes intentions du romancier naturaliste ont vite été enfiévrées par « le poème des désirs du mâle [2] ». Avec *Le Capitaine Burle*, une nouvelle dont il disait à Céard qu'elle l'avait amusé [3], Zola a pu décliner les caractères de la formule naturaliste, qu'il avait énumérés dans son article de novembre 1875 sur Flaubert, repris dans *Les Romanciers naturalistes* : « la reproduction exacte de la vie », le meurtre du héros et l'effacement du narrateur [4].

L'Inondation

Le recours au fait divers n'entre pas en contradiction, semble-t-il, avec cette éthique du récit vrai. En

---

1. De la passion saisie par Balzac, Taine dit qu'« il est beau de la voir entrer comme un poison dans un corps vigoureux et sain, brûler son sang, tordre ses muscles, le soulever en soubresauts, l'abattre puis décomposer lentement la masse inerte qu'elle ne lâche plus », *Nouveaux Essais de critique et d'histoire*, Hachette, 1866 (2e éd.), p. 147.

2. Émile Zola, *Ébauche* de *Nana*, cité par Henri Mitterand dans son édition des *Rougon-Macquart*, Gallimard, « Bibliothèque de la Pléiade », 1960-1967, t. II, p. 1669.

3. Émile Zola, lettre du 20 novembre 1880 à Henry Céard, in Émile Zola, *Correspondance*, t. IV : *1880-1883*, Presses de l'université de Montréal/Éditions du CNRS, 1983, p. 131.

4. Émile Zola, *Les Romanciers naturalistes*, in *OC*, t. XI, 1968, voir p. 97-98.

juillet 1875 justement, pour sa cinquième correspondance du *Messager de l'Europe*, Zola décide de relayer les nombreux reportages journalistiques sur les crues de la Garonne qui avaient ravagé la région de Toulouse le mois précédent : « J'ai choisi pour sujet les inondations qui ont désolé nos départements du Midi. Ce sera une sorte de nouvelle, dans laquelle je grouperai les épisodes les plus dramatiques et les plus touchants [1]. » Le souci de vérité, on le voit, n'est guère ce qui régit l'inspiration de Zola lorsqu'il se saisit très librement de cet événement retentissant. La structure du fait divers est double en effet : il offre certes la garantie d'une appartenance au réel, mais c'en est toujours un aspect signalé : arrêt sur image, rupture ou transgression, qui favorise ou exalte l'exceptionnel. Le fait divers n'est pas une information, c'est une aventure. Toujours décontextualisé, tendant vers le formidable, « il constitue un être immédiat, total, qui ne renvoie, du moins formellement, à rien d'implicite ; c'est en cela qu'il s'apparente à la nouvelle et au conte, et non plus au roman [2] ». Repéré et produit par un journalisme qui extrait d'une lecture sélective du réel des éléments de stupeur, le fait divers, « coupé de son origine journalistique, est amplifié, ennobli par la distance et l'esthétisation propres à la littérature. Il acquiert un caractère métaphorique, exemplaire, qui le rapproche du récit mythique [3] ». Pour *L'Inondation*, ce sera le Déluge. La première partie de la nouvelle de Zola multiplie les images de la vie édénique : la tribu des Roubieu est « bénie » et protégée des fléaux naturels ; la « nichée » rassemble dans la paix

1. Émile Zola, lettre du 13 juillet 1875 à Michel Stassioulevitch, in Émile Zola, *Correspondance*, t. II : *1868-1877*, Presses de l'université de Montréal/Éditions du CNRS, 1980, p. 401.

2. Roland Barthes, « Structure du fait divers », article repris dans les *Essais critiques*, 1964, in *Œuvres complètes* de Roland Barthes, Seuil, t. I, 1993, p. 1310.

3. Franck Évrard, *Fait divers et littérature*, Nathan Université, « 128 », 1997, p. 6.

et le bonheur un groupe fusionnel aux antipodes de la famille dénaturée de *La Terre* ; le patriarche, Jules, et la sainte, tante Agathe, semblent les descendants de Sœur-des-Pauvres... [1]. La catastrophe rompt brutalement l'équilibre, sans qu'aucune faute ait été commise, mais avec la même violence biblique que celle dont la famille de Noé fut témoin. Chez Zola, le recours au mythe du déluge « déborde », si l'on peut dire, la référence au récit vétéro-testamentaire (Genèse, 6-9), dont la postérité littéraire fut immense, notamment dans le romantisme du XIXe siècle [2]. L'idée d'une justice divine est écartée, les créatures se sacrifient mais ne sont pas sauvées, « il n'y a pas de consolation » (p. 144), pas d'arc-en-ciel pour symboliser la nouvelle alliance. À la fin de la nouvelle, le vieux Roubieu n'a plus sous les yeux que « cette image affreuse » des « deux beaux enfants gonflés par l'eau, défigurés » (p. 145), un instantané qui renvoie à l'imaginaire de la noyade et de la morgue déjà exploité dans *Thérèse Raquin*. Zola s'est certes saisi, au moment de *L'Inondation*, d'images sordides et singulières qui figuraient dans les journaux illustrés, mais son inspiration, naturellement épique, s'oriente aisément vers l'extrême. La nouvelle écrite en 1875 est un doublon d'*Hiver*, qui fait partie des *Quatre Journées de Jean Gourdon* [3], mais elle entre dans la série des catastrophes qui mettent en scène la petitesse de l'homme et la démesure de la nature, comme dans *Germinal*.

---

1. Voir *Sœur-des-Pauvres*, in *Contes et nouvelles (1864-1874)*, *op. cit.*, p. 75 *sq.*

2. Chateaubriand, *Génie du christianisme* (I, IV) ; Vigny, *Poèmes anciens et modernes* ; Hugo, *La Fin de Satan* ; Rimbaud, « Après le déluge »...

3. *Les Quatre Journées de Jean Gourdon* a d'abord paru dans *L'Illustration* entre le 15 décembre 1866 et le 16 février 1867, avant d'être repris dans les *Nouveaux Contes à Ninon*. Voir Émile Zola, *Contes et nouvelles*, éd. Roger Ripoll, *op. cit.*, p. 517-559.

Nantas

Des grandes nouvelles de la période 1875-1880, *Nantas* est sans doute celle qui affiche le plus d'affinités avec l'univers romanesque. Sa rédaction, en septembre 1878, est contemporaine de celle des premiers chapitres de *Nana*. Le nom même de Nantas apparaît sporadiquement dans le dossier préparatoire [1]. L'univers bourgeois et gouvernemental de la nouvelle est en outre calqué sur celui de *Son Excellence Eugène Rougon* (1876). Mais c'est avec *La Curée* que se déclinent les similitudes les plus évidentes. Zola ne s'en est pas caché, et, dans la préface à la pièce de théâtre qu'il a tirée de son roman, *Renée* (écrite en 1880, créée en 1887), il est revenu sur les circonstances de la composition de cette nouvelle : « Je m'étais d'abord amusé à écrire, pour *Le Messager de l'Europe*, la revue russe à laquelle je collaborais, une nouvelle, *Nantas*, où j'avais imaginé l'aventure d'un gaillard, brûlé d'ambition, écrasé de misère, qui vendait son nom à la fille séduite d'un riche magistrat, en s'engageant à ne jamais faire usage de ses droits conjugaux, et qui, plus tard, arrivé au faîte de la fortune et des honneurs, tombé amoureux fou de sa femme, sanglotait de douleur et d'impuissance, parce qu'elle se refusait à lui, méprisante. *Renée*, ainsi qu'on peut le voir, est une combinaison de *La Curée* et de *Nantas* [2]. » Ce qui ressort de cette présentation et des comparaisons entre les trois œuvres montre surtout dans la nouvelle le développement et la prégnance du caractère masculin, et une énième variation sur l'*ethos* de l'ambitieux, tandis que le roman, et plus tard la pièce de théâtre, se focalisent sur l'héroïne, Renée. Nantas est une réincarnation de Saccard, qui reviendra encore au premier plan

1. Roger Ripoll, notice, in Émile Zola, *Contes et nouvelles*, *ibid.*, p. 1530.
2. Préface de *Renée*, in *OC*, t. XV, p. 417.

dans *L'Argent* en 1891. Cette récurrence est exceptionnelle dans *Les Rougon-Macquart*, où la réapparition des personnages, selon un principe balzacien réaménagé par Zola avec son système de la « famille sous le second Empire », obéit à la loi d'une seule mise en vedette. En fait, Nantas est une hypostase de l'ambitieux, une incarnation à la fois chaste et virile de la force et de l'esprit d'entreprise, des qualités ambivalentes qui structurent le psychisme créateur de Zola. Marqué par la disparition précoce d'un père – ce « Saccard marseillais », selon l'expression d'Henri Mitterand[1] – qui avait tous les traits du héros moderne, l'écrivain a voué un culte à la volonté, à la force, une disposition qui a combattu en lui, par les sacrifices et le retrait qu'elle exigeait, l'amour de la vie et la philanthropie. *Nantas*, sous la loupe de la nouvelle, offre une version concentrée et épurée de cette éthique douloureuse. Jacques Noiray a signalé que *Nantas*, qui est l'anagramme de Satan, est une nouvelle faustienne. Le personnage conclut un pacte et « devient une sorte de concentré monstrueux de toutes les figures du pouvoir[2] ». L'issue mélodramatique de la nouvelle, ce sauvetage inespéré par l'amour, sanctifie l'irrésistible ascension d'un héros menacé par la démesure, mais elle ne suffit pas à effacer complètement les menaces intrinsèques qui minent toutes les monomanies.

La Mort d'Olivier Bécaille

Avec *La Mort d'Olivier Bécaille*, la nouvelle qu'il a écrite après *Nantas*, Zola continue de se pencher sur la psychologie d'un personnage masculin en proie aux obsessions et dont la vie ne tient plus qu'à un

1. Henri Mitterand, *Zola*, t. I : *Sous le regard d'Olympia. 1840-1871*, Fayard, 1999, p. 42.

2. Jacques Noiray, présentation de *Nantas*, LGF, Le Livre de poche, 2004, p. 12.

fil. En février 1879[1], l'écrivain va plus loin dans le resserrement de l'intrigue : la narration est désormais à la première personne, le flux temporel s'étrécit, les personnages qui environnent Olivier Bécaille, l'enterré vivant, n'ont qu'une faible consistance et la focalisation est évidemment renforcée par le thème, fort suggestif, de l'ensevelissement. L'écrivain n'avait aucun goût, on le sait, pour les subtilités et les méandres de « l'âme humaine », qu'en matérialiste convaincu il réfutait. En revanche, en se détournant de toute théorie relative à « l'homme métaphysique[2] », il va, dans le refus d'une causalité unique, et comme Flaubert et Maupassant, chiffrer toutes les composantes du récit, charger de sens tous les détails, multiplier les descriptions, convoquer la notion de milieu... de telle sorte qu'on ne puisse isoler l'intériorité du personnage. Lui sont en effet intimement associés tous les éléments de la narration, en particulier les images et les perceptions qu'il enregistre dans sa paralysie. La structure visuelle du cauchemar est déjà celle d'un récit fantastique et Zola, si l'on y prend garde, aura fréquemment aggloméré à ses visions les schémas du romantisme expressionniste.

L'intérêt de *La Mort d'Olivier Bécaille*, après *Nantas*, réside dans cette exploitation approfondie de la tradition littéraire et des hantises personnelles. L'écrivain était sujet à l'angoisse de la mort, depuis toujours est-on tenté de dire, depuis la disparition soudaine de son père et les « crises nerveuses » de l'enfance. Au moment de la préparation de *La Joie de vivre*, « il déclare qu'il lui est impossible, la lumière éteinte, de s'allonger entre les quatre colonnes de son lit sans penser qu'il est dans une bière. Il en est ainsi, assure-t-il, de tout le monde,

---

1. La nouvelle paraît le mois suivant dans *Le Messager de l'Europe*.
2. *Le Roman expérimental*, *op. cit.*, p. 64-65.

mais, par pudeur, personne n'en parle[1] ». En 1896, quand il se soumet à l'étonnante investigation du Dr Toulouse[2], il ne manque pas de rappeler les idées morbides qui menacent sans cesse son équilibre et lui font craindre de ne pas achever son œuvre. Il évoque aussi précisément une angoisse qui l'assaille pendant ses voyages en train, celle de se retrouver prisonnier d'un tunnel. Thématisée dans le rêve de Bécaille et, plus tard, dans *La Bête humaine* (1890), elle montre que, chez l'écrivain, l'imaginaire de la catastrophe – celui de *L'Inondation* ou de *Germinal* –, épique et spectaculaire, est associé à des hantises régressives qui se nouent dans l'opacité de la vie quotidienne, et donnent naissance à une scénographie plus macabre. Les images qui assaillent alors l'écrivain passent certes dans son œuvre, mais non sans avoir subi quelque soutien et confirmation des archétypes d'un imaginaire collectif romantique. La fragile frontière entre la mort et la vie est activement visitée, et, au sein d'une riche tradition littéraire, même limitée au XIXe siècle, on n'aurait guère de peine à repérer deux inflexions, fantastique et (mélo)dramatique, auxquelles Zola lecteur, critique et écrivain a été sensible. À propos de *La Mort d'Olivier Bécaille*, on convoque ainsi pêle-mêle l'*Onuphrius* de Théophile Gautier, *Le Colonel Chabert* de Balzac[3], *Les Misérables* de Hugo[4], les *Souvenirs d'un déterré* de Léo Lespès ou l'*Histoire de ma mort* d'Antonin Mulé[5]. La nouvelle de Zola n'est

1. *Journal* des Goncourt, 1er février 1880, cité par Roger Ripoll dans Émile Zola, *Contes et nouvelles*, *op. cit.*, p. 1534.

2. Édouard Toulouse, *Enquête médico-psychologique sur les rapports de la supériorité intellectuelle avec la névropathie. I. Introduction générale. Émile Zola*, Société d'éditions scientifiques, 1896.

3. David Baguley, « Les sources et la fortune des nouvelles de Zola », *Les Cahiers naturalistes*, n° 32, 1966, p. 124-125.

4. Livre VIII, chapitre VI : « Entre quatre planches ». Voir Nadine Satiat, introduction à *Naïs Micoulin et autres nouvelles*, *op. cit.*, p. 27.

5. Roger Ripoll, dans son édition des *Contes et nouvelles* de Zola, *op. cit.*, p. 1535.

toutefois pas l'addition de ces influences, elle a une originalité propre. Les limites que l'écrivain avait fixées à son imagination, qu'il n'avait pas par nature fantaisiste ou métaphysique, si l'on se fie à ses confidences et à ses déclarations [1], lui imposent de réfuter le mystère, mais d'explorer malgré tout les zones dans lesquelles il pourrait surgir. La révolte d'un Olivier Bécaille maintenu dans cet entre-deux de la vie et la mort, la relation précise de sa catalepsie, ses refus et son désespoir, l'oscillation entre fantastique et réalisme d'une nouvelle qu'Edmond de Goncourt jugeait « une imitation de Poe faite par Henri Monnier », sont peut-être l'expression métaphorique des apories d'une littérature expérimentale qui devait sagement « s'en tenir à la recherche du *comment* des choses » mais n'a pourtant cessé d'être torturée par la question fatale au scientifique, celle du *pourquoi* [2].

Les Coquillages de Monsieur Chabre

Les Coquillages de Monsieur Chabre, nouvelle écrite en août 1876 entre *Comment on meurt* et *Pour une nuit d'amour* [3], introduit un peu de légèreté et de fantaisie au sein d'une série marquée par l'angoisse, les images de mort et de dévastation. Cette détente s'explique d'abord par les circonstances de la rédaction. La nouvelle est écrite pendant une sensuelle villégiature des Zola et des Charpentier à Piriac-sur-Mer en 1876, dans un « bout de la Bretagne [qui]

---

1. Par exemple dans une lettre à Édouard Béliard du 5 avril 1875 : « Il y a quinze ans que je m'étudie. J'ai essayé un peu de tout. Or, je suis arrivé à ceci. Je vois clair, tant que je note les faits, et tant que je me contente d'exposer, selon ma sensation personnelle. Au-delà je sens un vide et j'ai peur de me casser le cou », *Correspondance*, *op. cit.*, t. II, p. 387.

2. Émile Zola, *Le Roman expérimental*, *op. cit.*, p. 64.

3. *Pour une nuit d'amour*, in Émile Zola, *Contes et nouvelles*, éd. Roger Ripoll, *op. cit.*, p. 628-661.

rappelle la Provence à s'y méprendre [1] ». Fatigué des efforts que lui demande *L'Assommoir*, Zola profite pleinement de son séjour au bord de la mer. Dans une lettre qu'il adresse à son ami Paul Alexis le 24 juillet 1876, il évoque avec euphorie son « installation » : « Nous occupons une grande maison au bord de la mer. Il y a une jetée et un petit port en face de nous, avec l'immense océan. [...] Nous pêchons des crevettes avec Charpentier. Nous prenons des bains. Nous passons nos soirées sur la plage, à regarder se lever les étoiles. Nous mangeons bien. En somme, une belle vie, qu'il faudrait mener quatre mois par an pour se bien porter [2]. » Ce climat de bien-être se retrouve dans la nouvelle, écrite sur place, comme l'indique la lettre à Alexis du 20 août : « J'aurai passé six semaines ici. J'ai envoyé régulièrement mes feuilletons au *Bien public*. J'ai fait, pour la Russie, une nouvelle dont j'ai placé la scène à Piriac même, avec la mer pour principal personnage [3]. » L'indication est importante, elle témoigne à nouveau de l'attrait qu'exerce le *milieu*, au sens large, dans la formation des intrigues et la constitution des personnages de fiction. Très sensible aux paysages, aux grottes marines, au village de Guérande, sur lequel il prend des notes, l'écrivain a fait de sa nouvelle pour une part un poème descriptif, dédié à une mer sereine, complice et envoûtante. L'idylle amoureuse entre la naïade Estelle et le géant Hector est cependant inscrite dans une donnée humoristique proche du vaudeville, puisqu'il est question d'un adultère sans dommage. En fait, la réussite de la nouvelle résulte d'un alliage bien dosé entre la satire humoristique, un argument scabreux et l'expression du désir panthéiste. Ici, Zola est proche de Maupassant [4].

1. Lettre d'Émile Zola à Marius Roux, 11 août 1876, in Émile Zola, *Correspondance*, *op. cit.*, t. II, p. 479.
2. *Ibid.*, p. 472.
3. *Ibid.*, p. 482.
4. Voir Sandrine Rabosseau, « Zola, Maupassant et l'adultère : étude comparée des *Coquillages de Monsieur Chabre* et de *Pierre et Jean* », *Les Cahiers naturalistes*, n° 77, 2003, p. 139-149.

C'est avec une même verve ironique qu'il brosse le caractère tout fait de son bourgeois, parangon de la médiocrité, sur lequel reposent, par contrastes successifs, la plupart des effets recherchés. Les éléments de caractérisation de son personnage tout d'une pièce sont rapidement mis en place, comme dans *Villégiature*[1], et « fixent » en quelque sorte son identité, en multipliant les indices de prévisibilité. Le couple est d'emblée présenté comme mal assorti et, dès qu'apparaît le « grand jeune homme » à la chevelure blonde et aux joues roses, il ne reste plus au lecteur qu'à apprécier par quelles étapes il sera conduit vers le dénouement souhaité. Le temps de l'histoire est ainsi celui d'un intervalle complaisant, relâché des contraintes subies par des personnages enfermés dans les signes de leur destin : le rentier sûr de lui mais impuissant, l'épouse soumise mais sensuelle, le jeune noble respectueux des usages mais sauvage et plein de vie. L'espace est lui aussi un fragment isolé, vite mobilisé dans une fonction d'adjuvant. Le titre et la clausule ironiques ciselent enfin ce joyau du récit court. *Les Coquillages de Monsieur Chabre* présente ainsi tous les caractères formels et thématiques de la nouvelle « classique », du récit forclos savamment construit, du petit chef-d'œuvre amoral rédigé dans un style vif et délié.

L'Attaque du moulin

Dans *L'Attaque du moulin*, Zola renoue avec le drame, en mettant en scène une idylle amoureuse dont l'élan spontané sera brisé par un épisode de guerre brutal et absurde. Le chroniqueur du *Messager de l'Europe* avait été aiguillé vers cet *Épisode de l'invasion de 1870* (titre sous lequel le texte paraît en juillet 1877) par Tourgueniev, qui lui avait signalé l'intérêt du public russe pour les récits de guerre, au

1. Voir *Contes et nouvelles (1864-1874)*, *op. cit.*, p. 121 *sq.*

moment où éclatait le conflit russo-turc. En quête d'un sujet, Zola poursuit donc dans la veine de sa précédente correspondance, *Mes souvenirs de guerre* [1], parue dans *Le Messager de l'Europe* en juin 1877. La guerre, dans ce premier texte, était décrite à distance. *L'Attaque du moulin*, comme le confirme le choix ultérieur de ce titre, s'intéresse plus précisément au combat et aux combattants.

Destinée certes au public russe, la nouvelle ne prend sa pleine signification que dans le contexte de l'après-guerre de 1870, pollué en France par une littérature où triomphe « le chauvinisme à la Déroulède », comme le dira Maupassant dans une lettre à Flaubert au moment de la publication des *Soirées de Médan* [2]. Zola, qui a toujours dénoncé les hypocrisies nationales et les rêves de fausse gloire par lesquels on masque la vérité, prend le contre-pied de cette tendance. La *Lettre à la jeunesse*, en 1879, précisera cet état d'esprit « naturaliste » : « Pour être patriote, il suffit dans un drame, dans une œuvre littéraire quelconque, de ramener le mot "patrie" le plus souvent possible, d'agiter des drapeaux, d'écrire des tirades sur des actes de courage. Dès lors, on prétend que vous relevez les âmes et que vous préparez la revanche. Toujours la même question de musique. Ce n'est là que l'excitation sensuelle aux belles actions. On agit sur les nerfs ; on ne parle point à l'intelligence, aux facultés de compréhension et d'application. [...] C'est nous qui sommes les vrais patriotes, nous qui voulons la France savante, débarrassée des déclamations lyriques, grandie par la culture du vrai, appliquant la formule scientifique en toute chose, en politique comme en littérature, dans l'économie sociale comme dans l'art de la

---

1. Émile Zola, *Contes et nouvelles*, éd. Roger Ripoll, *op. cit.*, p. 1010-1030, sous le titre adopté par la suite dans les publications françaises : *Les Trois Guerres*.

2. Extrait d'une lettre du 5 janvier 1880, citée par Colette Becker dans son édition des *Soirées de Médan*, Le Livre à venir, 1981, p. 17.

guerre[1]. » Si *L'Attaque du moulin*, en s'intéressant à une escarmouche, reste fidèle à la tradition littéraire du récit de guerre et méconnaît l'ampleur d'un des premiers grands conflits modernes, qui sera au contraire l'objet de *La Débâcle*, la nouvelle est néanmoins originale par son dépouillement, par la neutralité de la voix narrative et par la charge critique. L'alternance et le renversement qui régissent la structure du texte, la rupture brutale de l'harmonie, de même que l'ironie tragique du dénouement, effacent toute distinction entre vainqueurs et vaincus et clament l'absurdité du conflit. C'est dans le même esprit de rectification, voire de provocation[2], que sera logiquement constitué, à la fin de 1879, le recueil manifeste des *Soirées de Médan*, dans lequel la nouvelle de Zola figure en première position, suivie de cinq autres écrites par ses « disciples » ou amis[3].

Angeline

Lorsque sa collaboration avec *Le Messager de l'Europe* prend fin, en 1880, Zola, très absorbé par son œuvre de romancier, cesse d'écrire des nouvelles. La *Revue indépendante* publiera en 1884 *Théâtre de campagne*, une évocation un peu égrillarde des divertissements d'aristocrates en vacances, mais il est possible, comme le suggère Roger Ripoll, que

1. Émile Zola, *Lettre à la jeunesse*, reprise dans *Le Roman expérimental*, *op. cit.*, p. 123-124.

2. Voir Antonia Fonyi, « *Les Soirées de Médan* : un livre à lire », *Romantisme*, nº 103, 1999, p. 97-111.

3. *Les Soirées de Médan*, que les auteurs avaient d'abord pensé intituler *L'Invasion comique*, paraîtra le 14 avril 1880 chez Charpentier. Le recueil est composé, après la nouvelle de Zola, de *Boule de suif* de Maupassant, de *Sac au dos* de Joris-Karl Huysmans, de *La Saignée* d'Henry Céard, de *L'Affaire du grand 7* de Léon Hennique et d'*Après la bataille* de Paul Alexis. Voir la présentation de Colette Becker dans son édition des *Soirées de Médan*, *op. cit.*

ce texte ait été conçu en 1877 pour figurer dans la série des *Parisiens en villégiature* [1]. Quoi qu'il en soit, sorti de la presse, à laquelle il fait ses adieux en 1881, Zola abandonne les régimes d'écriture qui lui étaient associés et procède à des regroupements, de ses textes critiques essentiellement, mais également de ses courtes fictions, avec *Le Capitaine Burle* en 1882 et *Naïs Micoulin* en 1884. Le nouvelliste se réveillera une dernière fois, cependant, lors de l'exil à Londres [2], en 1898, pour *Angeline.* Cette courte nouvelle fantastique est écrite dans une sorte de sursaut de la fiction, alors que l'écrivain était attelé à la rédaction de *Fécondité* : « Dès le vendredi 23 [septembre 1898], dit-il dans son journal, j'ai dû abandonner mon roman, et je ne m'y suis remis qu'à Upper Norwood le jeudi 20 octobre. Les trois jours qui ont précédé ce jeudi, je les ai employés à écrire ma nouvelle *Angeline.* » Ainsi *Angeline* est-elle sortie tout armée du cerveau créateur en trois jours, les 17, 18 et 19 octobre 1898. La nouvelle, qui sera publiée le 16 janvier 1899 dans *The Star*, un quotidien de Londres, a certes été ruminée après avoir été suscitée par une anecdote, concernant une maison « hantée », devant laquelle Zola passait régulièrement à bicyclette. Mais elle est aussi assez clairement une fictionnalisation de la situation et des interrogations philosophiques de l'écrivain en exil. C'est sa plus grande sensibilité à la douleur universelle, ce sont ses propres angoisses qui ont été magnifiées par l'affaire Dreyfus et qu'il figure avec une éloquence un peu grave au début de la nouvelle : « Longtemps, je

1. [*Les Parisiens en villégiature*], in Émile Zola, *Contes et nouvelles*, éd. Roger Ripoll, *ibid.*, p. 1062-1088 ; voir aussi la notice de Roger Ripoll, p. 1598-1599.

2. Zola, à la suite de son intervention dans l'affaire Dreyfus et de sa célèbre lettre, « J'accuse », fut définitivement condamné pour diffamation par la cour d'appel de Versailles, le 18 juillet 1898, à un an de prison et 3 000 francs d'amende. Pour éviter l'incarcération, il s'exila en Angleterre, où il resta jusqu'au 4 juin 1899.

m'oubliai là, au milieu de cette plainte désespérée qui sortait des choses, le cœur troublé d'une peur sourde, d'une détresse grandissante, retenu pourtant par une compassion ardente, un besoin de savoir et de sympathiser avec tout ce que je sentais, autour de moi, de misère et de douleur » (p. 295). Nul doute que l'ensemble du texte renvoie au chemin de croix que le saint laïque a dû emprunter : il a voulu imposer et défendre une vérité que recouvraient « les invraisemblances », « les passions humaines remuées » et les rumeurs tenaces ; des « contes effroyables » ont surgi, des légendes, des histoires diverses ont été tissées, comme celle dont le cerveau du narrateur donne l'exemple ; les forces de mort ont œuvré, mais la vie doit triompher, puisque « rien ne se perd, tout recommence, la beauté comme l'amour » (p. 307). Dans la dernière nouvelle, propitiatoire, de Zola, l'écho du nom d'*Angeline*, sépulcral et lancinant, prend peu à peu la consistance d'une voix réelle, exorcise le mal et célèbre « la joie enfin retrouvée de l'éternelle vie » (p. 307).

Augmentée de ses nouvelles, dont nous présentons ici une sélection, l'œuvre de Zola gagne en variété et en intensité. Si l'intérêt du public continue de se porter vers les grands romans du cycle des *Rougon-Macquart*, il convient de rappeler que *L'Assommoir* ou *Germinal* sont advenus au fil d'une longue carrière dans le journalisme littéraire, où Zola s'est illustré comme grand critique et brillant chroniqueur. Animé d'un talent et d'une énergie dispensés sans retard et sans parcimonie, l'écrivain est déjà tout entier dans ces textes brefs qui, tout en se conformant aux sollicitations thématiques et stylistiques d'une presse en pleine expansion, manifestent un tempérament original et dessinent les contours d'un univers singulier. C'est même un Zola méconnu du grand public qui surgit soudain, moins monolithique, moins solennel. Fantaisiste, rêveur, mélancolique, fasciné par l'idylle, nostalgique et poète, l'auteur des *Contes à Ninon* l'a toujours été et le restera, en dépit de l'inflexion didactique du *corpus* romanesque. Les nouvelles, c'est Zola en filigrane. Elles apportent un précieux contrepoint, elles révèlent, par la spontanéité et la richesse de leur inspiration, un auteur plus insaisissable et *naturel* que ne le laissaient supposer les professions de foi *naturalistes*.

François-Marie MOURAD.

NOTE SUR L'ÉDITION

Cet ouvrage rassemble des récits parus entre 1875 et 1899 ; un premier volume de *Contes et nouvelles* de Zola, édité dans la même collection, porte sur la période 1864-1874. Si l'on met à part la dernière nouvelle publiée en Angleterre par Zola en janvier 1899, *Angeline*, les textes retenus pour ce volume sont extraits des recueils suivants, parus chez Charpentier : *Le Capitaine Burle* (1882) et *Naïs Micoulin* (1884) ; l'ordre dans lequel les récits apparaissent dans ces recueils a été respecté. En outre, *L'Attaque du moulin* a figuré en tête des *Soirées de Médan* (1880). Pour ce volume comme pour le précédent, nous avons été guidé dans nos choix par le souci de présenter au public un ensemble représentatif de l'art de la nouvelle zolienne. À la fin de l'ouvrage figurent la chronologie détaillée de la totalité des « nouvelles » de Zola, écrites et publiées entre deux dates extrêmes (de 1859 à 1899), et les tables des matières des recueils parus de son vivant.

CONTES ET NOUVELLES

(1875-1899)

LE CAPITAINE BURLE [1]

I

Il était neuf heures. La petite ville de Vauchamp [2] venait de se mettre au lit, muette et noire, sous une pluie glacée de novembre. Dans la rue des Récollets, une des rues les plus étroites, les plus désertes du quartier Saint-Jean, une fenêtre restait éclairée, au troisième étage d'une vieille maison, dont les gouttières rompues lâchaient des torrents d'eau. C'était Mme Burle qui veillait devant un maigre feu de souches de vigne, pendant que son petit-fils Charles faisait ses devoirs, dans la clarté pâle de la lampe.

L'appartement, loué cent soixante francs par an, se composait de quatre pièces énormes, qu'on ne parvenait pas à chauffer l'hiver. Mme Burle couchait dans la plus vaste ; son fils, le capitaine-trésorier Burle, avait pris la chambre donnant sur la rue, près de la salle à manger ; et le petit Charles, avec son lit

1. *Le Capitaine Burle*, qui donne son nom au recueil de nouvelles paru en 1882, a d'abord été publié en décembre 1880 dans la revue russe *Le Messager de l'Europe*, sous le titre *Un duel*. Zola reprend cette nouvelle à deux reprises, d'abord du 19 février au 5 mars 1881, dans *La Vie moderne*, hebdomadaire littéraire et artistique illustré, édité par Georges Charpentier, puis entre le 25 septembre et le 16 octobre 1882, dans *Le Rabelais*.

2. Les plus anciennes mentions situent le nom dans le Haut-Rhin (Orbey) au XVIIe siècle. Un hameau s'appelle Vauchamp à Saint-Hippolyte, dans le Doubs. Zola, qui reprend dans la phrase suivante un nom de rue déjà utilisé dans *La Fortune des Rougon*, indiquera plus loin que Vauchamp se trouve dans le Midi. La localisation est donc imaginaire.

de fer, était perdu au fond d'un immense salon aux tentures moisies, qui ne servait pas. Les quelques meubles du capitaine et de sa mère, un mobilier Empire d'acajou massif, dont les continuels changements de garnison avaient bossué et arraché les cuivres, disparaissaient sous les hauts plafonds, d'où tombait comme une fine poussière de ténèbres. Le carreau, peint en rouge, froid et dur, glaçait les pieds ; et il n'y avait, devant les sièges, que des petits tapis usés, d'une pauvreté grelottante dans ce désert, où tous les vents soufflaient, par les portes et les fenêtres disjointes.

Près de la cheminée, Mme Burle était accoudée, au fond de son fauteuil de velours jaune, regardant fumer une dernière racine, de ces regards fixes et vides des vieilles gens qui revivent en eux-mêmes. Elle restait ainsi les journées entières, avec sa haute taille, sa longue figure grave dont les lèvres minces ne souriaient jamais. Veuve d'un colonel, mort à la veille de passer général, mère d'un capitaine, qu'elle avait accompagné jusque dans ses campagnes, elle gardait une raideur militaire, elle s'était fait des idées de devoir, d'honneur, de patriotisme, qui la tenaient rigide, comme séchée sous la rudesse de la discipline. Rarement une plainte lui échappait. Quand son fils était devenu veuf, après cinq ans de mariage, elle avait naturellement accepté l'éducation de Charles, avec la sévérité d'un sergent chargé d'instruire les recrues. Elle surveillait l'enfant, sans lui tolérer un caprice ni une irrégularité, le forçant à veiller jusqu'à minuit, et veillant elle-même, si les devoirs n'étaient pas faits. Charles, de tempérament délicat, grandissait très pâle sous cette règle implacable, la face éclairée par de beaux yeux, trop grands et trop clairs.

Dans ses longs silences, Mme Burle ne remuait jamais qu'une même idée : son fils avait trahi son espoir. Cela suffisait à l'occuper, lui faisait revivre sa vie, depuis la naissance du petit, qu'elle voyait atteindre les plus hauts grades, au milieu d'un fracas de gloire, jusqu'à cette existence étroite de garnison, ces journées mornes et toujours semblables, cette chute dans ce poste de capitaine-trésorier, dont il ne sortirait pas, et où il s'appesantissait. Pourtant, les débuts l'avaient gonflée d'orgueil ; un instant, elle put croire son rêve réalisé. Burle quittait à peine l'école de Saint-Cyr, lorsqu'il s'était distingué à la bataille de Solferino [1], en prenant, avec une poignée d'hommes, toute une batterie ennemie ; on le décora, les journaux parlèrent de son héroïsme, il fut connu pour un des soldats les plus braves de l'armée. Et, lentement, le héros engraissa, se noya dans sa chair, épais, heureux, détendu et lâche. En 1870, il n'était que capitaine ; fait prisonnier dans la première rencontre, il revint d'Allemagne furieux, jurant bien qu'on ne le reprendrait plus à se battre, trouvant ça trop bête ; et, comme il ne pouvait quitter l'armée, incapable d'un métier, il réussit à se faire nommer capitaine-trésorier, une niche, disait-il, où du moins on le laisserait crever tranquille. Ce jour-là, Mme Burle avait senti un grand déchirement en elle. C'était fini, et elle n'avait plus quitté son attitude raidie, les dents serrées.

Le vent s'engouffra dans la rue des Récollets, un flot de pluie vint battre rageusement les vitres. La vieille femme avait levé les yeux des souches de vigne qui s'éteignaient, pour s'assurer que Charles ne s'endormait pas sur sa version latine. Cet enfant de douze ans redevenait une espérance suprême, où se rattachait son besoin entêté de gloire. D'abord, elle l'avait détesté, de toute la haine qu'elle portait à sa mère, une petite ouvrière en dentelles, jolie, délicate, que le capitaine avait eu la bêtise d'épouser, ne pouvant en faire sa maîtresse, fou de désir. Puis, la mère morte, le père vautré dans son vice, Mme Burle

1. La bataille de Solferino (24 juin 1859) fut l'épisode décisif de la lutte pour l'unité italienne. Les Français – alliés des Sardes –, avec à leur tête l'empereur Napoléon III, triomphèrent des troupes autrichiennes.

s'était remise à rêver devant le pauvre être souffreteux, qu'elle élevait à grand-peine. Elle le voulait fort, il serait le héros que Burle avait refusé d'être ; et, dans sa froideur sévère, elle le regardait pousser avec anxiété, lui tâtant les membres, lui enfonçant du courage dans le crâne. Peu à peu, aveuglée par sa passion, elle avait cru qu'elle tenait enfin l'homme de sa famille. L'enfant, de nature tendre et rêveuse, avait une horreur physique du métier des armes ; mais, comme sa grand-mère lui faisait une peur horrible, et qu'il était très doux, très obéissant, il répétait ce qu'elle disait, l'air résigné à être soldat un jour.

Cependant, Mme Burle remarqua que la version ne marchait guère. Charles, assourdi par le bruit de la tempête, dormait, la plume à la main, les yeux ouverts sur le papier. Alors, elle tapa de ses doigts secs le bord de la table ; et il fit un saut, il ouvrit son dictionnaire qu'il feuilleta fiévreusement. Toujours muette, la vieille femme rapprocha les souches, essaya de rallumer le feu, sans y parvenir.

Au temps où elle croyait à son fils, elle s'était dépouillée, il lui avait mangé ses petites rentes, dans des passions qu'elle n'osait approfondir. À cette heure encore, il vidait la maison, tout coulait à la rue ; c'était la misère, les pièces nues, la cuisine froide. Jamais elle ne lui parlait de ces choses ; car, dans son respect de la discipline, il restait le maître. Seulement, elle était parfois prise d'un frisson à la pensée que Burle pourrait bien un jour commettre quelque sottise, qui empêcherait Charles d'entrer dans l'armée.

Elle se levait pour aller chercher à la cuisine un sarment, lorsqu'une terrible bourrasque, qui s'abattit sur la maison, secoua les portes, arracha une persienne, rabattit l'eau des gouttières crevées, dont le torrent inonda les fenêtres. Et, dans ce vacarme, un coup de sonnette lui causa une surprise. Qui pouvait venir à une telle heure et par un temps pareil ? Burle ne rentrait plus que passé minuit, quand il rentrait.

Elle ouvrit. Un officier parut, trempé, éclatant en jurons.

« Sacré nom de Dieu !... Ah ! quel chien de temps ! »

C'était le major Laguitte, un vieux brave qui avait servi sous le colonel Burle, au beau temps de Mme Burle. Parti enfant de troupe[1], il était arrivé par sa bravoure, beaucoup plus que par son intelligence, au grade de chef de bataillon, lorsqu'une infirmité, un raccourcissement des muscles de la cuisse, à la suite d'une blessure, l'avait forcé d'accepter le poste de major[2]. Il boitait même légèrement ; mais il n'aurait pas fallu le lui dire en face, car il refusait d'en convenir.

« C'est vous, major ? dit Mme Burle, de plus en plus étonnée.

– Oui, nom de Dieu ! grogna Laguitte, et il faut bougrement vous aimer pour courir les rues par cette sacrée pluie... C'est à ne pas mettre un curé dehors. »

Il se secouait, des mares coulaient de ses bottes sur le plancher. Puis, il regarda autour de lui.

« J'ai absolument besoin de voir Burle... Est-ce qu'il est déjà couché, ce fainéant ?

– Non, il n'est pas rentré », dit la vieille femme de sa voix dure.

Le major parut exaspéré. Il s'emporta, criant :

« Comment ! pas rentré ! Mais alors ils se sont fichus de moi, à son café, chez la Mélanie, vous savez bien !... J'arrive, et il y a une bonne qui me rit

---

1. Un enfant de troupe désignait à l'origine un enfant dont le père était sous-officier ou soldat et qui suivait la troupe, en compagnie de sa famille. Contrairement aux enfants d'officiers qui avaient des écoles pour les former au métier des armes, ces enfants de troupe n'avaient aucun autre moyen d'avoir une formation militaire que celui de s'engager en tant que soldat.

2. Major est un grade militaire, qui se situe différemment dans la hiérarchie militaire suivant les pays. Il désigne soit un grade intermédiaire entre sous-officiers et officiers subalternes, soit le premier grade d'officier supérieur. C'est ici le cas, puisque Laguitte est d'abord chef de bataillon, c'est-à-dire commandant.

au nez, en me disant que le capitaine est allé se coucher. Ah ! nom de Dieu ! je sentais ça, j'avais envie de lui tirer les oreilles ! »

Il se calma, il piétina dans la pièce, indécis, l'air bouleversé. Mme Burle le regardait fixement.

« C'est au capitaine lui-même que vous avez besoin de parler ? demanda-t-elle enfin.

– Oui, répondit-il.

– Et je ne puis lui répéter ce que vous avez à lui dire ?

– Non »

Elle n'insista pas. Mais elle restait debout, elle regardait toujours le major, qui ne semblait pouvoir se décider à partir. À la fin, la colère le reprit.

« Tant pis ! sacré nom !... Puisque je suis venu, il faut que vous sachiez... Ça vaut mieux peut-être. »

Et il s'assit devant la cheminée, allongeant ses bottes boueuses, comme si un feu clair avait flambé sur les chenets. Mme Burle allait reprendre sa place dans son fauteuil, lorsqu'elle s'aperçut que Charles, vaincu par la fatigue, venait de laisser tomber sa tête entre les pages ouvertes de son dictionnaire. L'entrée du major l'avait d'abord secoué ; puis, voyant qu'on ne s'occupait plus de lui, il n'avait pu résister au sommeil. Sa grand-mère se dirigeait vers la table, pour donner une tape sur ses mains frêles qui blanchissaient sous la lampe, lorsque Laguitte l'arrêta.

« Non, non, laissez ce pauvre petit homme dormir... Ce n'est pas si drôle, il n'a pas besoin d'entendre. »

La vieille femme revint s'asseoir. Un silence régna. Tous deux se contemplaient.

« Eh bien ! ça y est ! dit enfin le major, en appuyant sa phrase d'un furieux mouvement du menton. Ce salaud de Burle a fait le coup ! »

Mme Burle n'eut pas un tressaillement. Elle blêmissait, plus raide dans son fauteuil. L'autre continua :

« Je me méfiais bien... Je m'étais promis de vous en parler un jour. Burle dépensait trop, puis il avait un air idiot qui ne m'allait guère. Mais jamais je n'aurais cru... Ah ! nom de Dieu ! faut-il être bête pour faire des saletés pareilles ! »

Et il s'allongeait des coups de poing féroces sur le genou, étranglé d'indignation. La vieille femme dut lui poser une question nette.

« Il a volé ?

– Vous ne pouvez vous imaginer la chose... N'est-ce pas ? je ne vérifiais jamais, moi ! J'approuvais ses comptes, je donnais des signatures. Vous savez comment ça se passe, dans le conseil. Au moment de l'inspection seulement, à cause du colonel qui est un maniaque, je lui disais : “Mon vieux, veille à ta caisse, c'est moi qui en réponds.” Et j'étais bien tranquille... Pourtant, depuis un mois, comme il avait une si drôle de tête et qu'on me rapportait des choses pas propres, je mettais davantage mon nez dans ses registres, j'épluchais ses écritures. Tout m'avait l'air en ordre, c'était très bien tenu... »

Il s'arrêta, soulevé par une telle bouffée de fureur, qu'il dut se soulager tout de suite.

« Cré nom de Dieu ! Cré nom de Dieu !... Ce n'est pas sa coquinerie qui me fâche, c'est la façon dégoûtante dont il s'est conduit à mon égard. Il s'est foutu de moi, entendez-vous, madame Burle !... Cré nom de Dieu ! est-ce qu'il me prend pour une vieille bête ?

– Alors, il a volé ? demanda de nouveau la mère.

– Ce soir, reprit le major un peu calmé, je sortais de table, lorsque Gagneux est venu... Vous connaissez Gagneux, le boucher qui est au coin de la place aux Herbes. Encore un sale coquin, celui-là, qui a eu l'adjudication [1] de la viande et qui fait manger à

1. L'adjudication est un marché de biens ou de fournitures fait au plus offrant. Le boucher a donc obtenu le marché de la viande pour le régiment.

nos hommes toutes les vaches crevées du département !... Bon ! je le reçois comme un chien, quand il me découvre le pot aux roses. Ah ! c'est du propre ! Il paraît que Burle ne lui donnait jamais que des acomptes ; un micmac épouvantable, un embrouillamini de chiffres où le diable ne pourrait se reconnaître ; bref, Burle lui redoit deux mille francs [1], et le boucher parle d'aller tout dire au colonel, si on ne le paie pas... Le pis est que mon cochon de Burle, pour me flanquer dedans, me donnait chaque semaine un reçu faux, qu'il signait carrément du nom de Gagneux... À moi, à moi son vieil ami, une pareille farce ! Nom de Dieu de nom de Dieu ! »

Le major se leva, lança les poings au plafond et se laissa retomber sur sa chaise. Mme Burle répéta encore :

« Il a volé, ça devait être. »

Puis, sans un mot de jugement et de condamnation sur son fils, elle ajouta simplement :

« Deux mille francs, mais nous ne les avons pas... Il y a peut-être trente francs ici.

– Je m'en doutais, dit Laguitte. Et vous savez où tout ça passe ? chez la Mélanie, une sacrée roulure qui a rendu Burle complètement idiot... Oh ! les femmes ! je l'avais bien dit, qu'elles lui casseraient les reins ! Je ne sais pas comment il est fait, cet animal-là ! Il n'a que cinq ans de moins que moi, et il est encore enragé. Quel fichu tempérament ! »

Il y eut un nouveau silence. Au-dehors, la pluie redoublait, et l'on entendait, dans la petite ville endormie, le fracas des tuyaux de cheminée et des ardoises que l'ouragan écrasait sur le pavé des rues.

« Voyons, reprit le major en se mettant debout, ça n'arrange pas les affaires, de rester là... Vous êtes prévenue, je file.

---

1. À peu près 7 600 euros. Il est d'usage de multiplier par 25 les francs de la fin du XIXe siècle pour pouvoir les comparer avec ceux de la fin du XXe siècle. Un franc de 1880 correspond donc à environ 3,80 euros d'aujourd'hui.

– Quel parti prendre ? Où s'adresser ? murmurait la vieille femme.

– Ne vous désespérez pas, il faut voir... Si j'avais seulement ces deux mille francs ; mais vous savez que je ne suis pas riche. »

Il se tut, embarrassé. Lui, vieux garçon, sans femme, sans enfants, buvait scrupuleusement sa paie et perdait à l'écarté [1] ce que le cognac et l'absinthe épargnaient. Avec cela, très honnête, par règle.

« N'importe ! continua-t-il, quand il fut sur le seuil, je vais toujours aller relancer mon gredin chez sa donzelle. Je remuerai ciel et terre... Burle, le fils de Burle, condamné pour vol ! Allons donc ! est-ce que c'est possible ! Ce serait la fin du monde. J'aimerais mieux faire sauter la ville... Et, tonnerre de Dieu ! ne vous faites pas de peine. Tout ça, c'est encore plus vexant pour moi ! »

Il lui donna une rude poignée de main, il disparut dans l'ombre de l'escalier, pendant qu'elle l'éclairait, en levant la lampe. Quand elle eut reposé cette lampe sur la table, dans le silence et la nudité de la vaste pièce, elle resta un instant immobile, devant Charles qui dormait toujours, le visage entre les feuillets du dictionnaire. C'était, avec de longs cheveux blonds, une tête pâle de fille. Et elle rêvait, et sur son visage durci et fermé un attendrissement parut ; mais ce ne fut qu'une rougeur passagère, le masque reprit tout de suite son entêtement de froide volonté. Elle appliqua une tape sèche sur la main du petit, en disant :

« Charles, ta version ! »

L'enfant se réveilla, effaré, grelottant, et se remit à feuilleter rapidement le dictionnaire. À ce moment, le major Laguitte, qui refermait à la volée la porte de la rue, recevait sur la tête un tel paquet d'eau, tombé des gouttières, qu'on l'entendit jurer dans le vacarme de la tempête. Puis, il n'y eut plus,

1. Jeu de cartes d'origine française, qui se joue normalement à deux et où l'on écarte des cartes.

au milieu du roulement de l'averse, que le léger grincement de la plume de Charles sur le papier. Mme Burle avait repris sa place devant la cheminée, raidie, les yeux sur le feu mort, dans son idée fixe et dans son attitude de tous les soirs.

II

Le Café de Paris, tenu par Mme veuve Mélanie Cartier, se trouvait sur la place du Palais, une grande place irrégulière, plantée de petits ormes poussiéreux. À Vauchamp, on disait : « Viens-tu chez Mélanie ? » Au bout de la première salle, assez vaste, il y en avait une autre : le « divan », très étroite, garnie de banquettes de moleskine [1] le long des murs, avec quatre tables de marbre dans les angles. C'était là que Mélanie, désertant son comptoir où elle installait sa bonne Phrosine, passait la soirée avec quelques habitués, les intimes, ceux qu'on appelait dans la ville : « Ces messieurs du divan. » Cela notait un homme ; on ne le nommait plus qu'avec des sourires, où il entrait à la fois de la déconsidération et une sourde envie.

Mme Cartier était devenue veuve à vingt-cinq ans. Son mari, un charron qui avait stupéfié Vauchamp en prenant le Café de Paris, à la mort d'un oncle, était revenu un beau matin avec elle de Montpellier, où il faisait tous les six mois un voyage pour ses liqueurs. Il montait sa maison ; il avait, avec ses fournitures, choisi une femme telle qu'il la voulait sans doute, engageante et poussant aux consommations. Jamais on ne sut où il l'avait ramassée ; et il ne l'épousa même que six mois après l'avoir essayée dans son comptoir. Les avis, d'ailleurs, se trouvaient partagés, à Vauchamp : les uns déclaraient Mélanie superbe ; les autres la traitaient de gendarme. C'était

1. Moleskine : toile de coton fin, recouverte d'un enduit flexible et d'un vernis imitant le grain du cuir.

une grande femme, avec de grands traits et des cheveux durs, qui lui tombaient sur les sourcils. Mais personne ne niait sa force à « entortiller les hommes ». Elle avait de beaux yeux, elle en abusait pour regarder fixement ces messieurs du divan, qui pâlissaient et devenaient souples. Puis, le bruit courait que c'était un beau corps de femme ; et, dans le Midi, on aime ça.

Cartier était mort d'une façon singulière. On parla d'une querelle entre les époux, d'un dépôt qui s'était formé à la suite d'un coup de pied dans le ventre. Du reste, Mélanie se trouva fort embarrassée, car le café ne prospérait guère. Le charron avait mangé l'argent de l'oncle à boire lui-même son absinthe et à user son billard. On crut un instant qu'elle serait forcée de vendre. Mais cette vie lui plaisait, et pour une dame l'installation était toute faite. Il ne lui fallait jamais que quelques clients, la grande salle pouvait rester vide. Elle se contenta donc de faire coller du papier blanc et or dans le divan et de renouveler la moleskine des banquettes. D'abord, elle y tint compagnie à un pharmacien ; puis vinrent un fabricant de vermicelle, un avoué, un magistrat en retraite. Et ce fut ainsi que le café demeura ouvert, bien que le garçon n'y servît pas vingt consommations en un jour. L'autorité tolérait l'établissement, parce que les convenances étaient gardées et qu'en somme beaucoup de gens respectables se seraient trouvés compromis.

Le soir, dans la grande salle, quatre ou cinq petits rentiers du voisinage faisaient quand même leur partie de dominos. Cartier était mort, le Café de Paris avait pris d'étranges allures ; eux, ne voyaient rien, conservaient leurs habitudes. Comme le garçon devenait inutile, Mélanie finit par le congédier. C'était Phrosine qui allumait un seul bec de gaz, dans un coin, pour la partie des petits rentiers. Parfois, une bande de jeunes gens, attirés par les histoires qu'on racontait, après s'être excités à entrer chez Mélanie, envahissaient la salle, avec des rires bruyants et gênés. Mais on les recevait d'un air de dignité glaciale ; ils ne voyaient pas la patronne, ou, si elle était là, elle les écrasait sous un mépris de belle femme, qui les laissait balbutiants. Mélanie avait trop d'intelligence pour s'oublier à des sottises. Pendant que la grande salle restait obscure, éclairée seulement dans l'angle où les petits rentiers remuaient mécaniquement leurs dominos, elle servait elle-même ces messieurs du divan, aimable sans licence, se permettant, aux heures d'abandon, de s'appuyer sur l'épaule d'un d'entre eux, pour suivre un coup délicat d'écarté.

Un soir, ces messieurs, qui avaient fini par se tolérer, eurent une surprise bien désagréable en trouvant le capitaine Burle installé dans le divan. Il était, paraît-il, entré le matin boire un vermouth, par hasard ; et, seul avec Mélanie, il avait causé. Le soir, quand il était revenu, Phrosine l'avait tout de suite fait passer dans la petite salle.

Deux jours après, Burle régnait, sans avoir pour cela mis en fuite ni le pharmacien, ni le fabricant de vermicelle, ni l'avoué, ni l'ancien magistrat. Le capitaine, petit et large, adorait les grandes femmes. Au régiment, on l'avait surnommé « Juponeux », pour sa continuelle faim de la femme, pour sa rage d'appétits, qui se satisfaisait n'importe où et n'importe comment, d'autant plus violente qu'elle pouvait mordre dans un morceau plus gros. Lorsque les officiers et même les simples soldats rencontraient quelque outre de chair, un débordement d'appas, une géante soufflée de graisse, ils s'écriaient, qu'elle fût en guenilles ou habillée de velours : « En voilà encore une pour ce sacré Juponeux ! » Toutes y passaient ; et, le soir, dans les chambrées, on prédisait qu'il s'en ferait crever. Aussi Mélanie, ce beau corps de femme, le prit-elle en entier, avec une puissance irrésistible. Il sombra, il s'abîma en elle. Au bout de quinze jours, il était tombé dans un hébétement d'amoureux gras qui se vide sans maigrir. Ses petits yeux, noyés au milieu de sa face bouffie, suivaient partout la veuve, de leur regard de chien battu. Il s'oubliait, en continuelle extase devant cette large figure d'homme, plantée de cheveux rudes comme des poils. De peur qu'elle ne lui coupât les vivres, comme il disait, il tolérait ces messieurs du divan et donnait sa paie jusqu'au dernier liard. Ce fut un sergent qui prononça le mot de la situation : « Juponeux a trouvé son trou, il y restera. » Un homme enterré !

Il était près de dix heures, lorsque le major Laguitte rouvrit furieusement la porte du Café de Paris. Par le battant, lancé à toute volée, on aperçut un instant la place du Palais, noire, changée en un lac de fange liquide, bouillonnante sous la terrible averse. Le major, trempé cette fois jusqu'à la peau, laissant derrière lui un fleuve, marcha droit au comptoir, où Phrosine lisait un roman.

« Bougresse ! cria-t-il, c'est toi qui te fous des militaires ?... Tu mériterais... »

Et il leva la main, il ébaucha une claque à assommer un bœuf. La petite bonne se reculait, effarée, tandis que les bourgeois, béants, tournaient la tête sans comprendre. Mais le major ne s'attarda pas ; il poussa la porte du divan, tomba entre Burle et Mélanie, juste au moment où celle-ci, par gentillesse, faisait boire un grog au capitaine à petites cuillerées, comme on donne la becquée à un serin favori. Il n'était venu, ce soir-là, que le magistrat en retraite et le pharmacien, qui tous deux s'en étaient allés de bonne heure, pris de tristesse. Et Mélanie, ayant besoin de trois cents francs le lendemain, profitait de l'occasion pour se montrer câline.

« Voyons, le chéri à sa mère... Donnez votre bec... C'est bon, hein ? petit cochon ! »

Le capitaine, très rouge, avachi, les yeux morts, suçait la cuiller, d'un air de jouissance profonde.

« Nom de Dieu ! gueula le major, debout sur le seuil, tu te fais donc garder par les femelles, maintenant ! On me dit que tu n'es pas venu, on me flanque à la porte, pendant que tu es là, à te ramollir ! »

Burle, repoussant le grog, avait tressailli. D'un mouvement irrité, Mélanie s'était avancée, comme pour le couvrir de son grand corps. Mais Laguitte la regarda en face, avec cet air tranquille et résolu que connaissent bien les femmes menacées de recevoir une gifle.

« Laissez-nous », dit-il simplement.

Elle hésita encore une seconde. Elle avait cru sentir le vent de la gifle, et, blême de rage, elle rejoignit Phrosine dans le comptoir.

Quand ils furent enfin seuls, le major Laguitte se posa devant le capitaine Burle ; puis, les bras croisés, se courbant, à pleine voix il lui cria dans la figure :

« Salaud ! »

L'autre, ahuri, voulut se fâcher. Il n'en eut pas le temps.

« Tais-toi !... Tu t'es fichu salement d'un ami. Tu m'as collé des reçus faux qui pouvaient nous conduire aux galères tous les deux. Est-ce que c'est propre, ça ? Est-ce qu'on se fait des plaisanteries pareilles, quand on se connaît depuis trente ans ? »

Burle, retombé sur sa chaise, était devenu livide. Un grelottement de fiévreux agitait ses membres. Le major continua, en marchant autour de lui, et en donnant des coups de poing sur les tables :

« Alors, tu as volé comme un gratte-papier, et pour ce grand chameau !... Encore, si tu avais volé pour ta mère, ce serait honorable. Mais, nom de Dieu ! aller manger la grenouille et apporter la monnaie dans cette baraque, c'est ça qui m'enrage !... Dis ? qu'as-tu donc dans le coco pour te crever à ton âge, avec un pareil gendarme ? Ne mens pas, je vous ai vus tout à l'heure faire vos saletés.

– Tu joues bien, toi, bégaya le capitaine.

– Oui, je joue, tonnerre ! reprit le major, dont cette remarque redoubla la fureur, et je suis un sacré cochon de jouer, parce que ça me mange tout mon saint-frusquin, et que ce n'est guère à l'honneur de

« Burle, repoussant le grog, avait tressailli. »

Illustration du *Capitaine Burle* par Steinlen.

l'armée française. Mais, cré nom de Dieu ! si je joue, je ne vole pas !… Crève, toi, si tu veux, laisse mourir de faim la maman et le moutard, seulement respecte la caisse et ne fous pas les amis dans l'embarras ! »

Il se tut. Burle restait les yeux fixes, l'air imbécile. On n'entendit pendant un instant que le bruit des bottes du major.

« Et pas un radis ! reprit celui-ci violemment. Hein ? te vois-tu entre deux gendarmes ? Ah ! salaud ! »

Il se calma, il le prit par le poignet et le mit debout.

« Allons, viens ! Il faut tenter tout de suite quelque chose, car je ne veux pas me coucher avec ça sur l'estomac… J'ai une idée. »

Dans la grande salle, Mélanie et sa bonne Phrosine causaient vivement, à demi-voix. Lorsqu'elle vit sortir les deux hommes, Mélanie osa s'approcher, pour dire à Burle sur un ton flûté :

« Comment ? capitaine, vous partez déjà ?

– Oui, il part, répondit brutalement Laguitte, et je compte bien qu'il ne remettra jamais les pieds dans votre sale trou. »

La petite bonne, effrayée, tirait sa maîtresse par la robe. Elle eut le malheur de murmurer le mot « ivrogne ». Du coup, le major lâcha la gifle qui lui brûlait la main depuis un instant. Les deux femmes s'étaient baissées, il n'attrapa que le chignon de Phrosine, dont il aplatit le bonnet et cassa le peigne. Ce fut une indignation parmi les petits rentiers.

« Nom de Dieu ! filons, dit Laguitte en poussant Burle sur le trottoir. Si je reste, je les assomme tous, là-dedans. »

Dehors, pour traverser la place, ils eurent de l'eau jusqu'aux chevilles. La pluie, poussée par le vent, ruisselait sur leurs visages. Pendant que le capitaine marchait silencieux, le major se remit à lui reprocher sa « couillonnade », avec plus d'emportement. Un joli temps, n'est-ce pas ? pour courir les rues. S'il n'avait pas fait de bêtise, tous deux seraient chaudement dans leur lit, au lieu de patauger comme ça. Puis, il parla de Gagneux. Un gredin dont les viandes gâtées avaient par trois fois donné des coliques à tout le régiment ! C'était dans huit jours que finissait le marché passé avec lui. Du diable si, à l'adjudication, on accepterait son offre !

« Ça dépend de moi, je choisis qui je veux, grondait le major. J'aimerais mieux me couper un bras que de faire encore gagner un sou à cet empoisonneur ! »

Il glissa, entra dans un ruisseau jusqu'aux genoux ; et, la voix étranglée de jurons, il ajouta :

« Tu sais, je vais chez lui... Je monterai, tu m'attendras à la porte... Je veux voir ce que cette crapule a dans le ventre, et s'il osera aller demain chez le colonel, comme il m'en a menacé... Avec un boucher, nom de Dieu ! se compromettre avec un boucher ! Ah ! tu n'es pas fier, toi ! c'est ce que je ne te pardonnerai jamais ! »

Ils arrivaient à la place aux Herbes. La maison de Gagneux était toute noire ; mais Laguitte frappa violemment, et l'on finit par lui ouvrir. Resté seul dans la nuit épaisse, le capitaine Burle ne songea même pas à chercher un abri. Il demeurait planté au coin du marché, debout sous la pluie battante, la tête pleine d'un grand bourdonnement qui l'empêchait de réfléchir. Il ne s'ennuya pas, il n'eut pas conscience du temps. La maison, avec sa porte et ses fenêtres closes, était comme morte ; et il la regardait. Lorsque le major en sortit au bout d'une heure, il sembla au capitaine qu'il venait à peine d'y entrer.

Laguitte, l'air sombre, ne dit rien. Burle n'osa l'interroger. Un instant, ils se cherchèrent, se devinant dans les ténèbres. Puis, ils se remirent à suivre les rues obscures, où l'eau roulait comme dans un lit de torrent. Ils allaient ainsi côte à côte, vagues et muets ; le major, enfoncé dans son silence, ne jurait même plus. Pourtant, comme ils passaient de nouveau par la place du Palais, et que le Café de Paris était encore éclairé, il tapa sur l'épaule de Burle, en disant :

« Si jamais tu rentres dans ce trou...

– N'aie pas peur ! » répondit le capitaine, sans le laisser achever la phrase.

Et il lui tendit la main. Mais Laguitte reprit :

« Non, non, je t'accompagne jusqu'à ta porte. Comme ça, je serai sûr au moins que tu n'y retourneras pas cette nuit. »

Ils continuèrent leur marche. En remontant la rue des Récollets, tous deux ralentirent le pas. Puis, devant sa porte, après avoir sorti sa clé de la poche, le capitaine finit par se décider.

« Eh bien ? demanda-t-il.

– Eh bien ! reprit le major d'une voix rude, je suis un salaud comme toi... Oui, j'ai fait une saleté... Ah ! sacré nom ! que le diable t'emporte ! Nos soldats mangeront encore de la carne pendant trois mois. »

Et il expliqua que Gagneux, ce dégoûtant Gagneux, était un bougre de tête, qui, petit à petit, l'avait amené à un marché : il n'irait pas trouver le colonel, il ferait même cadeau des deux mille francs, en remplaçant les faux reçus par des reçus signés de lui ; mais, en retour, il exigeait que le major lui assurât, aux prochaines adjudications, la fourniture de la viande. C'était une chose arrangée.

« Hein ? reprit Laguitte, doit-il faire du rabiot, l'animal, pour nous lâcher ainsi deux mille francs ! »

Burle, étranglé d'émotion, avait saisi les mains de son vieil ami. Il ne put que balbutier des remerciements confus. La saleté que le major venait de commettre pour le sauver le touchait aux larmes.

« C'est bien la première fois, grognait celui-ci. Il le fallait... Nom de Dieu ! ne pas avoir deux mille francs dans son secrétaire ! C'est à vous dégoûter de jamais toucher une carte... Tant pis pour moi ! Je suis un pas-grand-chose... Seulement, écoute, ne recommence pas, car du diable si je recommence, moi ! »

Le capitaine l'embrassa. Quand il fut rentré, le major resta un instant devant la porte, pour être certain qu'il se couchait. Puis, comme minuit sonnait et que la pluie battait toujours la ville noire, il rentra péniblement chez lui. L'idée de ses hommes le navrait. Il s'arrêta, il dit tout haut d'une voix changée, pleine d'une pitié tendre :

« Les pauvres bougres ! vont-ils en avaler de la vache, pour deux mille francs ! »

III

Dans le régiment, ce fut une stupéfaction. Juponeux avait rompu avec Mélanie. Au bout d'une semaine, la chose était prouvée, indéniable : le capitaine ne remettait pas les pieds au Café de Paris, on racontait que le pharmacien avait repris la place toute chaude, à la grande tristesse de l'ancien magistrat. Et, fait plus incroyable encore, le capitaine Burle vivait enfermé rue des Récollets. Il se rangeait décidément, jusqu'à passer les soirées au coin du feu, à faire répéter des leçons au petit Charles. Sa mère, qui ne lui avait pas soufflé mot de ses tripotages avec Gagneux, gardait en face de lui, dans son fauteuil, sa raideur sévère ; mais ses regards disaient qu'elle le croyait guéri.

Quinze jours plus tard, le major Laguitte vint un soir s'inviter à dîner. Il éprouvait quelque gêne à se retrouver avec Burle, non pour lui certes, mais pour le capitaine, auquel il craignait de rappeler de vilains souvenirs. Cependant, puisque le capitaine se corrigeait, il voulut lui donner une poignée de main et casser une croûte ensemble. Ça lui ferait plaisir.

Burle était dans sa chambre, lorsque Laguitte se présenta. Ce fut Mme Burle qui reçut ce dernier. Après avoir dit qu'il venait manger la soupe, il ajouta, en baissant la voix :

« Eh bien ?

– Tout va pour le mieux, répondit la vieille femme.

– Rien de louche ?

– Rien absolument… Couché à neuf heures, pas une absence, et l'air très heureux.

– Ah ! nom de Dieu ! c'est gentil ! cria le major. Je savais bien qu'il fallait le secouer. Il a encore du cœur, l'animal ! »

Quand Burle parut, il lui serra les mains à les écraser. Et, devant la cheminée, avant de se mettre à table, on causa honnêtement, on célébra les douceurs du foyer domestique. Le capitaine déclara qu'il ne donnerait pas son chez-lui pour un royaume ; lorsqu'il avait retiré ses bretelles, mis ses pantoufles, et qu'il s'allongeait dans son fauteuil, le roi, disait-il, n'était pas son oncle. Le major approuvait, en l'examinant. Certes, la bonne conduite ne le maigrissait pas, car il avait encore enflé, les yeux gros, la bouche épaisse. Il sommeillait à demi, tassé dans sa chair, en répétant :

« La vie de famille, il n'y a que ça !… Ah ! la vie de famille !

– C'est très bien, dit le major inquiet de le voir si crevé, mais il ne faut de l'exagération en rien… Prends de l'exercice, entre de temps à autre au café.

– Au café, pour quoi faire ?… J'ai tout ce qu'il me faut ici. Non, non, je reste chez moi. »

Charles rangeait ses livres, et Laguitte resta surpris de voir paraître une bonne, qui venait mettre la table.

« Tiens ! vous avez pris quelqu'un ? dit-il à Mme Burle.

– Il l'a bien fallu, répondit celle-ci en soupirant. Mes jambes ne vont plus, tout le ménage était à l'abandon… Heureusement que le père Cabrol m'a confié sa fille. Vous connaissez le père Cabrol, ce vieux qui a le balayage du marché ?… Il ne savait que faire de Rose. Je lui apprends un peu de cuisine. »

La bonne sortait.

« Quel âge a-t-elle donc ? demanda le major.

– À peine dix-sept ans. C'est bête, c'est sale. Mais je ne lui donne que dix francs par mois, et elle ne mange que de la soupe. »

Lorsque Rose rentra avec une pile d'assiettes, Laguitte, que les filles intéressaient peu, la suivit du regard, étonné d'en rencontrer une si laide. Elle était petite, très noire, légèrement bossue, avec une face de guenon à nez épaté, à bouche fendue largement, et où luisaient de minces yeux verdâtres. Les reins larges et les bras longs, elle avait l'air très fort.

« Sacré nom ! quelle gueule ! dit Laguitte égayé, quand la bonne fut sortie de nouveau, en quête du sel et du poivre.

– Bah ! murmura Burle négligemment, elle est très complaisante, elle fait tout ce qu'on veut. C'est toujours assez bon pour laver la vaisselle. »

Le dîner fut charmant. Il y avait le pot-au-feu et un ragoût de mouton. On fit raconter à Charles des histoires de son collège. Mme Burle, afin de montrer combien il était gentil, lui posa plusieurs fois sa question : « N'est-ce pas que tu veux être militaire ? » Et un sourire effleurait ses lèvres blanches, lorsque le petit répondait avec une obéissance craintive de chien savant : « Oui, grand-mère. » Le capitaine Burle avait posé les coudes sur la table, mâchant lentement, absorbé. Une chaleur montait, l'unique lampe qui éclairait la table, laissait les coins de la vaste pièce dans une ombre vague. C'était un bien-être alourdi, une intimité de gens sans fortune, qui ne changent pas d'assiette à tous les plats, et qu'un compotier plein d'œufs à la neige, servi au dernier moment, met en gaieté.

Rose, dont les talons lourds faisaient danser la table, lorsqu'elle tournait derrière les convives, n'avait pas encore ouvert la bouche. Elle vint se planter près du capitaine, elle demanda d'une voix rauque :

« Monsieur veut du fromage ?

– Hein ? quoi ? dit Burle en tressaillant. Ah ! oui, du fromage… Tiens bien l'assiette. »

Il coupa un morceau de gruyère, tandis que la petite, debout, le regardait de ses yeux minces. Laguitte riait. Depuis le commencement du repas, Rose l'amusait énormément. Il baissait la voix, il murmurait à l'oreille du capitaine :

« Non, tu sais, je la trouve épatante ! On n'a pas le nez ni la bouche bâtis comme ça… Envoie-la donc un jour chez le colonel, histoire de la lui montrer. Ça le distraira. »

Cette laideur l'épanouissait paternellement. Il désira la voir de près.

« Dis donc, ma fille, et moi ? J'en veux bien, du fromage. »

Elle vint avec l'assiette ; et lui, le couteau planté dans le gruyère, s'oubliait à la regarder, riant d'aise parce qu'il découvrait qu'elle avait une narine plus large que l'autre. Rose, très sérieuse, se laissant dévisager, attendait que le monsieur eût fini de rire.

Elle ôta la table, elle disparut. Burle s'endormit tout de suite, au coin du feu, pendant que le major et Mme Burle causaient. Charles s'était remis à ses devoirs. Une grande paix tombait du haut plafond, cette paix des familles bourgeoises que leur bonne entente rassemble dans la même pièce. À neuf heures, Burle se réveilla en bâillant et déclara qu'il allait se coucher ; il demandait pardon, mais ses yeux se fermaient malgré lui. Quand le major partit, une demi-heure plus tard, Mme Burle chercha vainement Rose, pour qu'elle l'éclairât : elle devait être déjà montée dans sa chambre ; une vraie poule, cette fille, qui ronflait dès douze heures à poings fermés.

« Ne dérangez personne, dit Laguitte, sur le palier. Je n'ai pas de meilleures jambes que vous ; mais, en tenant la rampe, je ne me casserai rien… Enfin, chère dame, je suis bien heureux. Voilà vos chagrins finis. J'ai étudié Burle et je vous jure qu'il ne cache pas la moindre farce… Nom de Dieu ! il était temps qu'il sortît des jupons. Ça tournait mal. »

Le major s'en allait ravi. Une maison de braves gens, et où les murs étaient de verre ; pas moyen d'y enfouir des saletés !

Dans cette conversion, ce qui l'enchantait, au fond, c'était de n'avoir plus à vérifier les écritures du capitaine. Rien ne l'assommait comme toutes ces paperasses. Du moment que Burle se rangeait, lui pouvait fumer des pipes et donner des signatures, les yeux fermés. Pourtant il veillait toujours d'un œil. Les reçus étaient bons, les totaux s'équilibraient admirablement ; aucune irrégularité. Au bout d'un mois, il ne faisait plus que feuilleter les reçus et s'assurer des totaux, comme il avait toujours fait, d'ailleurs. Mais, un matin, sans aucune méfiance, uniquement parce qu'il avait rallumé une pipe, ses yeux s'attardèrent à une addition, il constata une erreur de treize francs ; le total était forcé de treize francs, pour balancer les comptes ; et il n'y avait pas eu d'erreur dans les sommes portées, car il les collationna sur les reçus. Cela lui sembla louche ; il n'en parla pas à Burle, il se promit de revoir les additions. La semaine suivante, nouvelle erreur, dix-neuf francs en moins. Alors, saisi d'inquiétude, il s'enferma avec les registres, il passa une matinée abominable à tout reprendre, à tout additionner, suant, jurant, le crâne éclatant de chiffres. Et, à chaque addition, il constatait un vol de quelques francs : c'était misérable, dix francs, huit francs, onze francs ; dans les dernières, cela tombait à quatre et trois francs, et il y en avait même une sur laquelle Burle n'avait pris qu'un franc cinquante. Depuis près de deux mois, le capitaine rognait ainsi les écus de sa caisse. En comparant les dates, le major put établir que la fameuse leçon l'avait fait se tenir tranquille juste pendant huit jours. Cette découverte acheva de l'exaspérer.

« Nom de Dieu de nom de Dieu ! gueulait-il tout seul, en donnant des coups de poing sur les registres, c'est encore plus sale !... Au moins les faux reçus de Gagneux, c'était crâne... Tandis que, cette fois, nom de Dieu ! le voilà aussi bas qu'une cuisinière qui chipe deux sous sur un pot-au-feu... Aller gratter sur les additions ! Foutre un franc cinquante dans sa poche !... Nom de Dieu ! nom de Dieu !... Sois donc plus fier, salaud !... Emporte la caisse, et va la bouffer avec des actrices ! »

La pauvreté honteuse de ces vols l'indignait. En outre, il était furieux d'avoir été dupé de nouveau par ce moyen des additions fausses, si simple et si bête. Il se leva, il marcha pendant une heure dans son cabinet, hors de lui, ne sachant que faire, lâchant des phrases à voix haute.

« Décidément, c'est un homme toisé. Il faut agir... Je lui flanquerais une suée chaque matin, que ça ne l'empêcherait pas, tous les après-midi, de se coller dans le gousset sa pièce de trois francs... Mais, tonnerre de Dieu ! où mange-t-il ça ? Il ne sort plus, il se couche à neuf heures, et tout paraît si honnête, si gentil chez eux !... Est-ce que le cochon a encore des vices qu'on ne lui connaît pas ? »

Il se remit à son bureau, additionna les sommes soustraites, qui montaient à cinq cent quarante-cinq francs. Où prendre cet argent ? L'inspection justement approchait ; il suffisait que ce maniaque de colonel s'avisât de refaire une addition, pour que le pot aux roses fût découvert. Cette fois, Burle était fichu.

Cette idée calma le major. Il ne jurait plus, il restait glacé, avec l'image de Mme Burle toute droite et désespérée devant lui. En même temps, il avait le cœur si gros pour son compte, que sa poitrine éclatait.

« Voyons, murmura-t-il, il faut avant tout que je voie clair dans les histoires de ce bougre-là. Après, il sera toujours temps d'agir. »

Il se rendit au bureau de Burle. Du trottoir d'en face, il aperçut une jupe qui disparaissait dans l'entrebâillement de la porte. Croyant tenir le pot aux roses, il se glissa derrière elle, et écouta. C'était Mélanie, il la reconnut à sa voix flûtée de grosse femme. Elle se plaignait de ces messieurs du divan, elle parlait d'un billet, qu'elle ne savait comment payer ; les huissiers étaient chez elle, tout allait être vendu. Puis, comme le capitaine répondait à peine, disant qu'il n'avait pas un sou, elle finit par éclater en larmes. Elle le tutoya, l'appela « le chéri à sa mère ». Mais elle eut beau employer les grands moyens, ses séductions ne durent avoir aucun effet, car la voix sourde de Burle répétait toujours : « Pas possible ! pas possible ! » Au bout d'une heure, quand Mélanie se retira, elle était furieuse. Le major, étonné de la façon dont tournaient les choses, attendit un instant pour entrer dans la pièce, où le capitaine était resté seul. Il le trouva très calme, et, malgré une furieuse envie de le traiter de triple cochon, il ne lui dit rien, résolu à savoir la vérité d'abord.

Le bureau ne sentait pas la coquinerie. Devant la table de bois noir, il y avait, sur le fauteuil canné du capitaine, un honnête rond-de-cuir [1] ; et, dans un coin, la caisse était solidement fermée, sans une fente. L'été venait, un chant de serin entrait par une fenêtre. C'était très en ordre, les cartons exhalaient une odeur de vieux papiers, qui inspirait la confiance.

« N'est-ce pas cette carcasse de Mélanie qui sortait comme j'entrais ? » demanda Laguitte.

Burle haussa les épaules, en murmurant :

« Oui... Elle est encore venue me tanner pour que je lui donne deux cents francs... Pas dix francs, pas dix sous !

– Tiens ! reprit l'autre voulant le sonder, on m'avait dit que tu la revoyais.

– Moi !... Ah ! non, par exemple ! j'en ai assez, de tous ces chameaux-là ! »

Laguitte se retira, très perplexe. À quoi avaient bien pu passer les cinq cent quarante-cinq francs ?

---

1. Rond-de-cuir : coussin en forme de couronne que l'on pose sur un siège.

Est-ce que le brigand, après les femmes, aurait tâté du vin et du jeu ? Il se promit de surprendre Burle chez lui, le soir même ; peut-être, en le faisant causer et en questionnant sa mère, arriverait-il à connaître la vérité. Mais, l'après-midi, il souffrit cruellement de sa jambe ; depuis quelque temps, ça n'allait plus du tout, il avait dû se résigner à se servir d'une canne, pour ne pas boiter trop violemment. Cette canne le désespérait ; comme il le disait avec une rage désolée, maintenant, il était dans les invalides. Pourtant, le soir, par un effort de volonté, il se leva de son fauteuil ; et, s'abandonnant sur sa canne dans la nuit noire, il se traîna rue des Récollets. Neuf heures sonnaient quand il y arriva. En bas, la porte de la rue était entrouverte. Il soufflait sur le palier du troisième étage, lorsqu'un bruit de voix, à l'étage supérieur, le surprit. Il avait cru reconnaître la voix de Burle. Par curiosité, il monta. Au fond d'un couloir, à gauche, une porte laissait passer une raie de lumière ; mais, au craquement de ses bottes, la porte se referma, et il se trouva dans une obscurité profonde.

« C'est idiot ! pensa-t-il. Quelque cuisinière qui se couche. »

Pourtant, il vint le plus doucement possible coller son oreille contre la porte. Deux voix causaient. Il resta béant. C'étaient ce cochon de Burle et ce monstre de Rose.

« Tu m'avais promis trois francs, disait rudement la petite bonne. Donne-moi trois francs.

– Ma chérie, je te les apporterai demain, reprenait le capitaine d'une voix suppliante. Aujourd'hui, je n'ai pas pu… Tu sais que je tiens toujours mes promesses.

– Non, donne-moi trois francs, ou tu vas redescendre. »

Elle devait être déshabillée déjà, assise sur le bord de son lit de sangle, car le lit craquait à chacun de ses mouvements. Le capitaine, debout, piétinait. Il s'approcha.

« Sois gentille. Fais-moi de la place.

– Veux-tu me laisser ! cria Rose de sa voix mauvaise. J'appelle, je dis tout à la vieille, en bas... Quand tu m'auras donné trois francs ! »

Et elle ne sortait pas de ses trois francs, comme une bête têtue qui refuse de passer.

Burle se fâcha, pleura ; puis, pour l'attendrir, il sortit de sa poche un pot de confitures, qu'il avait pris dans l'armoire de sa mère. Rose l'accepta, se mit tout de suite à le vider, sans pain, avec le manche d'une fourchette qui traînait sur sa commode. C'était très bon. Mais, quand le capitaine crut l'avoir conquise, elle le repoussa du même geste obstiné.

« Je m'en fiche de ta confiture !... C'est les trois francs qu'il me faut ! »

À cette dernière exigence, le major leva sa canne pour fendre la porte en deux. Il suffoquait. Nom de Dieu ! la sacrée garce ! Et dire qu'un capitaine de l'armée française acceptait ça ! Il oubliait la saleté de Burle, il aurait étranglé cette horreur de femme, à cause de ses manières. Est-ce qu'on marchandait, quand on avait une gueule comme la sienne ! C'est elle qui aurait dû payer ! Mais il se retint pour entendre la suite.

« Tu me fais beaucoup de peine, répétait le capitaine. Moi qui me suis montré si bon pour toi... Je t'ai donné une robe, puis des boucles d'oreilles, puis une petite montre... Tu ne te sers pas même de mes cadeaux.

– Tiens ! pour les abîmer !... C'est papa qui me garde mes affaires.

– Et tout l'argent que tu m'as tiré ?

– Papa me le place. »

Il y eut un silence. Rose réfléchissait.

« Écoute, si tu jures que tu m'apporteras six francs demain soir, je veux bien... Mets-toi à genoux et jure que tu m'apporteras six francs... Non, non, à genoux ! »

Le major Laguitte, frémissant, s'éloigna de la porte et resta sur le palier, adossé au mur. Ses jambes s'en allaient, et il brandissait sa canne comme un sabre, dans la nuit noire de l'escalier. Ah ! nom de Dieu ! il comprenait pourquoi ce cochon de Burle ne quittait plus son chez-lui et se couchait à neuf heures ! Une jolie conversion, je t'en fiche ! et avec un sale trognon que le dernier des troupiers n'aurait pas ramassé sur un tas d'ordures !

« Mais, sacré nom ! dit le major tout haut, pourquoi n'a-t-il pas gardé Mélanie ? »

Que faire maintenant ? Entrer et leur flanquer à tous les deux une volée de coups de canne ? C'était son idée d'abord ; puis, il avait eu pitié de la pauvre vieille, en bas. Le mieux était de les laisser à leur ordure. On ne tirerait plus rien de propre du capitaine. Quand un homme en tombait là, on pouvait lui jeter une pelletée de terre sur la tête, pour en finir comme avec une bête pourrie, empoisonnant le monde. Et l'on aurait beau lui mettre le nez dans son caca, il recommencerait le lendemain, il finirait par prendre des sous, afin de payer des sucres d'orge aux petites mendiantes pouilleuses [1]. Nom de Dieu ! l'argent de l'armée française ! et l'honneur du drapeau ! et le nom de Burle, ce nom respecté qui allait finir dans la crotte ! Nom de Dieu de nom de Dieu ! ça ne pouvait pas se terminer comme ça !

Un instant, le major s'attendrit. Si encore il avait eu les cinq cent quarante-cinq francs ; mais pas un liard ! La veille, à la pension, après s'être grisé de cognac comme un sous-lieutenant, il avait pris une culotte abominable. C'était bien fait, s'il traînait la jambe ! Il aurait mérité d'en crever !

Alors, il laissa les deux vaches faire dodo. Il descendit et sonna chez Mme Burle. Au bout de cinq grandes minutes, ce fut la vieille dame qui vint ouvrir elle-même.

---

1. On peut rapprocher la déchéance de Burle de celle du comte Muffat, dans *Nana*, et de celle du baron Hulot, dans *La Cousine Bette*, roman de Balzac que Zola considérait comme un archétype du naturalisme (voir notamment *Le Roman expérimental*, GF-Flammarion, 2006, p. 69).

« Je vous demande pardon, dit-elle. Je croyais que cette marmotte de Rose était encore là… Il faut que j'aille la secouer dans son lit. »

Le major la retint.

« Et Burle ? demanda-t-il.

– Oh ! lui ronfle depuis neuf heures… Voulez-vous frapper à la porte de sa chambre ?

– Non, non… Je désire seulement vous dire un petit bonsoir. »

Dans la salle à manger, Charles, devant la table, à sa place ordinaire, venait d'achever sa version. Mais il avait l'air terrifié, et ses pauvres mains blanches tremblaient. Sa grand-mère, avant de l'envoyer se coucher, lui lisait des récits de bataille, pour développer en lui l'héroïsme de la famille. Ce soir-là, l'histoire du *Vengeur*, ce vaisseau chargé de mourants qui s'engloutit dans la vaste mer, laissait l'enfant sous le coup d'une crise nerveuse, la tête emplie d'un horrible cauchemar.

Mme Burle demanda au major la permission d'achever sa lecture. Puis, elle ferma le livre solennellement, quand le dernier matelot eut crié : « Vive la République ! » Charles était blanc comme un linge.

« Tu as entendu ? dit la vieille dame. Le devoir de tout soldat français est de mourir pour la patrie.

– Oui, grand-mère. »

Il l'embrassa sur le front, et s'en alla grelottant de peur, se coucher dans sa grande chambre, où le moindre craquement des boiseries lui donnait des sueurs froides.

Le major avait écouté d'un air grave. Oui, nom de Dieu ! l'honneur était l'honneur, et jamais il ne laisserait ce gredin de Burle déshonorer la pauvre vieille et ce moutard. Puisque le gamin avait tant de goût pour l'état militaire, il fallait qu'il pût entrer à Saint-Cyr, la tête haute. Pourtant, le major reculait devant une sacrée idée qui lui entrait dans la tête, depuis l'histoire des six francs là-haut, lorsque Mme Burle prit la lampe et l'accompagna. Comme elle passait devant la chambre du capitaine, elle fut surprise de voir la clé sur la porte, ce qui n'arrivait jamais.

« Entrez donc, dit-elle, c'est mauvais pour lui de tant dormir, ça le rend lourd. »

Et, avant qu'il pût l'en empêcher, elle ouvrit la porte et demeura glacée, en trouvant la chambre vide. Laguitte était devenu très rouge, et il avait l'air si bête, qu'elle comprit tout d'un coup, éclairée par le souvenir de mille petits faits.

« Vous le saviez, vous le saviez, bégaya-t-elle. Pourquoi ne pas m'avertir ?... Mon Dieu ! chez moi, à côté de son fils, avec cette laveuse de vaisselle, avec ce monstre !... Et il a encore volé, je le sens ! »

Elle restait toute droite, blanche et raidie. Puis, elle ajouta d'une voix dure :

« Tenez ! je le voudrais mort ! »

Laguitte lui prit les deux mains, qu'il tint un moment serrées fortement dans les siennes. Ensuite, il fila, car il avait un nœud en travers de la gorge, il aurait pleuré. Ah ! nom de Dieu de nom de Dieu ! cette fois, par exemple, il était décidé !

IV

L'inspection générale devait avoir lieu à la fin du mois. Le major avait dix jours devant lui. Dès le lendemain, il se traîna en boitant au Café de Paris, où il commanda un bock. Mélanie était devenue toute pâle, et ce fut avec la crainte de recevoir une gifle que Phrosine se résigna à servir le bock demandé. Mais le major semblait très calme ; il se fit donner une chaise pour allonger sa jambe ; puis, il but sa bière en brave homme qui a soif. Depuis une heure, il était là, quand il vit passer sur la place du Palais deux officiers, le chef de bataillon Morandot et le capitaine Doucet. Et il les appela, en agitant violemment sa canne.

« Entrez donc prendre un bock ! » leur cria-t-il, dès qu'ils se furent approchés.

Les officiers n'osèrent refuser. Lorsque la petite bonne les eut servis :

« Vous venez ici, maintenant ? demanda Morandot au major.

– Oui, la bière y est bonne. »

Le capitaine Doucet cligna les yeux d'un air malin.

« Est-ce que vous êtes du divan, major ? »

Laguitte se mit à rire, sans répondre. Alors, on le plaisanta sur Mélanie. Lui, haussait les épaules d'un air bonhomme. C'était tout de même un beau corps de femme, et l'on pouvait blaguer, ceux qui avaient l'air de cracher dessus, en auraient tout de même fait leurs choux gras. Puis, se tournant vers le comptoir, tâchant de prendre une mine gracieuse, il dit :

« Madame, d'autres bocks ! »

Mélanie était si surprise, qu'elle se leva et apporta la bière. Quand elle fut devant la table, le major la retint ; même il s'oublia jusqu'à lui donner de petites tapes sur la main qu'elle avait posée au dossier d'une chaise. Alors, elle-même, habituée aux calottes et aux caresses, se montra très galante, croyant à une fantaisie chez ce vieux démoli, comme elle le nommait avec Phrosine. Doucet et Morandot se regardaient. Comment ! ce sacré major succédait à Juponeux ! Ah ! saperlotte ! on allait rire au régiment !

Tout d'un coup, Laguitte qui, à travers la porte ouverte, surveillait d'un œil la place du Palais, eut une exclamation.

« Tiens ! Burle !

– Oui, c'est son heure, dit Phrosine en s'approchant, elle aussi. Le capitaine passe tous les après-midi, au retour de son bureau. »

Le major, malgré sa mauvaise jambe, s'était mis debout. Il bousculait les chaises, il criait :

« Eh ! Burle !... Arrive donc ! tu prendras un bock ! »

Le capitaine, ahuri, ne comprenant pas comment Laguitte pouvait se trouver chez Mélanie, avec Doucet et Morandot, s'avança machinalement. C'était le renversement de toutes ses idées. Il s'arrêta sur le seuil, hésitant encore.

« Un bock ! » commanda le major.

Puis, se tournant :

« Qu'est-ce que tu as ?... Entre donc, et assieds-toi. As-tu peur qu'on ne te mange ! »

Quand le capitaine se fut assis, il y eut une gêne. Mélanie apportait le bock avec un léger tremblement des mains, travaillée par la continuelle crainte d'une scène qui ferait fermer son établissement. Maintenant, la galanterie du major l'inquiétait. Elle tâcha de s'esquiver, lorsqu'il l'invita à prendre quelque chose avec ces messieurs. Mais, comme s'il eût parlé en maître dans la maison, il avait déjà commandé à Phrosine un petit verre d'anisette ; et Mélanie fut forcée de s'asseoir, entre lui et le capitaine. Il répétait, d'un ton cassant :

« Moi, je veux qu'on respecte les dames... Soyons chevaliers français, nom de Dieu ! À la santé de madame ! »

Burle, les yeux sur sa chope, gardait un sourire embarrassé. Les deux autres officiers, choqués de trinquer ainsi, avaient déjà tenté de partir. Heureusement, la salle était vide. Seuls, les petits rentiers, autour de leur table, faisaient leur partie de l'après-midi, tournant la tête à chaque juron, scandalisés de voir tant de monde et prêts à menacer Mélanie d'aller au Café de la Gare, si la troupe devait les envahir. Tout un vol de mouches bourdonnait, attiré par la saleté des tables, que Phrosine ne lavait plus que le samedi. Étendue dans le comptoir, la petite bonne s'était remise à lire un roman.

« Eh bien ! tu ne trinques pas avec madame ? dit rudement le major à Burle. Sois poli au moins ! »

Et, comme Doucet et Morandot se levaient de nouveau :

« Attendez donc, nom de Dieu ! nous partons ensemble… C'est cet animal-là qui n'a jamais su se conduire. »

Les deux officiers restèrent debout, étonnés de la brusque colère du major. Mélanie voulut mettre la paix, avec son rire de fille complaisante, en posant ses mains sur les bras des deux hommes. Mais Laguitte repartait.

« Non, laissez-moi… Pourquoi n'a-t-il pas trinqué ? Je ne vous laisserai pas insulter, entendez-vous !… À la fin, j'en ai assez de ce cochon-là ! »

Burle, très pâle sous cette insulte, se leva et dit à Morandot :

« Qu'a-t-il donc ? Il m'appelle pour me faire une scène… Est-ce qu'il est soûl ?

– Nom de Dieu de nom de Dieu ! » gueula le major.

Et, se mettant debout à son tour, tremblant sur ses jambes, il allongea à toute volée une gifle au capitaine. Mélanie n'eut que le temps de se baisser pour n'en pas recevoir la moitié sur l'oreille. Ce fut un tapage affreux. Phrosine jeta des cris dans le comptoir, comme si on l'avait battue. Les petits rentiers, terrifiés, se retranchèrent derrière leur table, croyant que tous ces soldats allaient tirer leurs sabres et se massacrer. Cependant, Doucet et Morandot avaient saisi le capitaine par les bras, pour l'empêcher de sauter à la gorge du major ; et ils l'emmenaient doucement vers la porte. Dehors, ils le calmèrent un peu, en donnant tous les torts à Laguitte. Le colonel prononcerait, car le soir même ils iraient lui soumettre le cas, comme témoins de l'affaire. Quand ils eurent éloigné Burle, ils rentrèrent dans le café, où Laguitte, très ému, des larmes sous les paupières, affectait un grand calme en achevant son bock.

« Écoutez, major, dit le chef de bataillon, c'est très mal… Le capitaine n'a pas votre grade, et vous savez qu'on ne peut l'autoriser à se battre avec vous.

– Oh ! nous verrons, répondit le major.

« Il allongea à toute volée une gifle au capitaine. »

Gravure de H. Gray illustrant *Le Capitaine Burle* en 1887.

– Mais que vous a-t-il fait ? Il ne vous parlait seulement pas… Deux vieux camarades, c'est absurde ! »

Le major eut un geste vague.

« Tant pis ! Il m'embêtait. »

Et il ne sortit plus de cette réponse. On n'en sut jamais davantage. Le bruit n'en fut pas moins énorme. En somme, l'opinion de tout le régiment était que Mélanie, enragée d'avoir été lâchée par le capitaine, l'avait fait gifler par le major, tombé, lui aussi, dans ses griffes, et auquel elle devait raconter des histoires abominables. Qui aurait cru ça, de cette vieille peau de Laguitte, après toutes les horreurs qu'il lâchait sur les femmes ? À son tour, il était pincé. Malgré le soulèvement contre Mélanie, l'aventure la posa comme une femme très en vue, à la fois crainte et désirée, et dont la maison fit dès lors des affaires superbes.

Le lendemain, le colonel avait convoqué le major et le capitaine. Il les sermonna durement, en leur reprochant d'avoir déshonoré l'armée dans des endroits malpropres. Qu'allaient-ils résoudre à présent, puisqu'il ne pouvait les autoriser à se battre ? C'était la question qui, depuis la veille, passionnait le régiment. Des excuses semblaient inacceptables, à cause de la gifle ; pourtant, comme Laguitte, avec sa mauvaise jambe, ne se tenait plus debout, on pensait qu'une réconciliation aurait peut-être lieu, si le colonel l'exigeait.

« Voyons, reprit le colonel, me prenez-vous pour arbitre ?

– Pardon, mon colonel, interrompit le major. Je viens vous apporter ma démission… La voici. Cela arrange tout. Veuillez fixer le jour de la rencontre. »

Burle le regarda d'un air surpris. De son côté, le colonel crut devoir présenter quelques observations.

« C'est bien grave, major, la détermination que vous prenez là… Vous n'aviez plus que deux ans pour arriver à la retraite… »

Mais, de nouveau, Laguitte lui coupa la parole, en disant d'une voix bourrue :

« Ça me regarde.

– Oh ! parfaitement... Eh bien ! je vais envoyer votre démission, et dès qu'elle aura été acceptée, je fixerai le jour de la rencontre. »

Ce dénouement stupéfia le régiment. Qu'avait-il donc dans le ventre, cet enragé de major, à vouloir quand même se couper la gorge avec son vieux camarade Burle ? On reparla de Mélanie et de son beau corps de femme ; tous les officiers en rêvaient maintenant, allumés par cette idée qu'elle devait être décidément très bien, pour emballer ainsi de vieux durs à cuire. Le chef de bataillon Morandot, ayant rencontré Laguitte, ne lui cacha pas ses inquiétudes. S'il n'était pas tué, comment vivrait-il ? car il n'avait pas de fortune, et c'était tout juste s'il mangerait du pain, avec la pension de sa croix d'officier et l'argent de sa retraite, réduite de moitié. Pendant que Morandot parlait, Laguitte, roulant ses gros yeux, regardait fixement le vide, enfoncé dans la muette obstination de son crâne étroit. Puis, lorsque l'autre tâcha de le questionner sur sa haine contre Burle, il répéta sa phrase, en l'accompagnant du même geste vague.

« Il m'embêtait. Tant pis ! »

Chaque matin, à la cantine, à la pension des officiers, la première parole était : « Eh bien ! est-elle arrivée, cette démission ? » On attendait le duel, on en discutait surtout l'issue probable. Le plus grand nombre croyait que Laguitte serait embroché en trois secondes, car c'était absurde de vouloir se battre à son âge, avec une jambe paralysée, qui ne lui permettrait seulement pas de se fendre. Quelques-uns pourtant hochaient la tête. Certes, Laguitte n'avait jamais été un prodige d'intelligence ; on le citait même, depuis vingt ans, pour sa stupidité ; mais, autrefois, il était connu comme le premier tireur du régiment ; et, parti enfant de troupe, il avait gagné ses épaulettes de chef de bataillon par une bravoure d'homme sanguin qui n'a pas conscience du danger. Au contraire, Burle, tireur médiocre, passait pour un poltron. Enfin, il faudrait voir. Et l'émotion grandissait, car cette diablesse de démission restait bien longtemps en route.

Le plus inquiet, le plus bouleversé était certainement le major. Huit jours s'étaient passés, l'inspection générale devait commencer le surlendemain. Rien ne venait. Il tremblait d'avoir giflé son vieil ami, donné sa démission, pour le plaisir, sans retarder le scandale d'une minute. Lui tué, il n'aurait pas l'embêtement de voir ça ; et s'il tuait Burle, comme il y comptait, on étoufferait l'affaire tout de suite : il aurait sauvé l'honneur de l'armée, et le petit pourrait entrer à Saint-Cyr. Mais, nom de Dieu ! ces gratte-papier du ministère avaient besoin de se presser ! Le major ne tenait plus en place ; on le voyait rôder devant la poste, guetter les courriers, interroger le planton chez le colonel, pour savoir. Il ne dormait plus, et se fichant du monde désormais, il s'abandonnait sur sa canne, il boitait abominablement.

La veille de l'inspection, il se rendait chez le colonel une fois encore, lorsqu'il resta saisi, en apercevant à quelques pas Mme Burle, qui menait Charles au collège. Il ne l'avait pas revue, et, de son côté, elle s'était enfermée chez elle. Défaillant, il se rangea sur le trottoir, pour le lui laisser tout entier. Ni l'un ni l'autre ne se saluèrent, ce qui fit lever de grands yeux étonnés au petit garçon. Mme Burle, l'air froid, la taille haute, frôla le major, sans un tressaillement. Et lui, quand elle l'eut dépassé, la regarda s'éloigner d'un air d'ahurissement tendre.

« Nom de Dieu ! je ne suis donc pas un homme ! » grogna-t-il en renfonçant ses larmes.

Comme il entrait chez le colonel, un capitaine, qui était là, lui dit :

« Eh bien ! ça y est, le papier vient d'arriver.

– Ah ! » murmura-t-il, très pâle.

Et il revoyait la vieille dame s'en aller, avec l'enfant à la main, dans sa raideur implacable. Tonnerre de Dieu ! dire qu'il avait souhaité si ardemment l'arrivée du papier depuis huit jours, et que ce chiffon-là, maintenant, le bousculait et lui chauffait à ce point les entrailles !

Le duel eut lieu le lendemain matin, dans la cour de la caserne, derrière un petit mur. L'air était vif, un clair soleil luisait. On fut presque obligé de porter Laguitte. Un de ses témoins lui donnait le bras, tandis qu'il s'appuyait de l'autre côté sur sa canne. Burle, le visage bouffi d'une mauvaise graisse jaune, avait l'air de dormir debout, comme assommé par une nuit de noce. Pas une parole ne fut échangée. Tout le monde avait hâte d'en finir.

Ce fut le capitaine Doucet, un des témoins, qui engagea le fer. Il recula et dit :

« Allez, messieurs ! »

Burle attaqua aussitôt, voulant tâter Laguitte et savoir ce qu'il devait en attendre. Depuis dix jours, cette affaire était pour lui un cauchemar absurde, où il ne pouvait se retrouver. Un soupçon lui venait bien ; mais il l'écartait avec un frisson, car la mort était au bout ; et il se refusait à croire qu'un ami lui jouât une pareille farce, pour arranger les choses. D'ailleurs, la jambe de Laguitte le rassurait un peu. Il le piquerait à l'épaule, et tout serait dit.

Pendant près de deux minutes, les épées se froissèrent avec leur petit bruit d'acier. Puis, le capitaine fit un dégagé et voulut se fendre. Mais le major, retrouvant son poignet d'autrefois, eut une terrible parade de quinte ; et, s'il avait riposté, le capitaine était percé de part en part. Celui-ci se hâta de rompre, livide, se sentant à la merci de cet homme, qui venait de lui faire grâce cette fois. Il comprenait enfin, c'était bien une exécution.

Pourtant Laguitte, carrément posé sur ses mauvaises jambes, devenu de pierre, attendait. Les deux adversaires se regardaient fixement. Dans les yeux troubles de Burle, parut une supplication, une prière de grâce ; il savait pourquoi il allait mourir, et, comme un enfant, il jurait de ne plus recommencer. Mais les yeux du major restaient implacables ;

l'honneur parlait, il étranglait son attendrissement de brave homme.

« Finissons ! » murmura-t-il entre ses dents.

Cette fois, ce fut lui qui attaqua. Il y eut un éclair. Son épée flamba en passant de droite à gauche, revint, et alla se planter par un coup droit foudroyant dans la poitrine du capitaine, qui tomba comme une masse, sans même pousser un cri.

Laguitte avait lâché l'épée, tout en regardant sa pauvre vieille vache de Burle étendu sur le dos, avec son gros ventre en l'air. Il répétait, furieux et cassé d'émotion :

« Nom de Dieu de nom de Dieu ! »

On l'emmena. Ses deux jambes étaient prises, ses témoins durent le soutenir à droite et à gauche, car il ne pouvait même plus se servir de sa canne.

Deux mois plus tard, l'ancien major se traînait au soleil, dans une rue déserte de Vauchamp, lorsqu'il se trouva de nouveau face à face avec Mme Burle et le petit Charles. Tous les deux étaient en grand deuil.

Il voulut les éviter, mais il marchait mal, et ils arrivaient droit sur lui, sans ralentir ni presser le pas. Charles avait toujours son doux visage effrayé de fille. Mme Burle gardait sa haute mine rigide, plus dure et plus creusée. Comme Laguitte se rentrait dans l'angle d'une porte cochère, pour leur abandonner toute la rue, elle s'arrêta brusquement devant lui, elle tendit la main. Il hésita, il finit par la prendre et la serrer ; mais il tremblait tellement, qu'il secouait le bras de la vieille dame. Il y eut un silence, un échange muet de regards.

« Charles, dit enfin la grand-mère, donne la main au major. »

L'enfant obéit, sans comprendre. Le major était devenu très pâle. À peine osa-t-il effleurer les doigts délicats du petit. Puis, comprenant qu'il devait dire quelque chose, il ne trouva que cette phrase :

« C'est toujours à Saint-Cyr que vous comptez le mettre ?

– Sans doute, quand il aura l'âge », répondit Mme Burle.

La semaine suivante, Charles fut emporté par une fièvre typhoïde. Un soir, sa grand-mère lui avait relu le combat du *Vengeur*, pour l'aguerrir ; et le délire l'avait pris dans la nuit. Il était mort de peur.

COMMENT ON MEURT [1]

I [2]

Le comte de Verteuil a cinquante-cinq ans. Il appartient à une des plus illustres familles de France, et possède une grande fortune. Boudant le gouvernement, il s'est occupé comme il a pu, a donné des articles aux revues sérieuses, qui l'ont fait entrer à l'Académie des sciences morales et politiques, s'est jeté dans les affaires, s'est passionné successivement pour l'agriculture, l'élevage, les beaux-arts. Même, un instant, il a été député, et s'est distingué par la violence de son opposition.

La comtesse Mathilde de Verteuil a quarante-six ans. Elle est encore citée comme la blonde la plus

---

1. Reprenant le procédé de la série d'observations sociologiques narrativisées déjà expérimenté en décembre 1875 avec *Comment on se marie* (publié dans *Le Messager de l'Europe* en janvier 1876), Zola rédige sa « physiologie » du deuil en juillet 1876. Elle est publiée en août dans *Le Messager de l'Europe* sous le titre *Comment on meurt et comment on enterre en France*. Le thème de la mort est obsessionnel chez Zola ; voir *Mon voisin Jacques*, dans *Contes et nouvelles (1864-1874)*, p. 213 *sq*. Il est aussi exploité comme un intéressant révélateur des mentalités et des usages sociaux. Dans *Les Rougon-Macquart* figurent ainsi de nombreuses scènes d'enterrement. En outre, en juin 1880, dans le portrait littéraire qu'il consacre à son ami Flaubert, qui vient de mourir, Zola s'attarde longuement sur les funérailles, s'écriant à la fin de l'étonnante évocation de cette mascarade funèbre, qui ajoute un chapitre à la collection de 1876 : « Ah ! les tristesses des enterrements des grands hommes ! » (*OC*, t. XI, p. 126).

2. Le premier texte de la série parut séparément dans *Le Figaro* du 1er août 1881, comme chronique, avec un titre explicite : *La Mort du riche*.

adorable de Paris. L'âge semble blanchir sa peau. Elle était un peu maigre ; maintenant, ses épaules, en mûrissant, ont pris la rondeur d'un fruit soyeux. Jamais elle n'a été plus belle. Quand elle entre dans un salon, avec ses cheveux d'or et le satin de sa gorge, elle paraît être un astre à son lever ; et les femmes de vingt ans la jalousent.

Le ménage du comte et de la comtesse est un de ceux dont on ne dit rien. Ils se sont épousés comme on s'épouse le plus souvent dans leur monde. Même on assure qu'ils ont vécu six ans très bien ensemble. À cette époque, ils ont eu un fils, Roger, qui est lieutenant, et une fille, Blanche, qu'ils ont mariée l'année dernière à M. de Bussac, maître des requêtes. Ils se rallient dans leurs enfants. Depuis des années qu'ils ont rompu, ils restent bons amis, avec un grand fond d'égoïsme. Ils se consultent, sont parfaits l'un pour l'autre devant le monde, mais s'enferment ensuite dans leurs appartements, où ils reçoivent des intimes à leur guise.

Cependant, une nuit, Mathilde rentre d'un bal vers deux heures du matin. Sa femme de chambre la déshabille ; puis, au moment de se retirer, elle dit :

« M. le comte s'est trouvé un peu indisposé ce soir. »

La comtesse, à demi endormie, tourne paresseusement la tête.

« Ah ! » murmure-t-elle.

Elle s'allonge, elle ajoute :

« Réveillez-moi demain à dix heures, j'attends la modiste. »

Le lendemain, au déjeuner, comme le comte ne paraît pas, la comtesse fait d'abord demander de ses nouvelles ; ensuite, elle se décide à monter auprès de lui. Elle le trouve très pâle dans son lit, très correct. Trois médecins sont déjà venus, ont causé à voix basse et laissé des ordonnances ; ils doivent revenir le soir. Le malade est soigné par deux domestiques, qui s'agitent graves et muets, étouffant le bruit de leurs talons sur les tapis. La grande chambre sommeille, dans une sévérité froide ; pas un linge ne traîne, pas un meuble n'est dérangé. C'est la maladie propre et digne, la maladie cérémonieuse, qui attend des visites.

« Vous souffrez donc, mon ami ? » demande la comtesse en entrant.

Le comte fait un effort pour sourire.

« Oh ! un peu de fatigue, répond-il. Je n'ai besoin que de repos... Je vous remercie de vous être dérangée. »

Deux jours se passent. La chambre reste digne ; chaque objet est à sa place, les potions disparaissent sans tacher un meuble. Les faces rasées des domestiques ne se permettent même pas d'exprimer un sentiment d'ennui. Cependant, le comte sait qu'il est en danger de mort ; il a exigé la vérité des médecins, et il les laisse agir, sans une plainte. Le plus souvent, il demeure les yeux fermés, ou bien il regarde fixement devant lui, comme s'il réfléchissait à sa solitude.

Dans le monde, la comtesse dit que son mari est souffrant. Elle n'a rien changé à son existence, mange et dort, se promène à ses heures. Chaque matin et chaque soir, elle vient elle-même demander au comte comment il se porte.

« Eh bien ? allez-vous mieux, mon ami ?

– Mais oui, beaucoup mieux, je vous remercie, ma chère Mathilde.

– Si vous le désiriez, je resterais près de vous.

– Non, c'est inutile. Julien et François suffisent... À quoi bon vous fatiguer ? »

Entre eux, ils se comprennent, ils ont vécu séparés et tiennent à mourir séparés. Le comte a cette jouissance amère de l'égoïste, désireux de s'en aller seul, sans avoir autour de sa couche l'ennui des comédies de la douleur. Il abrège le plus possible, pour lui et pour la comtesse, le désagrément du suprême tête-à-tête. Sa volonté dernière est de disparaître proprement, en homme du monde qui entend ne déranger et ne répugner personne.

Pourtant, un soir, il n'a plus que le souffle, il sait qu'il ne passera pas la nuit. Alors, quand la comtesse monte faire sa visite accoutumée, il lui dit en trouvant un dernier sourire :

« Ne sortez pas… Je ne me sens pas bien. »

Il veut lui éviter les propos du monde. Elle, de son côté, attendait cet avis. Et elle s'installe dans la chambre. Les médecins ne quittent plus l'agonisant. Les deux domestiques achèvent leur service, avec le même empressement silencieux. On a envoyé chercher les enfants, Roger et Blanche, qui se tiennent près du lit, à côté de leur mère. D'autres parents occupent une pièce voisine. La nuit se passe de la sorte, dans une attente grave. Au matin, les derniers sacrements sont apportés, le comte communie devant tous, pour donner un dernier appui à la religion. Le cérémonial est rempli, il peut mourir.

Mais il ne se hâte point, semble retrouver des forces, afin d'éviter une mort convulsée et bruyante. Son souffle, dans la vaste pièce sévère, émet seulement le bruit cassé d'une horloge qui se détraque. C'est un homme bien élevé qui s'en va. Et, lorsqu'il a embrassé sa femme et ses enfants, il les repousse d'un geste, il retombe du côté de la muraille, et meurt seul.

Alors, un des médecins se penche, ferme les yeux du mort. Puis, il dit à demi-voix :

« C'est fini. »

Des soupirs et des larmes montent dans le silence. La comtesse, Roger et Blanche se sont agenouillés. Ils pleurent entre leurs mains jointes ; on ne voit pas leurs visages. Puis, les deux enfants emmènent leur mère, qui, à la porte, voulant marquer son désespoir, balance sa taille dans un dernier sanglot. Et, dès ce moment, le mort appartient à la pompe de ses obsèques.

Les médecins s'en sont allés, en arrondissant le dos et en prenant une figure vaguement désolée. On a fait demander un prêtre à la paroisse, pour veiller le corps. Les deux domestiques restent avec ce prêtre, assis sur des chaises, raides et dignes ; c'est la fin attendue de leur service. L'un d'eux aperçoit une cuiller oubliée sur un meuble ; il se lève et la glisse vivement dans sa poche, pour que le bel ordre de la chambre ne soit pas troublé.

On entend au-dessous, dans le grand salon, un bruit de marteaux : ce sont les tapissiers qui disposent cette pièce en chapelle ardente. Toute la journée est prise par l'embaumement ; les portes sont fermées, l'embaumeur est seul avec ses aides. Lorsqu'on descend le comte, le lendemain, et qu'on l'expose, il est en habit, il a une fraîcheur de jeunesse.

Dès neuf heures, le matin des obsèques, l'hôtel s'emplit d'un murmure de voix. Le fils et le gendre du défunt, dans un salon du rez-de-chaussée, reçoivent la cohue ; ils s'inclinent, ils gardent une politesse muette de gens affligés. Toutes les illustrations sont là, la noblesse, l'armée, la magistrature ; il y a jusqu'à des sénateurs et des membres de l'Institut.

À dix heures enfin, le convoi se met en marche pour se rendre à l'église. Le corbillard est une voiture de première classe, empanachée de plumes, drapée de tentures à franges d'argent. Les cordons du poêle sont tenus par un maréchal de France, un duc vieil ami du défunt, un ancien ministre et un académicien. Roger de Verteuil et M. de Bussac conduisent le deuil. Ensuite, vient le cortège, un flot de monde ganté et cravaté de noir, tous des personnages importants qui soufflent dans la poussière et marchent avec le piétinement sourd d'un troupeau débandé.

Le quartier ameuté est aux fenêtres ; des gens font la haie sur les trottoirs, se découvrent et regardent passer avec des hochements de tête le corbillard triomphal. La circulation est interrompue par la file interminable des voitures de deuil, presque toutes vides ; les omnibus, les fiacres, s'amassent dans les carrefours ; on entend les jurons des cochers et les claquements des fouets. Et, pendant ce temps, la comtesse de Verteuil, restée chez elle, s'est enfermée dans son appartement, en faisant dire que les larmes l'ont brisée. Étendue sur une chaise longue, jouant avec le gland de sa ceinture, elle regarde le plafond, soulagée et rêveuse.

À l'église, la cérémonie dure près de deux heures. Tout le clergé est en l'air ; depuis le matin, on ne voit que des prêtres affairés courir en surplis, donner des ordres, s'éponger le front et se moucher avec des bruits retentissants. Au milieu de la nef tendue de noir, un catafalque flamboie. Enfin, le cortège s'est casé, les femmes à gauche, les hommes à droite ; et les orgues roulent leurs lamentations, les chantres gémissent sourdement, les enfants de chœur ont des sanglots aigus ; tandis que, dans des torchères, brûlent de hautes flammes vertes, qui ajoutent leur pâleur funèbre à la pompe de la cérémonie.

« Est-ce que Faure[1] ne doit pas chanter ? demande un député à son voisin.

– Oui, je crois », répond le voisin, un ancien préfet, homme superbe qui sourit de loin aux dames.

Et, lorsque la voix du chanteur s'élève dans la nef frissonnante :

« Hein ! quelle méthode, quelle ampleur ! » reprend-il à demi-voix, en balançant la tête de ravissement.

Toute l'assistance est séduite. Les dames, un vague sourire aux lèvres, songent à leurs soirées de l'Opéra. Ce Faure a vraiment du talent ! Un ami du défunt va jusqu'à dire :

« Jamais il n'a mieux chanté !… C'est fâcheux que ce pauvre Verteuil ne puisse l'entendre, lui qui l'aimait tant ! »

Les chantres, en chapes noires, se promènent autour du catafalque. Les prêtres, au nombre d'une vingtaine, compliquent le cérémonial, saluent, reprennent des phrases latines, agitent des

1. Baryton célèbre sous le second Empire.

goupillons. Enfin, les assistants eux-mêmes défilent devant le cercueil, les goupillons circulent. Et l'on sort, après les poignées de main à la famille. Dehors, le plein jour aveugle la cohue.

C'est une belle journée de juin. Dans l'air chaud, des fils légers volent. Alors, devant l'église, sur la petite place, il y a des bousculades. Le cortège est long à se réorganiser. Ceux qui ne veulent pas aller plus loin, disparaissent. À deux cents mètres, au bout d'une rue, on aperçoit déjà les plumets du corbillard qui se balancent et se perdent, lorsque la place est encore tout encombrée de voitures. On entend les claquements des portières et le trot brusque des chevaux sur le pavé. Pourtant, les cochers prennent la file, le convoi se dirige vers le cimetière.

Dans les voitures, on est à l'aise, on peut croire qu'on se rend au Bois lentement, au milieu de Paris printanier. Comme on n'aperçoit plus le corbillard, on oublie vite l'enterrement ; et des conversations s'engagent, les dames parlent de la saison d'été, les hommes causent de leurs affaires.

« Dites donc, ma chère, allez-vous encore à Dieppe, cette année ?

– Oui, peut-être. Mais ce ne serait jamais qu'en août… Nous partons samedi pour notre propriété de la Loire.

– Alors, mon cher, il a surpris la lettre, et ils se sont battus, oh ! très gentiment, une simple égratignure… Le soir, j'ai dîné avec lui au cercle. Il m'a même gagné vingt-cinq louis.

– N'est-ce pas ? la réunion des actionnaires est pour après-demain… On veut me nommer du comité. Je suis si occupé, je ne sais si je pourrai. »

Le cortège, depuis un instant, suit une avenue. Une ombre fraîche tombe des arbres, et les gaietés du soleil chantent dans les verdures. Tout d'un coup, une dame étourdie, qui se penche à une portière, laisse échapper.

« Tiens ! c'est charmant par ici ! »

Justement, le convoi entre dans le cimetière Montparnasse. Les voix se taisent, on n'entend plus que le grincement des roues sur le sable des allées. Il faut aller tout au bout, la sépulture des Verteuil est au fond, à gauche : un grand tombeau de marbre blanc, une sorte de chapelle, très ornée de sculptures. On pose le cercueil devant la porte de cette chapelle, et les discours commencent.

Il y en a quatre. L'ancien ministre retrace la vie politique du défunt, qu'il présente comme un génie modeste, qui aurait sauvé la France, s'il n'avait pas méprisé l'intrigue. Ensuite, un ami parle des vertus privées de celui que tout le monde pleure. Puis, un monsieur inconnu prend la parole comme délégué d'une société industrielle, dont le comte de Verteuil était président honoraire. Enfin, un petit homme à mine grise dit les regrets de l'Académie des sciences morales et politiques.

Pendant ce temps, les assistants s'intéressent aux tombes voisines, lisent des inscriptions sur les plaques de marbre. Ceux qui tendent l'oreille, attrapent seulement des mots. Un vieillard, aux lèvres pincées, après avoir saisi ce bout de phrase : « ... les qualités du cœur, la générosité et la bonté des grands caractères... », hoche le menton, en murmurant :

« Ah bien ! oui, je l'ai connu, c'était un chien fini ! »

Le dernier adieu s'envole dans l'air. Quand les prêtres ont béni le corps, le monde se retire, et il n'y a plus, dans ce coin écarté, que les fossoyeurs qui descendent le cercueil. Les cordes ont un frottement sourd, la bière de chêne craque. M. le comte de Verteuil est chez lui.

Et la comtesse, sur sa chaise longue, n'a pas bougé. Elle joue toujours avec le gland de sa ceinture, les yeux au plafond, perdue dans une rêverie, qui, peu à peu, fait monter une rougeur à ses joues de belle blonde.

II

Mme Guérard est veuve. Son mari, qu'elle a perdu depuis huit ans, était magistrat. Elle appartient à la haute bourgeoisie et possède une fortune de deux millions. Elle a trois enfants, trois fils, qui, à la mort de leur père, ont hérité chacun de cinq cent mille francs. Mais ces fils, dans cette famille sévère, froide et guindée, ont poussé comme des rejetons sauvages, avec des appétits et des fêlures venus on ne sait d'où [1]. En quelques années, ils ont mangé leurs cinq cent mille francs. L'aîné, Charles, s'est passionné pour la mécanique et a gâché un argent fou en inventions extraordinaires. Le second, Georges, s'est laissé dévorer par les femmes. Le troisième, Maurice, a été volé par un ami, avec lequel il a entrepris de bâtir un théâtre. Aujourd'hui, les trois fils sont à la charge de la mère, qui veut bien les nourrir et les loger, mais qui garde sur elle par prudence les clés des armoires.

Tout ce monde habite un vaste appartement de la rue de Turenne, au Marais. Mme Guérard a soixante-huit ans. Avec l'âge, les manies sont venues. Elle exige, chez elle, une tranquillité et une propreté de cloître. Elle est avare, compte les morceaux de sucre, serre elle-même les bouteilles entamées, donne le linge et la vaisselle au fur et à mesure des besoins du service. Ses fils sans doute l'aiment beaucoup, et elle a gardé sur eux, malgré leurs trente ans et leurs sottises, une autorité absolue. Mais, quand elle se voit seule au milieu de ces trois grands diables, elle a des inquiétudes sourdes, elle craint toujours des demandes d'argent, qu'elle ne saurait comment repousser. Aussi a-t-elle eu soin de mettre sa fortune en propriétés foncières : elle possède trois

1. Tel est le résumé de la conception zolienne, suggestive et romanesque, de l'hérédité. Gilles Deleuze a donné un passionnant commentaire de la « fêlure » dans une préface à *La Bête humaine* (*OC*, t. VI, p. 13-21).

maisons dans Paris et des terrains du côté de Vincennes. Ces propriétés lui donnent le plus grand mal ; seulement, elle est tranquille, elle trouve des excuses pour ne pas donner de grosses sommes à la fois.

Charles, Georges et Maurice, d'ailleurs, grugent la maison le plus qu'ils peuvent. Ils campent là, se disputant les morceaux, se reprochant mutuellement leur grosse faim. La mort de leur mère les enrichira de nouveau ; ils le savent, et le prétexte leur semble suffisant pour attendre sans rien faire. Bien qu'ils n'en causent jamais, leur continuelle préoccupation est de savoir comment le partage aura lieu ; s'ils ne s'entendent pas, il faudra vendre, ce qui est toujours une opération ruineuse. Et ils songent à ces choses sans aucun mauvais désir, uniquement parce qu'il faut tout prévoir. Ils sont gais, bons enfants, d'une honnêteté moyenne ; comme tout le monde, ils souhaitent que leur mère vive le plus longtemps possible. Elle ne les gêne pas. Ils attendent, voilà tout.

Un soir, en sortant de table, Mme Guérard est prise d'un malaise. Ses fils la forcent de se coucher, et ils la laissent avec sa femme de chambre, lorsqu'elle leur assure qu'elle est mieux, qu'elle a seulement une grosse migraine. Mais, le lendemain, l'état de la vieille dame a empiré, le médecin de la famille, inquiet, demande une consultation. Mme Guérard est en grand danger. Alors, pendant huit jours, un drame se joue autour du lit de la mourante.

Son premier soin, lorsqu'elle s'est vue clouée dans sa chambre par la maladie, a été de se faire donner toutes les clés et de les cacher sous son oreiller. Elle veut, de son lit, gouverner encore, protéger ses armoires contre le gaspillage. Des luttes se livrent en elle, des doutes la déchirent. Elle ne se décide qu'après de longues hésitations. Ses trois fils sont là, et elle les étudie de ses yeux vagues, elle attend une bonne inspiration.

Un jour, c'est dans Georges qu'elle a confiance. Elle lui fait signe d'approcher, elle lui dit à demi-voix :

« Tiens, voilà la clé du buffet, prends le sucre... Tu refermeras bien et tu me rapporteras la clé. »

Un autre jour, elle se défie de Georges, elle le suit du regard, dès qu'il bouge, comme si elle craignait de lui voir glisser les bibelots de la cheminée dans ses poches. Elle appelle Charles, lui confie une clé à son tour, en murmurant :

« La femme de chambre va aller avec toi. Tu la regarderas prendre des draps et tu refermeras toi-même. »

Dans son agonie, c'est là son supplice : ne plus pouvoir veiller aux dépenses de la maison. Elle se souvient des folies de ses enfants, elle les sait paresseux, gros mangeurs, le crâne fêlé, les mains ouvertes. Depuis longtemps, elle n'a plus d'estime pour eux, qui n'ont réalisé aucun de ses rêves, qui blessent ses habitudes d'économie et de rigidité. L'affection seule surnage et pardonne. Au fond de ses yeux suppliants, on lit qu'elle leur demande en grâce d'attendre qu'elle ne soit plus là, avant de vider ses tiroirs et de se partager son bien.

Ce partage, devant elle, serait une torture pour son avarice expirante.

Cependant, Charles, Georges et Maurice se montrent très bons. Ils s'entendent, de façon à ce qu'un d'eux soit toujours près de leur mère. Une sincère affection paraît dans leurs moindres soins. Mais, forcément, ils apportent avec eux les insouciances du dehors, l'odeur du cigare qu'ils ont fumé, la préoccupation des nouvelles qui courent la ville. Et l'égoïsme de la malade souffre de n'être pas tout pour ses enfants, à son heure dernière. Puis, lorsqu'elle s'affaiblit, ses méfiances mettent une gêne croissante entre les jeunes gens et elle. S'ils ne songeaient pas à la fortune dont ils vont hériter, elle leur donnerait la pensée de cet argent, par la manière dont elle le défend jusqu'au dernier souffle. Elle les regarde d'un air si aigu, avec des craintes si claires, qu'ils détournent la tête. Alors, elle croit qu'ils guettent son agonie ; et, en vérité, ils y pensent, ils sont ramenés continuellement à cette idée, par l'interrogation muette de ses regards. C'est elle qui fait pousser en eux la cupidité. Quand elle en surprend un rêveur, la face pâle, elle lui dit :

« Viens près de moi... À quoi réfléchis-tu ?

– À rien, mère. »

Mais il a eu un sursaut. Elle hoche lentement la tête, elle ajoute :

« Je vous donne bien du souci, mes enfants. Allez, ne vous tourmentez pas, je ne serai bientôt plus là. »

Ils l'entourent, ils lui jurent qu'ils l'aiment et qu'ils la sauveront. Elle répond que non, d'un signe entêté ; elle s'enfonce davantage dans sa défiance. C'est une agonie affreuse, empoisonnée par l'argent.

La maladie dure trois semaines. Il y a déjà eu cinq consultations, on a fait venir les plus grandes célébrités médicales. La femme de chambre aide les fils de madame à la soigner ; et, malgré les précautions, un peu de désordre s'est mis dans l'appartement. Tout espoir est perdu, le médecin annonce que, d'une heure à l'autre, la malade peut succomber.

Alors, un matin que ses fils la croient endormie, ils causent entre eux, près d'une fenêtre, d'une difficulté qui se présente. On est au 15 juillet, elle avait l'habitude de toucher elle-même les loyers de ses maisons, et ils sont fort embarrassés, ne sachant comment faire rentrer cet argent. Déjà, les concierges ont demandé des ordres. Dans l'état de faiblesse où elle est, ils ne peuvent lui parler d'affaires. Cependant, si une catastrophe arrivait, ils auraient besoin des loyers, pour parer à certains frais personnels.

« Mon Dieu ! dit Charles à demi-voix, je vais, si vous le voulez, me présenter chez les locataires... Ils comprendront la situation, ils paieront. »

Mais Georges et Maurice paraissent peu goûter ce moyen. Eux aussi, sont devenus défiants.

« Nous pourrions t'accompagner, dit le premier. Nous avons tous les trois des dépenses à faire.

– Eh bien ! je vous remettrai l'argent... Vous ne me croyez pas capable de me sauver avec, bien sûr !

– Non, mais il est bon que nous soyons ensemble. Ce sera plus régulier. »

Et ils se regardent, avec des yeux où luisent déjà les colères et les rancunes du partage. La succession est ouverte, chacun veut s'assurer la part la plus large. Charles reprend brusquement, en continuant tout haut les réflexions que ses frères font tout bas :

« Écoutez, nous vendrons, ça vaudra mieux... Si nous nous querellons aujourd'hui, nous nous mangerons demain. »

Mais un râle leur fait vivement tourner la tête. Leur mère s'est soulevée, blanche, les yeux hagards, le corps secoué d'un frisson. Elle a entendu, elle tend ses bras maigres, elle répète d'une voix épouvantée :

« Mes enfants... mes enfants... »

Et une convulsion la rejette sur l'oreiller, elle meurt dans la pensée abominable que ses fils la volent.

Tous les trois, terrifiés, sont tombés à genoux devant le lit. Ils baisent les mains de la morte, ils lui ferment les yeux avec des sanglots. À ce moment, leur enfance leur revient au cœur, et ils ne sont plus que des orphelins. Mais cette mort affreuse reste au fond d'eux, comme un remords et comme une haine.

La toilette de la morte est faite par la femme de chambre. On envoie chercher une religieuse pour veiller le corps. Pendant ce temps, les trois fils sont en courses ; ils vont déclarer le décès, commander les lettres de faire-part, régler la cérémonie funèbre. La nuit, ils se relaient et veillent chacun à son tour avec la religieuse. Dans la chambre, dont les rideaux sont tirés, la morte est restée étendue au milieu du lit, la tête roide, les mains croisées, un crucifix d'argent sur la poitrine. À côté d'elle, brûle un cierge. Un brin de buis trempe au bord d'un vase plein d'eau bénite. Et la veillée s'achève dans le frisson du matin. La religieuse demande du lait chaud, parce qu'elle n'est pas à son aise.

Une heure avant le convoi, l'escalier s'emplit de monde. La porte cochère est tendue de draperies noires, à frange d'argent. C'est là que le cercueil est exposé, comme au fond d'une étroite chapelle, entouré de cierges, recouvert de couronnes et de bouquets. Chaque personne qui entre prend un goupillon dans un bénitier, au pied de la bière, et asperge le corps. À onze heures, le convoi se met en marche. Les fils de la défunte conduisent le deuil. Derrière eux, on reconnaît des magistrats, quelques grands industriels, toute une bourgeoisie grave et importante, qui marche à pas comptés, avec des regards obliques sur les curieux arrêtés le long des trottoirs. Il y a, au bout du cortège, douze voitures de deuil. On les compte, on les remarque beaucoup dans le quartier.

Cependant, les assistants s'apitoient sur Charles, Georges et Maurice, en habit, gantés de noir, qui marchent derrière le cercueil, la tête basse, le visage rougi de larmes. Du reste, il n'y a qu'un cri : ils enterrent leur mère d'une façon très convenable. Le corbillard est de troisième classe, on calcule qu'ils en auront pour plusieurs milliers de francs. Un vieux notaire dit avec un fin sourire :

« Si Mme Guérard avait payé elle-même son convoi, elle aurait économisé six voitures. »

À l'église, la porte est tendue, les orgues jouent, l'absoute[1] est donnée par le curé de la paroisse. Puis, quand les assistants ont défilé devant le corps, ils trouvent à l'entrée de la nef les trois fils rangés sur une seule file, placés là pour recevoir les poignées de main des assistants qui ne peuvent aller jusqu'au cimetière. Pendant dix minutes, ils ont le bras tendu,

1. Absoute : dernières prières du prêtre, après l'office des morts.

ils serrent des mains sans même reconnaître les gens, mordant leurs lèvres, rentrant leurs larmes. Et c'est un grand soulagement pour eux, lorsque l'église est vide et qu'ils reprennent leur marche lente derrière le corbillard.

Le caveau de famille des Guérard est au cimetière du Père-Lachaise. Beaucoup de personnes restent à pied, d'autres montent dans les voitures de deuil. Le cortège traverse la place de la Bastille et suit la rue de la Roquette. Des passants lèvent les yeux, se découvrent. C'est un convoi riche, que les ouvriers de ce quartier populeux regardent passer, en mangeant des saucisses dans des morceaux de pain fendus.

En arrivant au cimetière, le convoi tourne à gauche et se trouve tout de suite devant le tombeau : un petit monument, une chapelle gothique, qui porte sur son fronton ces mots gravés en noir : FAMILLE GUÉRARD. La porte en fonte découpée, grande ouverte, laisse apercevoir la table d'un autel, où des cierges brûlent. Autour du monument, d'autres constructions dans le même goût s'alignent et forment des rues ; on dirait la devanture d'un marchand de meubles, avec des armoires, des commodes, des secrétaires, fraîchement terminés et rangés symétriquement à l'étalage. Les assistants sont distraits, occupés de cette architecture, cherchant un peu d'ombre sous les arbres de l'allée voisine. Une dame s'est éloignée pour admirer un rosier magnifique, un bouquet fleuri et odorant, qui a poussé sur une tombe.

Cependant, le cercueil a été descendu. Un prêtre dit les dernières prières, tandis que les fossoyeurs, en veste bleue, attendent à quelques pas. Les trois fils sanglotent, les yeux fixés sur le caveau béant, dont on a enlevé la dalle ; c'est là, dans cette ombre fraîche, qu'ils viendront dormir à leur tour. Des amis les emmènent, quand les fossoyeurs s'approchent.

Et, deux jours plus tard, chez le notaire de leur mère, ils discutent, les dents serrées, les yeux secs, avec un emportement d'ennemis décidés à ne pas céder sur un centime. Leur intérêt serait d'attendre, de ne pas hâter la vente des propriétés. Mais ils se jettent leurs vérités à la face : Charles mangerait tout avec ses inventions ; Georges doit avoir quelque fille qui le plume ; Maurice est certainement encore dans une spéculation folle, où il engloutirait leurs capitaux. Vainement, le notaire essaie de leur faire conclure un arrangement à l'amiable. Ils se séparent, en menaçant de s'envoyer du papier timbré.

C'est la morte qui se réveille en eux, avec son avarice et ses terreurs d'être volée. Quand l'argent empoisonne la mort, il ne sort de la mort que de la colère. On se bat sur les cercueils.

III

M. Rousseau s'est marié à vingt ans avec une orpheline, Adèle Lemercier, qui en avait dix-huit. À eux deux, ils possédaient soixante-dix francs, le soir de leur entrée en ménage. Ils ont d'abord vendu du papier à lettres et des bâtons de cire à cacheter, sous une porte cochère. Puis, ils ont loué un trou, une boutique large comme la main, dans laquelle ils sont restés dix ans à élargir petit à petit leur commerce. Maintenant, ils possèdent un magasin de papeterie, rue de Clichy, qui vaut bien une cinquantaine de mille francs.

Adèle n'est pas d'une forte santé. Elle a toujours toussé un peu. L'air enfermé de la boutique, l'immobilité du comptoir, ne lui valent rien. Un médecin qu'ils ont consulté, lui a recommandé le repos et les promenades par les beaux temps. Mais ce sont là des ordonnances qu'on ne peut suivre, quand on veut vite amasser de petites rentes, pour les manger en paix. Adèle dit qu'elle se reposera, qu'elle se promènera plus tard, lorsqu'ils auront vendu et qu'ils se seront retirés en province.

M. Rousseau, lui, s'inquiète bien, les jours où il la voit pâle, avec des taches rouges sur les joues. Seulement, il a sa papeterie qui l'absorbe, il ne saurait être sans cesse derrière elle, à l'empêcher de commettre des imprudences. Pendant des semaines, il ne trouve pas une minute pour lui parler de sa santé. Puis, s'il vient à entendre sa petite toux sèche, il se fâche, il la force à mettre son châle et à faire un tour avec lui aux Champs-Élysées. Mais elle rentre plus fatiguée, toussant davantage ; les tracas du commerce reprennent M. Rousseau ; la maladie est de nouveau oubliée, jusqu'à une nouvelle crise. C'est ainsi dans le commerce : on y meurt, sans avoir le temps de se soigner.

Un jour, M. Rousseau prend le médecin à part et lui demande franchement si sa femme est en danger. Le médecin commence par dire qu'on doit compter sur la nature, qu'il a vu des gens beaucoup plus malades se tirer d'affaire. Puis, pressé de questions, il confesse que Mme Rousseau est phtisique [1], même à un degré assez avancé. Le mari est devenu blême, en entendant cet aveu. Il aime Adèle, pour le long effort qu'ils ont fait ensemble, avant de manger du pain blanc tous les jours. Il n'a pas seulement en elle une femme, il a aussi un associé, dont il connaît l'activité et l'intelligence. S'il la perd, il sera frappé à la fois dans son affection et dans son commerce. Cependant, il lui faut du courage, il ne peut fermer sa boutique pour pleurer à son aise. Alors, il ne laisse rien voir, il tâche de ne pas effrayer Adèle en lui montrant des yeux rouges. Il reprend son train-train. Au bout d'un mois, quand il pense à ces choses tristes, il finit par se persuader que les médecins se trompent souvent. Sa femme n'a pas l'air plus malade. Et il en arrive à la voir mourir lentement, sans trop souffrir lui-même, distrait par ses

1. La phtisie (du grec *phthisis*, « dépérissement », « extinction ») est le nom qu'on donnait alors à la tuberculose.

occupations, s'attendant à une catastrophe, mais la reculant dans un avenir illimité.

Adèle répète parfois :

« Ah ! quand nous serons à la campagne, tu verras comme je me porterai !... Mon Dieu ! il n'y a plus que huit ans à attendre. Ça passera vite. »

Et M. Rousseau ne songe pas qu'ils pourraient se retirer tout de suite, avec de plus petites économies. Adèle ne voudrait pas, d'abord. Quand on s'est fixé un chiffre, on doit l'atteindre.

Pourtant, deux fois déjà, Mme Rousseau a dû prendre le lit. Elle s'est relevée, est redescendue au comptoir. Les voisins disent : « Voilà une petite femme qui n'ira pas loin. » Et ils ne se trompent pas. Juste au moment de l'inventaire, elle reprend le lit une troisième fois. Le médecin vient le matin, cause avec elle, signe une ordonnance d'une main distraite. M. Rousseau, prévenu, sait que le fatal dénouement approche. Mais l'inventaire le tient en bas, dans la boutique, et c'est à peine s'il peut s'échapper cinq minutes, de temps à autre. Il monte, quand le médecin est là ; puis, il s'en va avec lui et reparaît un instant avant le déjeuner ; il se couche à onze heures, au fond d'un cabinet où il a fait mettre un lit de sangle. C'est la bonne, Françoise, qui soigne la malade. Une terrible fille, cette Françoise, une Auvergnate aux grosses mains brutales, d'une politesse et d'une propreté douteuses ! Elle bouscule la mourante, lui apporte ses potions d'un air maussade, fait un bruit intolérable en balayant la chambre, qu'elle laisse dans un grand désordre ; des fioles toutes poissées traînent sur la commode, les cuvettes ne sont jamais lavées, les torchons pendent aux dossiers des chaises ; on ne sait plus où mettre le pied, tant le carreau est encombré. Mme Rousseau, cependant, ne se plaint pas et se contente de donner des coups de poing contre le mur, lorsqu'elle appelle la bonne et que celle-ci ne veut pas répondre. Françoise n'a pas qu'à la soigner ; il faut, en bas, qu'elle tienne la boutique propre, qu'elle fasse la cuisine pour le patron et les employés, sans compter les courses dans le quartier et les autres besognes imprévues. Aussi Madame ne peut-elle exiger de l'avoir toujours auprès d'elle. On la soigne quand on a le temps.

D'ailleurs, même dans son lit, Adèle s'occupe de son commerce. Elle suit la vente, demande chaque soir comment ça marche. L'inventaire l'inquiète. Dès que son mari peut monter quelques minutes, elle ne lui parle jamais de sa santé, elle le questionne uniquement sur les bénéfices probables. C'est un grand chagrin pour elle d'apprendre que l'année est médiocre, quatorze cents francs de moins que l'année précédente. Quand la fièvre la brûle, elle se souvient encore sur l'oreiller des commandes de la dernière semaine, elle débrouille des comptes, elle dirige la maison. Et c'est elle qui renvoie son mari, s'il s'oublie dans la chambre. Ça ne la guérit pas qu'il soit là, et ça compromet les affaires. Elle est sûre que les commis regardent passer le monde, elle lui répète :

« Descends, mon ami, je n'ai besoin de rien, je t'assure. Et n'oublie pas de t'approvisionner de registres, parce que voilà la rentrée des classes, et que nous en manquerions. »

Longtemps, elle s'abuse sur son véritable état. Elle espère toujours se lever le lendemain et reprendre sa place au comptoir. Elle fait même des projets : si elle peut sortir bientôt, ils iront passer un dimanche à Saint-Cloud. Jamais elle n'a eu un si gros désir de voir des arbres. Puis, tout d'un coup, un matin, elle devient grave. Dans la nuit, toute seule, les yeux ouverts, elle a compris qu'elle allait mourir. Elle ne dit rien jusqu'au soir, réfléchit, les regards au plafond. Et, le soir, elle retient son mari, elle cause tranquillement, comme si elle lui soumettait une facture.

« Écoute, dit-elle, tu iras chercher demain un notaire. Il y en a un près d'ici, rue Saint-Lazare.

– Pourquoi un notaire ? s'écrie M. Rousseau, nous n'en sommes pas là, bien sûr ! »

Mais elle reprend de son air calme et raisonnable :

« Possible ! Seulement, cela me tranquillisera, de savoir nos affaires en ordre... Nous nous sommes mariés sous le régime de la communauté, quand nous ne possédions rien ni l'un ni l'autre. Aujourd'hui que nous avons gagné quelques sous, je ne veux pas que ma famille puisse venir te dépouiller... Ma sœur Agathe n'est pas si gentille pour que je lui laisse quelque chose. J'aimerais mieux tout emporter avec moi. »

Et elle s'entête, il faut que son mari aille le lendemain chercher le notaire. Elle questionne ce dernier longuement, désirant que les précautions soient bien prises et qu'il n'y ait pas de contestations. Quand le testament est fait et que le notaire est parti, elle s'allonge, en murmurant :

« Maintenant, je mourrai contente... J'avais bien gagné d'aller à la campagne, je ne peux pas dire que je ne regrette pas la campagne. Mais tu iras, toi... Promets-moi de te retirer dans l'endroit que nous avions choisi, tu sais, le village où ta mère est née, près de Melun... Ça me fera plaisir. »

M. Rousseau pleure à chaudes larmes. Elle le console, lui donne de bons conseils. S'il s'ennuie tout seul, il aura raison de se remarier ; seulement, il devra choisir une femme un peu âgée, parce que les jeunes filles qui épousent des veufs épousent leur argent. Et elle lui indique une dame de leur connaissance, avec laquelle elle serait heureuse de le savoir.

Puis, la nuit même, elle a une agonie affreuse. Elle étouffe, demande de l'air. Françoise s'est endormie sur une chaise. M. Rousseau, debout au chevet du lit, ne peut que prendre la main de la mourante et la serrer, pour lui dire qu'il est là, qu'il ne la quitte pas. Le matin, tout d'un coup, elle éprouve un grand calme ; elle est très blanche, les yeux fermés, respirant lentement. Son mari croit pouvoir descendre avec Françoise, pour ouvrir la boutique. Quand il remonte, il trouve sa femme toujours très blanche, raidie dans la même attitude ; seulement, ses yeux se sont ouverts. Elle est morte.

Depuis trop longtemps, M. Rousseau s'attendait à la perdre. Il ne pleure pas, il est simplement écrasé de lassitude. Il redescend, regarde Françoise remettre les volets de la boutique ; et, lui-même, il écrit sur une feuille de papier : FERMÉ POUR CAUSE DE DÉCÈS ; puis, il colle cette feuille sur le volet du milieu, avec quatre pains à cacheter. En haut, toute la matinée est employée à nettoyer et à disposer la chambre. Françoise passe un torchon par terre, fait disparaître les fioles, met près de la morte un cierge allumé et une tasse d'eau bénite ; car on attend la sœur d'Adèle, cette Agathe qui a une langue de serpent, et la bonne ne veut pas qu'on puisse l'accuser de mal tenir le ménage. M. Rousseau a envoyé un commis remplir les formalités nécessaires. Lui se rend à l'église et discute longuement le tarif des convois. Ce n'est pas parce qu'il a du chagrin qu'on doit le voler. Il aimait bien sa femme, et, si elle peut encore le voir, il est certain qu'il lui fait plaisir, en marchandant les curés et les employés des pompes funèbres. Cependant, il veut, pour le quartier, que l'enterrement soit convenable. Enfin, il tombe d'accord, il donnera cent soixante francs à l'église et trois cents francs aux pompes funèbres. Il estime qu'avec les petits frais, il n'en sera pas quitte à moins de cinq cents francs.

Quand M. Rousseau rentre chez lui, il aperçoit Agathe, sa belle-sœur, installée près de la morte. Agathe est une grande personne sèche, aux yeux rouges, aux lèvres bleuâtres et minces. Depuis trois ans, le ménage était brouillé avec elle et ne la voyait plus. Elle se lève cérémonieusement, puis embrasse son beau-frère. Devant la mort, toutes les querelles finissent. M. Rousseau qui n'a pu pleurer, le matin, sanglote alors, en retrouvant sa pauvre femme blanche et raide, le nez pincé davantage, la face si diminuée, qu'il la reconnaît à peine. Agathe reste les yeux secs. Elle a pris le meilleur fauteuil ; elle promène lentement ses regards dans la chambre, comme si elle dressait un inventaire minutieux des meubles qui la garnissent. Jusque-là, elle n'a pas soulevé la question des intérêts, mais il est visible qu'elle est très anxieuse et qu'elle doit se demander s'il existe un testament.

Le matin des obsèques, au moment de la mise en bière, il arrive que les pompes funèbres se sont trompées et ont envoyé un cercueil trop court. Les croque-morts doivent aller en chercher un autre. Cependant le corbillard attend devant la porte, le quartier est en révolution. C'est là une nouvelle torture pour M. Rousseau. Si encore ça ressuscitait sa femme, de la garder si longtemps ! Enfin, on descend la pauvre Mme Rousseau, et le cercueil ne reste exposé que dix minutes en bas, sous la porte, tendue de noir. Une centaine de personnes attendent dans la rue, des commerçants du quartier, les locataires de la maison, les amis du ménage, quelques ouvriers en paletot. Le cortège part, M. Rousseau conduit le deuil.

Et, sur le passage du convoi, les voisines font un signe de croix rapide, en parlant à voix basse. « C'est la papetière, n'est-ce pas ? cette petite femme si jaune, qui n'avait plus que la peau et les os. Ah bien ! elle sera mieux dans la terre ! Ce que c'est que de nous pourtant ! Des commerçants très à leur aise, qui travaillaient pour prendre du plaisir sur leurs vieux jours ! Elle va en prendre maintenant, du plaisir, la papetière ! » Et les voisines trouvent M. Rousseau très bien, parce qu'il marche derrière le corbillard, tête nue, tout seul, pâle et ses rares cheveux envolés dans le vent.

En quarante minutes, à l'église, les prêtres bâclent la cérémonie. Agathe, qui s'est assise au premier rang, semble compter les cierges allumés. Sans doute, elle pense que son beau-frère aurait pu y mettre moins d'ostentation ; car, enfin, s'il n'y a pas de testament et qu'elle hérite de la moitié de la fortune, elle devra payer sa part du convoi. Les prêtres disent une dernière oraison, le goupillon passe de main en main, et l'on sort. Presque tout le monde s'en va. On a fait avancer les trois voitures de deuil, dans lesquelles des dames sont montées. Derrière le corbillard, il ne reste que M. Rousseau, toujours tête nue, et une trentaine de personnes, les amis qui n'osent s'esquiver. Le corbillard est simplement orné d'une draperie noire à frange blanche. Les passants se découvrent et filent vite.

Comme M. Rousseau n'a pas de tombeau de famille, il a simplement pris une concession de cinq ans au cimetière Montmartre, en se promettant d'acheter plus tard une concession à perpétuité, et d'exhumer sa femme, pour l'installer définitivement chez elle.

Le corbillard s'arrête au bout d'une allée, et l'on porte à bras le cercueil parmi des tombes basses, jusqu'à une fosse, creusée dans la terre molle. Les assistants piétinent, silencieux. Puis, le prêtre se retire, après avoir mâché vingt paroles entre ses dents. De tous côtés s'étendent des petits jardins fermés de grilles, des sépultures garnies de giroflées et d'arbres verts ; les pierres blanches, au milieu de ces verdures, semblent toutes neuves et toutes gaies. M. Rousseau est très frappé par la vue d'un monument, une colonne mince, surmontée de l'urne symbolique. Le matin, un marbrier est venu le tourmenter avec des plans. Et il songe que, lorsqu'il achètera une concession à perpétuité, il fera mettre, sur la tombe de sa femme, une colonne pareille, avec ce joli vase.

Cependant, Agathe l'emmène, et de retour à la boutique, elle se décide enfin à parler intérêts. Quand elle apprend qu'il existe un testament, elle se lève toute droite, elle s'en va, en faisant claquer la porte. Jamais elle ne remettra les pieds dans cette baraque. M. Rousseau a toujours, par moments, un gros chagrin qui l'étrangle ; mais ce qui le rend bête surtout, la tête perdue et les membres inquiets, c'est que le magasin soit fermé, un jour de semaine.

IV[1]

Janvier a été dur. Pas de travail, pas de pain et pas de feu à la maison. Les Morisseau ont crevé la misère. La femme est blanchisseuse, le mari est maçon. Ils habitent aux Batignolles, rue Cardinet, dans une maison noire, qui empoisonne le quartier. Leur chambre, au cinquième, est si délabrée, que la pluie entre par les fentes du plafond. Encore ne se plaindraient-ils pas, si leur petit Charlot, un gamin de dix ans, n'avait besoin d'une bonne nourriture pour devenir un homme[2].

L'enfant est chétif, un rien le met sur le flanc. Lorsqu'il allait à l'école, s'il s'appliquait en voulant tout apprendre d'un coup, il revenait malade. Avec ça, très intelligent, un crapaud trop gentil, qui a une conversation au-dessus de son âge. Les jours où ils n'ont pas de pain à lui donner, les parents pleurent comme des bêtes. D'autant plus que les enfants meurent ainsi que des mouches du haut en bas de la maison, tant c'est malsain.

On casse la glace dans les rues. Même le père a pu se faire embaucher ; il déblaie les ruisseaux à coups de pioche, et le soir il rapporte quarante sous. En attendant que la bâtisse reprenne, c'est toujours de quoi ne pas mourir de faim.

Mais, un jour, l'homme en rentrant trouve Charlot couché. La mère ne sait ce qu'il a. Elle l'avait envoyé à Courcelles, chez sa tante, qui est fripière, voir s'il ne trouverait pas une veste plus chaude que sa blouse de toile, dans laquelle il grelotte. Sa tante n'avait que de vieux paletots d'homme trop larges, et le petit est rentré tout frissonnant, l'air ivre, comme s'il avait bu. Maintenant, il est très rouge sur

1. La quatrième partie de *Comment on meurt* parut, sous le titre *Misère*, dans *Le Figaro* du 31 janvier 1881.

2. L'évocation de la misère est similaire dans *L'Assommoir*, que Zola rédige au même moment. Mais dans la nouvelle, plus didactique et en quête d'efficacité, le message est plus clair, le constat plus brutal.

l'oreiller, il dit des bêtises, il croit qu'il joue aux billes et il chante des chansons.

La mère a pendu un lambeau de châle devant la fenêtre, pour boucher un carreau cassé ; en haut, il ne reste que deux vitres libres, qui laissent pénétrer le gris livide du ciel. La misère a vidé la commode, tout le linge est au Mont-de-Piété. Un soir, on a vendu une table et deux chaises. Charlot couchait par terre ; mais, depuis qu'il est malade, on lui a donné le lit, et encore y est-il très mal, car on a porté poignée à poignée la laine du matelas chez une brocanteuse, des demi-livres à la fois, pour quatre ou cinq sous. À cette heure, ce sont le père et la mère qui couchent dans un coin, sur une paillasse dont les chiens ne voudraient pas.

Cependant, tous deux regardent Charlot sauter dans le lit. Qu'a-t-il donc, ce mioche, à battre la campagne ? Peut-être bien qu'une bête l'a mordu ou qu'on lui a fait boire quelque chose de mauvais. Une voisine, Mme Bonnet, est entrée ; et, après avoir flairé le petit, elle prétend que c'est un froid et chaud. Elle s'y connaît, elle a perdu son mari dans une maladie pareille.

La mère pleure en serrant Charlot entre ses bras. Le père sort comme un fou et court chercher un médecin. Il en ramène un, très grand, l'air pincé, qui écoute dans le dos de l'enfant, lui tape sur la poitrine, sans dire une parole. Puis, il faut que Mme Bonnet aille prendre chez elle un crayon et du papier pour qu'il puisse écrire son ordonnance. Quand il se retire, toujours muet, la mère l'interroge d'une voix étranglée.

« Qu'est-ce que c'est, monsieur ?

– Une pleurésie », répond-il d'un ton bref, sans explication.

Puis, il demande à son tour :

« Êtes-vous inscrits au bureau de bienfaisance ?

– Non, monsieur... Nous étions à notre aise, l'été dernier. C'est l'hiver qui nous a tués.

– Tant pis ! tant pis ! »

Et il promet de revenir. Mme Bonnet prête vingt sous pour aller chez le pharmacien. Avec les quarante sous de Morisseau, on a acheté deux livres de bœuf, du charbon de terre et de la chandelle. Cette première nuit se passe bien. On entretient le feu. Le malade, comme endormi par la grosse chaleur, ne cause plus. Ses petites mains brûlent. En le voyant écrasé sous la fièvre, les parents se tranquillisent ; et, le lendemain, ils restent hébétés, repris d'épouvante, lorsque le médecin hoche la tête devant le lit, avec la grimace d'un homme qui n'a plus d'espoir.

Pendant cinq jours, aucun changement ne se produit. Charlot dort, assommé sur l'oreiller. Dans la chambre, la misère qui souffle plus fort, semble entrer avec le vent, par les trous de la toiture et de la fenêtre. Le deuxième soir, on a vendu la dernière chemise de la mère ; le troisième, il a fallu retirer encore des poignées de laine, sous le malade, pour payer le pharmacien. Puis, tout a manqué, il n'y a plus rien eu.

Morisseau casse toujours la glace ; seulement, ses quarante sous ne suffisent pas. Comme ce froid rigoureux peut tuer Charlot, il souhaite le dégel, tout en le redoutant. Quand il part au travail, il est heureux de voir les rues blanches ; puis, il songe au petit qui agonise là-haut, et il demande ardemment un rayon de soleil, une tiédeur de printemps balayant la neige. S'ils étaient seulement inscrits au bureau de bienfaisance, ils auraient le médecin et les remèdes pour rien. La mère s'est présentée à la mairie, mais on lui a répondu que les demandes étaient trop nombreuses, qu'elle devait attendre. Pourtant, elle a obtenu quelques bons de pain ; une dame charitable lui a donné cinq francs. Ensuite, la misère a recommencé.

Le cinquième jour, Morisseau apporte sa dernière pièce de quarante sous. Le dégel est venu, on l'a remercié. Alors, c'est la fin de tout : le poêle reste froid, le pain manque, on ne descend plus les ordonnances chez le pharmacien. Dans la chambre ruisselante d'humidité, le père et la mère grelottent, en face du petit qui râle. Mme Bonnet n'entre plus les voir, parce qu'elle est sensible et que ça lui fait trop de peine. Les gens de la maison passent vite devant leur porte. Par moments, la mère, prise d'une crise de larmes, se jette sur le lit, embrasse l'enfant, comme pour le soulager et le guérir. Le père, imbécile, reste des heures devant la fenêtre, soulevant le vieux châle, regardant le dégel ruisseler, l'eau tomber des toits, à grosses gouttes, et noircir la rue. Peut-être ça fait-il du bien à Charlot.

Un matin, le médecin déclare qu'il ne reviendra pas. L'enfant est perdu.

« C'est ce temps humide qui l'a achevé », dit-il.

Morisseau montre le poing au ciel. Tous les temps font donc crever le pauvre monde ! Il gelait, et cela ne valait rien ; il dégèle, et cela est pis encore. Si la femme voulait, ils allumeraient un boisseau de charbon, ils s'en iraient tous les trois ensemble. Ce serait plus vite fini.

Pourtant la mère est retournée à la mairie ; on a promis de leur envoyer des secours, et ils attendent. Quelle affreuse journée ! Un froid noir tombe du plafond ; dans un coin, la pluie coule ; il faut mettre un seau, pour recevoir les gouttes. Depuis la veille, ils n'ont rien mangé, l'enfant a bu seulement une tasse de tisane, que la concierge a montée. Le père, assis devant la table, la tête dans les mains, demeure stupide, les oreilles bourdonnantes. À chaque bruit de pas, la mère court à la porte, croit que ce sont enfin les secours promis. Six heures sonnent, rien n'est venu. Le crépuscule est boueux, lent et sinistre comme une agonie.

Brusquement, dans la nuit qui augmente, Charlot balbutie des paroles entrecoupées :

« Maman… Maman… »

La mère s'approche, reçoit au visage un souffle fort. Et elle n'entend plus rien ; elle distingue vaguement l'enfant, la tête renversée, le cou raidi. Elle crie, affolée, suppliante :

« De la lumière ! vite, de la lumière !... Mon Charlot, parle-moi ! »

Il n'y a plus de chandelle. Dans sa hâte, elle frotte des allumettes, les casse entre ses doigts. Puis, de ses mains tremblantes, elle tâte le visage de l'enfant.

« Ah ! mon Dieu ! il est mort !... Dis donc, Morisseau, il est mort ! »

Le père lève la tête, aveuglé par les ténèbres.

« Eh bien ! que veux-tu ? il est mort... Ça vaut mieux. »

Aux sanglots de la mère, Mme Bonnet s'est décidée à paraître avec sa lampe. Alors, comme les deux femmes arrangent proprement Charlot, on frappe : ce sont les secours qui arrivent, dix francs, des bons de pain et de viande. Morisseau rit d'un air imbécile, en disant qu'ils manquent toujours le train, au bureau de bienfaisance.

Et quel pauvre cadavre d'enfant, maigre, léger comme une plume ! On aurait couché sur le matelas un moineau tué par la neige et ramassé dans la rue, qu'il ne ferait pas un tas plus petit.

Pourtant, Mme Bonnet, qui est redevenue très obligeante, explique que ça ne ressuscitera pas Charlot, de jeûner à côté de lui. Elle offre d'aller chercher du pain et de la viande, en ajoutant qu'elle rapportera aussi de la chandelle. Ils la laissent faire. Quand elle rentre, elle met la table, sert des saucisses toutes chaudes. Et les Morisseau, affamés, mangent gloutonnement près du mort, dont on aperçoit dans l'ombre la petite figure blanche. Le poêle ronfle, on est très bien. Par moments, les yeux de la mère se mouillent. Des grosses larmes tombent sur son pain. Comme Charlot aurait chaud ! Comme il mangerait volontiers de la saucisse !

Mme Bonnet veut veiller à toute force. Vers une heure, lorsque Morisseau a fini par s'endormir, la tête posée sur le pied du lit, les deux femmes font du café. Une autre voisine, une couturière de dixhuit ans, est invitée ; et elle apporte un fond de bouteille d'eau-de-vie, pour payer quelque chose. Alors, les trois femmes boivent leur café à petits coups, en parlant tout bas, en se contant des histoires de morts extraordinaires ; peu à peu, leurs voix s'élèvent, leurs cancans s'élargissent, elles causent de la maison, du quartier, d'un crime qu'on a commis rue Nollet. Et, parfois, la mère se lève, vient regarder Charlot, comme pour s'assurer qu'il n'a pas remué.

La déclaration n'ayant pas été faite le soir, il leur faut garder le petit le lendemain, toute la journée. Ils n'ont qu'une chambre, ils vivent avec Charlot, mangent et dorment avec lui. Par instants, ils l'oublient ; puis, quand ils le retrouvent, c'est comme s'ils le perdaient une fois encore.

Enfin, le surlendemain, on apporte la bière, pas plus grande qu'une boîte à joujoux, quatre planches mal rabotées, fournies gratuitement par l'administration, sur le certificat d'indigence. Et, en route ! on se rend à l'église en courant. Derrière Charlot, il y a le père avec deux camarades rencontrés en chemin, puis la mère, Mme Bonnet et l'autre voisine, la couturière. Ce monde patauge dans la crotte jusqu'à mi-jambe. Il ne pleut pas, mais le brouillard est si mouillé, qu'il trempe les vêtements. À l'église, on expédie la cérémonie. Et la course reprend sur le pavé gras.

Le cimetière est au diable, en dehors des fortifications. On descend l'avenue de Saint-Ouen, on passe la barrière, enfin on arrive. C'est un vaste enclos, un terrain vague, fermé de murailles blanches. Des herbes y poussent, la terre remuée fait des bosses, tandis qu'au fond il y a une rangée d'arbres maigres, salissant le ciel de leurs branches noires [1].

Lentement, le convoi avance dans la terre molle. Maintenant, il pleut ; et il faut attendre sous l'averse un vieux prêtre, qui se décide à sortir d'une petite chapelle. Charlot va dormir au fond de la fosse commune. Le champ est semé de croix renversées par le

1. La description du cimetière de Saint-Ouen sera reprise et développée dans *L'Œuvre* (1886).

vent, de couronnes pourries par la pluie, un champ de misère et de deuil, dévasté, piétiné, suant cet encombrement de cadavres qu'entassent la faim et le froid des faubourgs.

C'est fini. La terre coule, Charlot est au fond du trou, et les parents s'en vont, sans avoir pu s'agenouiller, dans la boue liquide où ils enfoncent. Dehors, comme il pleut toujours, Morisseau, qui a encore trois francs sur les dix francs du bureau de bienfaisance, invite les camarades et les voisines à prendre quelque chose, chez un marchand de vin. On s'attable, on boit deux litres, on mange un morceau de fromage de Brie. Puis, les camarades, à leur tour, paient deux autres litres. Quand la société rentre dans Paris, elle est très gaie.

V [1]

Jean-Louis Lacour a soixante-dix ans. Il est né et a vieilli à La Courteille, un hameau de cent cinquante habitants, perdu dans un pays de loups. En sa vie, il est allé une seule fois à Angers, qui est à quinze lieues [2]. Mais il était si jeune, qu'il ne se souvient plus. Il a eu trois enfants, deux fils, Antoine et Joseph, et une fille, Catherine. Celle-ci s'est mariée ; puis son mari est mort et elle est revenue près de son père, avec un galopin de douze ans, Jacquinet. La famille vit sur un petit bien, juste assez de terre pour manger et ne pas aller tout nu. Ils ne sont point parmi les malheureux du pays, mais il leur faut

---

1. Ce dernier chapitre fut publié à plusieurs reprises : dans *Le Figaro* du 20 juin 1881, sous le titre *La Mort du paysan* ; dans un recueil collectif de contes et de nouvelles intitulé *Le Nouveau Décaméron* en 1885, à la demande de Catulle Mendès, sous le titre légèrement modifié de *La Mort d'un paysan* ; dans les *Annales politiques et littéraires* du 25 octobre 1885 ; et enfin, dix ans après, en décembre 1895, dans *La Revue illustrée*, dans une version légèrement différente, que nous avons retenue pour cette édition.

2. Une lieue : à peu près quatre kilomètres.

travailler dur. Ils gagnent leur soupe à coups de pioche. Quand ils boivent un verre de vin, ils l'ont sué.

La Courteille est au fond d'un vallon, avec des bois de tous les côtés, qui l'enferment et la cachent. Il n'y a pas d'église, parce que la commune est trop pauvre ; c'est le curé des Cormiers qui vient dire la messe, et, comme il lui faut faire deux lieues, il ne vient que tous les quinze jours. Les maisons, une vingtaine de maisons branlantes, sont jetées à la débandade le long du chemin. Des poules grattent le fumier devant les portes. Quand un étranger passe sur la route, cela est si extraordinaire, que toutes les femmes allongent la tête, tandis que les enfants, en train de se vautrer au soleil, se sauvent avec des cris de bêtes effarouchées.

Jamais Jean-Louis n'a été malade. Il est grand et noueux comme un chêne. Le soleil a cuit et fendu sa peau, lui a donné la couleur, la dureté et le calme des arbres. En vieillissant, il a perdu sa langue. Il ne parle plus, trouvant la parole inutile. Ses regards restent à terre, son corps s'est courbé dans l'attitude du travail.

L'année dernière, il était encore plus vigoureux que ses fils ; il gardait pour lui les grosses besognes, silencieux dans son champ, qui semblait le connaître et trembler. Mais, un jour, voici deux mois, il est tombé et est resté deux heures en travers d'un sillon, ainsi qu'un tronc abattu. Le lendemain, il s'est remis au travail. Seulement, tout d'un coup ses bras s'en étaient allés, la terre ne lui obéissait plus. Ses fils hochent la tête, sa fille veut le retenir à la maison. Il s'entête, et on le fait accompagner par Jacquinet, pour que l'enfant crie, si le grand-père tombe.

« Qu'est-ce que tu fais là, paresseux ? dit Jean-Louis au gamin, qui ne le quitte pas. À ton âge, je gagnais mon pain.

– Grand-père, je vous garde », répond l'enfant.

Et ce mot donne une secousse au vieillard. Il n'ajoute rien. Le soir, en rentrant, il se couche et ne se relève plus. Le lendemain, quand les fils et la fille vont aux champs, ils entrent voir le père, qu'ils n'entendent pas remuer. Ils le trouvent étendu sur le lit, les yeux ouverts, avec un air de réfléchir. Il a la peau si dure et si tannée, qu'on ne peut pas savoir seulement la couleur de sa maladie.

« Eh bien ? père, ça ne va donc pas ? »

Il grogne, il dit non de la tête.

« Alors, vous ne venez pas, nous partons sans vous ? »

Oui, il leur fait signe de partir sans lui. On a commencé la moisson, tous les bras sont nécessaires. Peut-être bien que, si l'on perdait une matinée, un orage viendrait et emporterait les gerbes. Jacquinet lui-même suit sa mère et ses oncles. Le père Lacour reste seul. Le soir, quand les enfants reviennent, ils le trouvent à la même place, toujours sur le dos, les yeux ouverts, avec son air de réfléchir.

« Eh bien ! père, ça ne va pas mieux ? »

Non, ça ne va pas mieux. Il grogne, il branle la tête. Qu'est-ce qu'on pourrait bien lui faire ? Catherine a l'idée de faire bouillir du vin avec des herbes. Mais c'est trop fort, ça manque de le tuer. Joseph dit qu'on verra le lendemain, et tout le monde se couche.

Le lendemain, avant de partir pour la moisson, les fils et la fille restent un instant debout devant le lit. Décidément, le vieux est malade. Jamais il n'est resté comme ça sur le dos. On ferait peut-être bien tout de même de faire venir le médecin. L'ennui, c'est qu'il faut aller à Rougemont ; six lieues pour aller, six pour revenir, ça fait douze. On perdrait tout un jour. Le vieux, qui écoute les enfants, s'agite et semble se fâcher. Il n'a pas besoin de médecin. Ça coûte trop cher.

« Vous ne voulez pas ? demande Antoine. Alors, nous pouvons aller travailler ? »

Sans doute, ils peuvent aller travailler. Qu'est-ce qu'ils lui feraient, s'ils restaient là ? La terre a plus besoin d'être soignée que lui. Quand il crèverait, ce serait une affaire entre lui et le bon Dieu ; tandis que tout le monde souffrirait, si la moisson était perdue. Et trois jours se passent, les enfants vont chaque matin aux champs, Jean-Louis ne bouge pas, tout seul, buvant à une cruche, lorsqu'il a soif. Il est comme un de ces vieux chevaux qui tombent de fatigue dans un coin et qu'on laisse mourir. Il a travaillé soixante ans, il peut bien s'en aller maintenant, puisqu'il n'est plus bon à rien qu'à tenir de la place et à gêner les enfants. Est-ce qu'on hésite à abattre les arbres qui craquent ? Les enfants eux-mêmes n'ont pas une grosse douleur. La terre les a résignés à ces choses. Ils sont trop près de la terre pour lui en vouloir de reprendre le vieux [1]. Un coup d'œil le matin, un coup d'œil le soir ; ils ne peuvent pas faire davantage. Si le père s'en relevait tout de même, ça prouverait qu'il est solidement bâti. S'il meurt, c'est qu'il avait la mort dans le corps ; et tout le monde sait que, lorsqu'on a la mort dans le corps, rien ne l'en déloge, pas plus les signes de croix que les médicaments. Une vache encore, ça se soigne, parce que, si on la sauve, c'est au moins quatre cents francs de gagnés.

Jean-Louis, le soir, interroge d'un regard les enfants sur la moisson. Quand il les entend compter les gerbes, parler du beau temps qui favorise la besogne, il a un clignement de paupières. Il a été question une fois encore d'aller chercher le médecin, mais, décidément, c'est trop loin : Jacquinet resterait en route, et les hommes ne peuvent pas se déranger. Le vieux fait seulement demander le garde champêtre, un ancien camarade. Le père Nicolas est son aîné, car il a eu soixante-quinze ans à la Chandeleur. Lui, reste droit comme un peuplier. Il vient et s'assoit à côté de Jean-Louis, en branlant la tête. Jean-Louis qui ne peut plus parler depuis le matin, le regarde de ses petits yeux pâlis. Le père Nicolas,

1. *La Terre* (1887) développe richement cette idée de la suprématie de la nature, devant laquelle l'homme est peu de chose.

peu causeur, le regarde aussi, n'ayant rien à lui dire. Et les deux vieillards restent ainsi face à face pendant une heure, sans prononcer une parole, heureux de se voir, se rappelant sans doute des choses, bien loin, dans le passé. C'est ce soir-là que les enfants, au retour de la moisson, trouvent le père Lacour mort, étendu sur le dos, raide et les yeux en l'air.

Oui, le vieux est mort, sans remuer un membre. Il a soufflé son dernier souffle droit devant lui, une haleine de plus dans la vaste campagne. Comme les bêtes qui se cachent et se résignent, il n'a pas dérangé les voisins, il a fait sa petite affaire tout seul, en regrettant peut-être de donner à ses enfants l'embarras de son corps.

« Le père est mort », dit l'aîné, Antoine, en appelant les autres. Et tous, Joseph, Catherine, Jacquinet lui-même, répètent :

« Le père est mort. »

Ça ne les étonne pas. Jacquinet allonge curieusement le cou, la femme tire son mouchoir, les deux garçons marchent sans rien dire, la face grave et pâlie sous le hâle. Il a tout de même joliment duré, il était encore solide, le vieux père ! Et les enfants se consolent avec cette idée, ils sont fiers de la solidité de la famille. La nuit, on veille le père jusqu'à dix heures, puis tout le monde s'endort ; et Jean-Louis reste de nouveau seul, avec ses yeux ouverts. Dès le petit jour, Joseph part pour Les Cormiers, afin d'avertir le curé. Cependant, comme il y a encore des gerbes à rentrer, Antoine et Catherine s'en vont tout de même aux champs le matin, en laissant le corps à la garde de Jacquinet.

Le petit s'ennuie avec son grand-père, qui ne remue seulement plus, et il sort par moments dans la rue du village, lance des pierres aux moineaux, regarde un colporteur en train d'étaler des foulards devant deux voisines ; puis, quand il se souvient du vieux, il rentre vite, s'assure que le corps ne bouge toujours pas, et s'échappe bientôt pour voir deux chiens se battre. Comme il laisse la porte ouverte, les poules entrent, se promènent tranquillement autour du lit, piquant le sol battu, à grands coups de bec. Un coq rouge se dresse sur ses pattes, allonge le cou, arrondit son œil de braise, inquiet de ce corps dont il ne doit pas s'expliquer la présence ; c'est un coq prudent et sagace, qui sait que le vieux n'a pas l'habitude de rester couché après le soleil levé ; il finit par jeter son cri sonore de clairon, comprenant peut-être, chantant la mort du vieux, tandis que les poules sortent une à une en gloussant et en piquant la terre.

Le curé des Cormiers fait dire qu'il viendra seulement vers les quatre heures. Depuis le matin, on entend le charron qui scie du bois et qui enfonce des clous. Ceux qui ne savent pas encore la nouvelle disent : « Tiens ! c'est que Jean-Louis est mort », parce que les gens de La Courteille connaissent bien ces bruits. Antoine et Catherine sont revenus, la moisson est terminée ; ils ne peuvent pas dire qu'ils sont mécontents, car depuis des années ils n'avaient vu de si beau grain. Toute la famille attend le curé, en s'occupant pour prendre patience : Catherine met la soupe au feu, Joseph tire de l'eau. On envoie Jacquinet voir si le trou a été fait au cimetière. Enfin, à cinq heures seulement, le curé arrive. Il est dans une carriole avec un gamin qui lui sert de clerc. Il descend devant la porte des Lacour, sort d'un morceau de papier une étole et un surplis ; puis, il s'habille en disant :

« Dépêchez-vous ! il faut que je sois rentré à sept heures. »

Pourtant personne ne se presse. On est obligé d'aller chercher les deux voisins de bonne volonté qui doivent porter la civière. Depuis cinquante ans, la même civière et le même drap noir servent, mangés de vers, usés et blanchis. Ce sont les enfants qui mettent le vieux dans la boîte que le charron a apportée, un vrai coffre à pétrir le pain, tant les planches sont épaisses. Comme on va partir, Jacquinet accourt et crie que le trou n'est pas tout à fait creusé, mais que l'on peut venir tout de même.

Alors le prêtre marche le premier, en lisant à haute voix du latin dans un livre. Le petit clerc le suit, tenant à la main un vieux bénitier de cuivre, dans lequel trempe un goupillon. C'est seulement au milieu du village qu'un autre enfant sort de la grange où l'on dit la messe tous les quinze jours, et prend la tête du cortège, avec une grande croix emmanchée au bout d'un bâton. Puis, vient le corps sur la civière que deux paysans portent, et la famille arrive ensuite. Tous les gens du village se joignent peu à peu au cortège ; une queue de galopins, nu-tête, débraillés, sans souliers, ferme la marche.

Le cimetière est à l'autre bout de La Courteille. Aussi, les paysans lâchent-ils la civière deux fois au beau milieu de la route ; ils soufflent un instant, crachent dans leurs mains, pendant que le convoi s'arrête ; et l'on repart, on entend le piétinement des sabots sur la terre dure. Quand on arrive au cimetière, le trou, en effet, n'est pas terminé ; le fossoyeur est encore au fond, qui travaille ; on le voit s'enfoncer et reparaître, régulièrement, en lançant des pelletées de terre.

Quel cimetière paisible, endormi sous le grand soleil ! Une haie l'entoure, une haie dans laquelle les fauvettes font leurs nids. Des ronces ont poussé, et les gamins viennent là, en septembre, manger des mûres. C'est comme un jardin en rase campagne, où tout grandit à l'aventure. Au fond, il y a des groseilliers énormes ; un poirier, dans un coin, est devenu grand comme un chêne ; au milieu, une allée de tilleuls fait une promenade fraîche, un ombrage sous lequel les vieux viennent fumer leur pipe en été. Le terrain désert et inculte a de hautes herbes, des chardons superbes, des nappes fleuries où s'abattent des vols de papillons blancs. Le soleil brûle, des sauterelles crépitent, des mouches d'or ronflent dans le frisson de la chaleur. Et le silence est tout frémissant de vie, on entend la joie dernière des morts, la sève de cette terre grasse qui s'épanouit dans le sang rouge des coquelicots.

On a posé le cercueil à côté du trou, tandis que le fossoyeur continue à jeter des pelletées de terre. Le gamin qui porte la croix vient de la planter dans le sol, aux pieds du corps, et le curé, debout à la tête, continue à lire du latin dans son livre. Les assistants sont surtout très intéressés par le travail du fossoyeur. Ils entourent la fosse, suivant la pelle des yeux. Et quand ils se retournent, le curé s'en est allé avec les deux gamins, il n'y a plus là que la famille, qui attend.

Enfin la fosse est creusée.

« C'est assez profond, va ! » crie l'un des paysans qui ont porté le corps.

Et tout le monde aide pour descendre le cercueil. Ah ! le père Lacour sera bien dans le trou ! Il connaît la terre et la terre le connaît. Ils feront bon ménage ensemble. Voilà plus de cinquante ans qu'elle lui a donné ce rendez-vous, le jour où il l'a entamée de son premier coup de pioche. Leurs amours devaient finir par là ; la terre devait le prendre et le garder. Et quel bon repos ! Il entendra seulement les pattes légères des oiseaux sauter dans l'herbe. Personne ne marchera sur lui, il restera des années dans son coin, sans qu'on le dérange, car il ne meurt pas deux personnes par an à La Courteille, et les jeunes peuvent vieillir et mourir à leur tour, sans déranger les anciens. C'est la mort paisible et ensoleillée, le sommeil sans fin au milieu de la sérénité des campagnes.

Les enfants se sont approchés. Catherine, Antoine, Joseph prennent une poignée de terre et la jettent sur le vieux. Jacquinet, qui a cueilli des coquelicots, les jette en même temps. Puis, la famille rentre, les bêtes reviennent des champs, le soleil se couche, une nuit chaude endort le village.

L'INONDATION[1]

I

Je m'appelle Louis Roubieu. J'ai soixante-dix ans et je suis né au village de Saint-Jory, à quelques lieues de Toulouse, en amont de la Garonne[2]. Pendant quatorze ans, je me suis battu avec la terre, pour manger du pain. Enfin, l'aisance est venue, et le mois dernier, j'étais encore le plus riche fermier de la commune.

Notre maison semblait bénie. Le bonheur y poussait ; le soleil était notre frère, et je ne me souviens pas d'une récolte mauvaise. Nous étions près d'une douzaine à la ferme, dans ce bonheur. Il y avait moi, encore gaillard, menant les enfants au travail ; puis mon cadet Pierre, un vieux garçon, un ancien

---

1. *L'Inondation* clôt le recueil du *Capitaine Burle*. Composée en juillet 1875, cette nouvelle a d'abord paru dans *Le Messager de l'Europe* le mois suivant. Dans une lettre du 13 juillet 1875 au directeur de la revue russe, Zola avait écrit : « J'ai choisi pour sujet les inondations qui ont désolé nos départements du Midi. Ce sera une sorte de nouvelle, dans laquelle je grouperai les épisodes les plus dramatiques et les plus touchants. » Au début de juin 1875, en effet, la Garonne était brutalement sortie de son lit et cette crue avait ravagé un grand nombre de villages. Mais Zola, qui connaissait mal la région concernée, était, comme l'indique son propos, plus tenté par la peinture d'un drame que par le reportage. *L'Inondation* sera de nouveau publiée dans *Le Voltaire* entre le 26 et le 31 août 1880.

2. En réalité, Saint-Jory est une commune de Haute-Garonne située à 17 kilomètres au nord-ouest de Toulouse, donc en aval de la métropole régionale.

L'ILLUSTRATION

JOURNAL UNIVERSEL

[R]ÉDACTION, ADMINISTRATION, BUREAUX D'ABONNEMENTS
22, rue de Verneuil, Paris

33e ANNÉE. — VOL. LXVI. — N° 1689.
SAMEDI 10 JUILLET 1875

SUCCURSALE POUR LA VENTE AU DÉTAIL
60, rue de Richelieu, Paris

Prix du numéro : 75 centimes
[L]a collection mensuelle, 3 fr. ; le vol. semestriel, broché, 18 fr. ; relié et doré sur tranches, 23 fr.

Abonnements
Paris et départements : 3 mois, 9 fr. ; — 6 mois, 18 fr. ; — un an, 36 ; Étranger, le port en sus.

Les demandes d'abonnements doivent être accompagnées d'un mandat-poste ou d'une valeur à vue sur Paris à l'ordre de M. Augte Marc, directeur-gérant.

CE NUMÉRO EST VENDU AU BÉNÉFICE DES INONDÉS DU MIDI

LES INONDATIONS

TOULOUSE. — ENGLOUTISSEMENT DE VINGT PERSONNES RÉFUGIÉES SUR UN BALCON, RUE RÉCLUSANNE, DANS LE FAUBOURG SAINT-CYPRIEN.
D'après les croquis de M. Kauffmann, envoyé spécial de l'*Illustration*.

La crue de la Garonne en 1875.

Gravure de C. Magrand, *L'Illustration*, 10 juillet 1875.

sergent ; puis, ma sœur Agathe, qui s'était retirée chez nous après la mort de son mari, une maîtresse femme, énorme et gaie, dont les rires s'entendaient à l'autre bout du village. Ensuite venait toute la nichée : mon fils Jacques, sa femme Rose, et leurs trois filles, Aimée, Véronique et Marie ; la première mariée à Cyprien Bouisson, un grand gaillard, dont elle avait deux petits, l'un de deux ans, l'autre de dix mois ; la seconde, fiancée d'hier, et qui devait épouser Gaspard Rabuteau ; la troisième, enfin, une vraie demoiselle, si blanche, si blonde, qu'elle avait l'air d'être née à la ville. Ça faisait dix, en comptant tout le monde. J'étais grand-père et arrière-grand-père. Quand nous étions à table, j'avais ma sœur Agathe à ma droite, mon frère Pierre à ma gauche ; les enfants fermaient le cercle, par rang d'âge, une file où les têtes se rapetissaient jusqu'au bambin de dix mois, qui mangeait déjà sa soupe comme un homme. Allez, on entendait les cuillers dans les assiettes ! La nichée mangeait dur. Et quelle belle gaieté, entre deux coups de dents ! Je me sentais de l'orgueil et de la joie dans les veines, lorsque les petits tendaient les mains vers moi, en criant :

« Grand-père, donne-nous donc du pain !... Un gros morceau, hein ! grand-père ! »

Les bonnes journées ! Notre ferme en travail chantait par toutes ses fenêtres. Pierre, le soir, inventait des jeux, racontait des histoires de son régiment. Tante Agathe, le dimanche, faisait des galettes pour nos filles. Puis, c'étaient des cantiques que savait Marie, des cantiques qu'elle filait avec une voix d'enfant de chœur ; elle ressemblait à une sainte, ses cheveux blonds tombant dans son cou, ses mains nouées sur son tablier. Je m'étais décidé à élever la maison d'un étage, lorsque Aimée avait épousé Cyprien ; et je disais en riant qu'il faudrait l'élever d'un autre, après le mariage de Véronique et de Gaspard ; si bien que la maison aurait fini par toucher le ciel, si l'on avait continué, à chaque ménage nouveau. Nous ne voulions pas nous quitter. Nous aurions plutôt bâti une ville, derrière la ferme, dans notre enclos. Quand les familles sont d'accord, il est si bon de vivre et de mourir où l'on a grandi !

Le mois de mai a été magnifique, cette année. Depuis longtemps, les récoltes ne s'étaient annoncées aussi belles. Ce jour-là, justement, j'avais fait une tournée avec mon fils Jacques. Nous étions partis vers trois heures. Nos prairies, au bord de la Garonne, s'étendaient, d'un vert encore tendre ; l'herbe avait bien trois pieds [1] de haut, et une oseraie, plantée l'année dernière, donnait déjà des pousses d'un mètre. De là, nous avions visité nos blés et nos vignes, des champs achetés un par un, à mesure que la fortune venait : les blés poussaient dru, les vignes, en pleine fleur, promettaient une vendange superbe. Et Jacques riait de son bon rire, en me tapant sur l'épaule.

« Eh bien ? père, nous ne manquerons plus de pain ni de vin. Vous avez donc rencontré le bon Dieu, pour qu'il fasse maintenant pleuvoir de l'argent sur vos terres ? »

Souvent nous plaisantions entre nous de la misère passée. Jacques avait raison, je devais avoir gagné là-haut l'amitié de quelque saint ou du bon Dieu lui-même, car toutes les chances dans le pays étaient pour nous. Quand il grêlait, la grêle s'arrêtait juste au bord de nos champs. Si les vignes des voisins tombaient malades, il y avait autour des nôtres comme un mur de protection. Et cela finissait par me paraître juste. Ne faisant de mal à personne, je pensais que ce bonheur m'était dû.

En rentrant, nous avions traversé les terres que nous possédions de l'autre côté du village. Des plantations de mûriers y prenaient à merveille. Il y avait aussi des amandiers en plein rapport. Nous causions joyeusement, nous bâtissions des projets. Quand nous aurions l'argent nécessaire, nous achèterions

1. Pied : ancienne unité de mesure correspondant à la longueur moyenne du pied de l'homme, soit 0,324 mètre.

certains terrains qui devaient relier nos pièces les unes aux autres et nous faire les propriétaires de tout un coin de la commune. Les récoltes de l'année, si elles tenaient leurs promesses, allaient nous permettre de réaliser ce rêve.

Comme nous approchions de la maison, Rose, de loin, nous adressa de grands gestes, en criant :

« Arrivez donc ! »

C'était une de nos vaches qui venait d'avoir un veau. Cela mettait tout le monde en l'air. Tante Agathe roulait sa masse énorme. Les filles regardaient le petit. Et la naissance de cette bête semblait comme une bénédiction de plus. Nous avions dû récemment agrandir les étables, où se trouvaient près de cent têtes de bétail, des vaches, des moutons surtout, sans compter les chevaux.

« Allons, bonne journée ! m'écriai-je. Nous boirons ce soir une bouteille de vin cuit. »

Cependant, Rose nous prit à l'écart et nous annonça que Gaspard, le fiancé de Véronique, était venu pour s'entendre sur le jour de la noce. Elle l'avait retenu à dîner. Gaspard, le fils aîné d'un fermier de Moranges [1], était un grand garçon de vingt ans, connu de tout le pays pour sa force prodigieuse ; dans une fête, à Toulouse, il avait vaincu Martial, le Lion du Midi. Avec cela, bon enfant, un cœur d'or, trop timide même, et qui rougissait quand Véronique le regardait tranquillement en face.

Je priai Rose de l'appeler. Il restait au fond de la cour, à aider nos servantes, qui étendaient le linge de la lessive du trimestre. Quand il fut entré dans la salle à manger, où nous nous tenions, Jacques se tourna vers moi, en disant :

« Parlez, mon père.

– Eh bien ? dis-je, tu viens donc, mon garçon, pour que nous fixions le grand jour ?

1. Aucune localité ne porte ce nom près de Saint-Jory ou de Toulouse.

– Oui, c'est cela, père Roubieu, répondit-il, les joues très rouges.

– Il ne faut pas rougir, mon garçon, continuai-je. Ce sera, si tu veux, pour la Sainte-Félicité, le 10 juillet. Nous sommes le 23 juin, ça ne fait pas vingt jours à attendre... Ma pauvre défunte femme s'appelait Félicité, et ça vous portera bonheur... Hein ? est-ce entendu ?

– Oui, c'est cela, le jour de la Sainte-Félicité, père Roubieu. »

Et il nous allongea dans la main, à Jacques et à moi, une tape qui aurait assommé un bœuf. Puis, il embrassa Rose, en l'appelant sa mère. Ce grand garçon, aux poings terribles, aimait Véronique à en perdre le boire et le manger. Il nous avoua qu'il aurait fait une maladie, si nous la lui avions refusée.

« Maintenant, repris-je, tu restes à dîner, n'est-ce pas ?... Alors, à la soupe tout le monde ! J'ai une faim du tonnerre de Dieu, moi ! »

Ce soir-là, nous fûmes onze à table. On avait mis Gaspard près de Véronique, et il restait à la regarder, oubliant son assiette, si ému de la sentir à lui, qu'il avait par moments de grosses larmes au bord des yeux. Cyprien et Aimée, mariés depuis trois ans seulement, souriaient. Jacques et Rose, qui avaient déjà vingt-cinq ans de ménage, demeuraient plus graves ; et, pourtant, à la dérobée, ils échangeaient des regards, humides de leur vieille tendresse. Quant à moi, je croyais revivre dans ces deux amoureux, dont le bonheur mettait, à notre table, un coin de paradis. Quelle bonne soupe nous mangeâmes, ce soir-là ! Tante Agathe, ayant toujours le mot pour rire, risqua des plaisanteries. Alors, ce brave Pierre voulut raconter ses amours avec une demoiselle de Lyon. Heureusement, on était au dessert, et tout le monde parlait à la fois. J'avais monté de la cave deux bouteilles de vin cuit. On trinqua à la bonne chance de Gaspard et de Véronique ; cela se dit ainsi chez nous : la bonne chance, c'est de ne jamais se battre, d'avoir beaucoup d'enfants et d'amasser des sacs d'écus. Puis, on chanta. Gaspard savait des chansons d'amour en patois. Enfin, on demanda un cantique à Marie : elle s'était mise debout, elle avait une voix de flageolet, très fine, et qui vous chatouillait les oreilles.

Pourtant, j'étais allé devant la fenêtre. Comme Gaspard venait m'y rejoindre, je lui dis :

« Il n'y a rien de nouveau, par chez vous ?

– Non, répondit-il. On parle des grandes pluies de ces jours derniers, on prétend que ça pourrait bien amener des malheurs. »

En effet, les jours précédents, il avait plu pendant soixante heures, sans discontinuer. La Garonne était très grosse depuis la veille ; mais nous avions confiance en elle ; et, tant qu'elle ne débordait pas, nous ne pouvions la croire mauvaise voisine. Elle nous rendait de si bons services ! Elle avait une nappe d'eau si large et si douce ! Puis, les paysans ne quittent pas aisément leur trou, même quand le toit est près de crouler.

« Bah ! m'écriai-je en haussant les épaules, il n'y aura rien. Tous les ans, c'est la même chose : la rivière fait le gros dos, comme si elle était furieuse, et elle s'apaise en une nuit, elle rentre chez elle, plus innocente qu'un agneau. Tu verras, mon garçon ; ce sera encore pour rire, cette fois… Tiens, regarde donc le beau temps ! »

Et, de la main, je lui montrais le ciel. Il était sept heures, le soleil se couchait. Ah ! que de bleu ! Le ciel n'était que du bleu, une nappe bleue immense, d'une pureté profonde, où le soleil couchant volait comme une poussière d'or. Il tombait de là-haut une joie lente, qui gagnait tout l'horizon. Jamais je n'avais vu le village s'assoupir dans une paix si douce. Sur les tuiles, une teinte rose se mourait. J'entendais le rire d'une voisine, puis des voix d'enfants au tournant de la route, devant chez nous. Plus loin, montaient, adoucis par la distance, des bruits de troupeaux rentrant à l'étable. La grosse voix de la Garonne ronflait, continue ; mais elle me semblait la voix même du silence, tant j'étais habitué à son grondement. Peu à peu, le ciel blanchissait, le village s'endormait davantage. C'était le soir d'un beau jour, et je pensais que tout notre bonheur, les grandes récoltes, la maison heureuse, les fiançailles de Véronique, pleuvant de là-haut, nous arrivaient dans la pureté même de la lumière. Une bénédiction s'élargissait sur nous, avec l'adieu du soir.

Cependant, j'étais revenu au milieu de la pièce. Nos filles bavardaient. Nous les écoutions en souriant, lorsque, tout à coup, dans la grande sérénité de la campagne, un cri terrible retentit, un cri de détresse et de mort :

« La Garonne ! La Garonne ! »

II

Nous nous précipitâmes dans la cour.

Saint-Jory se trouve au fond d'un pli de terrain, en contrebas de la Garonne, à cinq cents mètres environ[1]. Des rideaux de hauts peupliers, qui coupent les prairies, cachent la rivière complètement.

Nous n'apercevions rien. Et toujours le cri retentissait :

« La Garonne ! La Garonne ! »

Brusquement, du large chemin, devant nous, débouchèrent deux hommes et trois femmes ; une d'elles tenait un enfant entre les bras. C'étaient eux qui criaient, affolés, galopant à toutes jambes sur la terre dure. Ils se tournaient parfois, ils regardaient derrière eux, le visage terrifié, comme si une bande de loups les eût poursuivis.

« Eh bien, qu'ont-ils donc ? demanda Cyprien. Est-ce que vous distinguez quelque chose, grand-père ?

---

1. Saint-Jory, qui se situe à plus de 100 mètres d'altitude, n'est pas aussi proche de la Garonne.

– Non, non, dis-je. Les feuillages ne bougent même pas. »

En effet, la ligne basse de l'horizon, paisible, dormait. Mais je parlais encore, lorsqu'une exclamation nous échappa. Derrière les fuyards, entre les troncs des peupliers, au milieu des grandes touffes d'herbe, nous venions de voir apparaître comme une meute de bêtes grises, tachées de jaune, qui se ruaient. De toutes parts, elles pointaient à la fois, des vagues poussant des vagues, une débandade de masses d'eau moutonnant sans fin, secouant des baves blanches, ébranlant le sol du galop sourd de leur foule.

À notre tour nous jetâmes le cri désespéré :

« La Garonne ! La Garonne ! »

Sur le chemin, les deux hommes et les trois femmes couraient toujours. Ils entendaient le terrible galop gagner le leur. Maintenant les vagues arrivaient en une seule ligne, roulantes, s'écroulant avec le tonnerre d'un bataillon qui charge. Sous leur premier choc, elles avaient cassé trois peupliers, dont les hauts feuillages s'abattirent et disparurent. Une cabane de planches fut engloutie ; un mur creva ; des charrettes dételées s'en allèrent, pareilles à des brins de paille. Mais les eaux semblaient surtout poursuivre les fuyards. Au coude de la route, très en pente à cet endroit, elles tombèrent brusquement en une nappe immense et leur coupèrent toute retraite. Ils couraient encore cependant, éclaboussant la mare à grandes enjambées, ne criant plus, fous de terreur. Les eaux les prenaient aux genoux. Une vague énorme se jeta sur la femme qui portait l'enfant. Tout s'engouffra.

« Vite ! vite ! criai-je. Il faut rentrer… La maison est solide. Nous ne craignons rien. »

Par prudence, nous nous réfugiâmes tout de suite au second étage. On fit passer les filles les premières. Je m'entêtais à ne monter que le dernier. La maison était bâtie sur un tertre, au-dessus de la route. L'eau envahissait la cour, doucement, avec un petit bruit. Nous n'étions pas très effrayés.

« Bah ! disait Jacques pour rassurer son monde, ce ne sera rien... Vous vous rappelez, mon père, en 55, l'eau est comme ça venue dans la cour. Il y en a eu un pied ; puis, elle s'en est allée.

– C'est fâcheux pour les récoltes tout de même, murmura Cyprien, à demi-voix.

– Non, non, ce ne sera rien », repris-je à mon tour, en voyant les grands yeux suppliants de nos filles.

Aimée avait couché ses deux enfants dans son lit. Elle se tenait au chevet, assise, en compagnie de Véronique et de Marie. Tante Agathe parlait de faire chauffer du vin qu'elle avait monté, pour nous donner du courage à tous. Jacques et Rose, à la même fenêtre, regardaient. J'étais devant l'autre fenêtre, avec mon frère, Cyprien et Gaspard.

« Montez donc ! criai-je à nos deux servantes, qui pataugeaient au milieu de la cour. Ne restez pas à vous mouiller les jambes.

– Mais les bêtes ? dirent-elles. Elles ont peur, elles se tuent dans l'étable.

– Non, non, montez... Tout à l'heure. Nous verrons. »

Le sauvetage du bétail était impossible, si le désastre devait grandir. Je croyais inutile d'épouvanter nos gens. Alors, je m'efforçai de montrer une grande liberté d'esprit. Accoudé à la fenêtre, je causais, j'indiquais les progrès de l'inondation. La rivière, après s'être ruée à l'assaut du village, le possédait jusque dans ses plus étroites ruelles. Ce n'était plus une charge de vagues galopantes, mais un étouffement lent et invincible. Le creux, au fond duquel Saint-Jory est bâti, se changeait en lac. Dans notre cour, l'eau atteignit bientôt un mètre. Je la voyais monter ; mais j'affirmais qu'elle restait stationnaire, j'allais même jusqu'à prétendre qu'elle baissait.

« Te voilà forcé de coucher ici, mon garçon, dis-je en me tournant vers Gaspard. À moins que les chemins ne soient libres dans quelques heures... C'est bien possible. »

Il me regarda, sans répondre, la figure toute pâle ; et je vis ensuite son regard se fixer sur Véronique, avec une angoisse inexprimable.

Il était huit heures et demie. Au-dehors, il faisait jour encore, un jour blanc, d'une tristesse profonde sous le ciel pâle. Les servantes, avant de monter, avaient eu la bonne idée d'aller prendre deux lampes. Je les fis allumer, pensant que leur lumière égaierait un peu la chambre déjà sombre, où nous nous étions réfugiés. Tante Agathe, qui avait roulé une table au milieu de la pièce, voulait organiser une partie de cartes. La digne femme, dont les yeux cherchaient par moments les miens, songeait surtout à distraire les enfants. Sa belle humeur gardait une vaillance superbe ; et elle riait pour combattre l'épouvante qu'elle sentait grandir autour d'elle. La partie eut lieu. Tante Agathe plaça de force à la table Aimée, Véronique et Marie. Elle leur mit les cartes dans les mains, joua elle-même d'un air de passion, battant, coupant, distribuant le jeu, avec une telle abondance de paroles, qu'elle étouffait presque le bruit des eaux. Mais nos filles ne pouvaient s'étourdir ; elles demeuraient toutes blanches, les mains fiévreuses, l'oreille tendue. À chaque instant, la partie s'arrêtait. Une d'elles se tournait, me demandait à demi-voix :

« Grand-père, ça monte toujours ? »

L'eau montait avec une rapidité effrayante. Je plaisantais, je répondais :

« Non, non, jouez tranquillement. Il n'y a pas de danger. »

Jamais je n'avais eu le cœur serré par une telle angoisse. Tous les hommes s'étaient placés devant les fenêtres, pour cacher le terrifiant spectacle. Nous tâchions de sourire, tournés vers l'intérieur de la chambre, en face des lampes paisibles, dont le rond de clarté tombait sur la table, avec une douceur de veillée. Je me rappelais nos soirées d'hiver, lorsque nous nous réunissions autour de cette table. C'était le même intérieur endormi, plein d'une bonne chaleur d'affection. Et, tandis que la paix était là, j'écoutais derrière mon dos le rugissement de la rivière lâchée, qui montait toujours.

« Louis, me dit mon frère Pierre, l'eau est à trois pieds de la fenêtre. Il faudrait aviser. »

Je le fis taire, en lui serrant le bras. Mais il n'était plus possible de cacher le péril. Dans nos étables, les bêtes se tuaient. Il y eut tout d'un coup des bêlements, des beuglements de troupeaux affolés ; et les chevaux poussaient ces cris rauques, qu'on entend de si loin, lorsqu'ils sont en danger de mort.

« Mon Dieu ! Mon Dieu ! » dit Aimée, qui se mit debout, les poings aux tempes, secouée d'un grand frisson.

Toutes s'étaient levées, et on ne put les empêcher de courir aux fenêtres. Elles y restèrent, droites, muettes, avec leurs cheveux soulevés par le vent de la peur. Le crépuscule était venu. Une clarté louche flottait au-dessus de la nappe limoneuse. Le ciel pâle avait l'air d'un drap blanc jeté sur la terre. Au loin, des fumées traînaient. Tout se brouillait, c'était une fin de jour épouvantée s'éteignant dans une nuit de mort. Et pas un bruit humain, rien que le ronflement de cette mer élargie à l'infini, rien que les beuglements et les hennissements des bêtes !

« Mon Dieu ! Mon Dieu ! » répétaient à demi-voix les femmes, comme si elles avaient craint de parler tout haut.

Un craquement terrible leur coupa la parole. Les bêtes furieuses venaient d'enfoncer les portes des étables. Elles passèrent dans les flots jaunes, roulées, emportées par le courant. Les moutons étaient charriés comme des feuilles mortes, en bandes, tournoyant au milieu des remous. Les vaches et les chevaux luttaient, marchaient, puis perdaient pied. Notre grand cheval gris surtout ne voulait pas mourir ; il se cabrait, tendait le cou, soufflait avec un bruit de forge ; mais les eaux acharnées le prirent à la croupe, et nous le vîmes, abattu, s'abandonner.

Alors, nous poussâmes nos premiers cris. Cela nous vint à la gorge, malgré nous. Nous avions besoin de crier. Les mains tendues vers toutes ces chères bêtes qui s'en allaient, nous nous lamentions, sans nous entendre les uns les autres, jetant au-dehors les pleurs et les sanglots que nous avions contenus jusque-là. Ah ! c'était bien la ruine ! les récoltes perdues, le bétail noyé, la fortune changée en quelques heures ! Dieu n'était pas juste ; nous ne lui avions rien fait, et il nous reprenait tout. Je montrai le poing à l'horizon. Je parlai de notre promenade de l'après-midi, de ces prairies, de ces blés, de ces vignes, que nous avions trouvés si pleins de promesses. Tout cela mentait donc ? Le bonheur mentait. Le soleil mentait, quand il se couchait si doux et si calme, au milieu de la grande sérénité du soir.

L'eau montait toujours. Pierre, qui la surveillait, me cria :

« Louis, méfions-nous, l'eau touche à la fenêtre ! »

Cet avertissement nous tira de notre crise de désespoir. Je revins à moi, je dis en haussant les épaules :

« L'argent n'est rien. Tant que nous serons tous là, il n'y aura pas de regret à avoir... On en sera quitte pour se remettre au travail.

– Oui, oui, vous avez raison, mon père, reprit Jacques fiévreusement. Et nous ne courons aucun danger, les murs sont bons... Nous allons monter sur le toit. »

Il ne nous restait que ce refuge. L'eau, qui avait gravi l'escalier marche à marche, avec un clapotement obstiné, entrait déjà par la porte. On se précipita vers le grenier, ne se lâchant pas d'une enjambée, par ce besoin qu'on a, dans le péril, de se sentir les uns contre les autres. Cyprien avait disparu. Je l'appelai, et je le vis revenir des pièces voisines, la face bouleversée. Alors, comme je m'apercevais également de l'absence de nos deux servantes et que je voulais les attendre, il me regarda étrangement, il me dit tout bas :

« Mortes. Le coin du hangar, sous leur chambre, vient de s'écrouler. »

Les pauvres filles devaient être allées chercher leurs économies, dans leurs malles. Il me raconta, toujours à demi-voix, qu'elles s'étaient servies d'une échelle, jetée en manière de pont, pour gagner le bâtiment voisin. Je lui recommandai de ne rien dire. Un grand froid avait passé sur ma nuque. C'était la mort qui entrait dans la maison.

Quand nous montâmes à notre tour, nous ne songeâmes pas même à éteindre les lampes. Les cartes restèrent étalées sur la table. Il y avait déjà un pied d'eau dans la chambre.

III

Le toit, heureusement, était vaste et de pente douce. On y montait par une fenêtre à tabatière, au-dessus de laquelle se trouvait une sorte de plateforme. Ce fut là que tout notre monde se réfugia. Les femmes s'étaient assises. Les hommes allaient tenter des reconnaissances sur les tuiles, jusqu'aux grandes cheminées, qui se dressaient, aux deux bouts de la toiture. Moi, appuyé à la lucarne par où nous étions sortis, j'interrogeais les quatre points de l'horizon.

« Des secours ne peuvent manquer d'arriver, disais-je bravement. Les gens de Saintin [1] ont des barques. Ils vont passer par ici... Tenez ! là-bas, n'est-ce pas une lanterne sur l'eau ? »

Mais personne ne me répondait. Pierre, sans trop savoir ce qu'il faisait, avait allumé sa pipe, et il fumait si rudement, qu'à chaque bouffée il crachait des bouts de tuyau. Jacques et Cyprien regardaient au loin, la face morne ; tandis que Gaspard, serrant

1. Cette commune ou ce hameau n'existe pas.

les poings, continuait de tourner sur le toit, comme s'il eût cherché une issue. À nos pieds, les femmes en tas, muettes, grelottantes, se cachaient la face pour ne plus voir. Pourtant, Rose leva la tête, jeta un coup d'œil autour d'elle, en demandant :

« Et les servantes, où sont-elles ? Pourquoi ne montent-elles pas ? »

J'évitai de répondre. Elle m'interrogea alors directement, les yeux sur les miens.

« Où donc sont les servantes ? »

Je me détournai, ne pouvant mentir. Et je sentis ce froid de la mort qui m'avait déjà effleuré, passer sur nos femmes et sur nos chères filles. Elles avaient compris. Marie se leva toute droite, eut un gros soupir, puis s'abattit, prise d'une crise de larmes. Aimée tenait serrés dans ses jupes ses deux enfants, qu'elle cachait comme pour les défendre. Véronique, la face entre les mains, ne bougeait plus. Tante Agathe, elle-même, toute pâle, faisait de grands signes de croix, en balbutiant des *Pater* et des *Ave*.

Cependant, autour de nous, le spectacle devenait d'une grandeur souveraine. La nuit, tombée complètement, gardait une limpidité de nuit d'été. C'était un ciel sans lune, mais un ciel criblé d'étoiles, d'un bleu si pur, qu'il emplissait l'espace d'une lumière bleue. Il semblait que le crépuscule se continuait, tant l'horizon restait clair. Et la nappe immense s'élargissait encore sous cette douceur du ciel, toute blanche, comme lumineuse elle-même d'une clarté propre, d'une phosphorescence qui allumait de petites flammes à la crête de chaque flot. On ne distinguait plus la terre, la plaine devait être envahie. Par moments, j'oubliais le danger. Un soir, du côté de Marseille, j'avais aperçu ainsi la mer, j'étais resté devant elle béant d'admiration.

« L'eau monte, l'eau monte », répétait mon frère Pierre, en cassant toujours entre ses dents le tuyau de sa pipe, qu'il avait laissée s'éteindre.

L'eau n'était plus qu'à un mètre du toit. Elle perdait sa tranquillité de nappe dormante. Des courants s'établissaient. À une certaine hauteur, nous cessions d'être protégés par le pli de terrain, qui se trouve en avant du village. Alors, en moins d'une heure, l'eau devint menaçante, jaune, se ruant sur la maison, charriant des épaves, tonneaux défoncés, pièces de bois, paquets d'herbes. Au loin, il y avait maintenant des assauts contre des murs, dont nous entendions les chocs retentissants. Des peupliers tombaient avec un craquement de mort, des maisons s'écroulaient, pareilles à des charretées de cailloux vidées au bord d'un chemin.

Jacques, déchiré par les sanglots des femmes, répétait :

« Nous ne pouvons demeurer ici. Il faut tenter quelque chose… Mon père, je vous en supplie, tentons quelque chose. »

Je balbutiais, je disais après lui :

« Oui, oui, tentons quelque chose. »

Et nous ne savions quoi. Gaspard offrait de prendre Véronique sur son dos, de l'emporter à la nage. Pierre parlait d'un radeau. C'était fou. Cyprien dit enfin :

« Si nous pouvions seulement atteindre l'église. »

Au-dessus des eaux, l'église restait debout, avec son petit clocher carré. Nous en étions séparés par sept maisons. Notre ferme, la première du village, s'adossait à un bâtiment plus haut, qui lui-même était appuyé au bâtiment voisin. Peut-être, par les toits, pourrait-on en effet gagner le presbytère, d'où il était aisé d'entrer dans l'église. Beaucoup de monde déjà devait s'y être réfugié ; car les toitures voisines se trouvaient vides, et nous entendions des voix qui venaient sûrement du clocher. Mais que de dangers pour arriver jusque-là !

« C'est impossible, dit Pierre. La maison des Raimbeau est trop haute. Il faudrait des échelles.

– Je vais toujours voir, reprit Cyprien. Je reviendrai, si la route est impraticable. Autrement, nous nous en irions tous, nous porterions les filles. »

Je le laissai aller. Il avait raison. On devait tenter l'impossible. Il venait, à l'aide d'un crampon de fer, fixé dans une cheminée, de monter sur la maison voisine, lorsque sa femme Aimée, en levant la tête, vit qu'il n'était plus là. Elle cria :

« Où est-il ? Je ne veux pas qu'il me quitte. Nous sommes ensemble, nous mourrons ensemble. »

Quand elle l'aperçut en haut de la maison, elle courut sur les tuiles, sans lâcher ses enfants. Et elle disait :

« Cyprien, attends-moi. Je vais avec toi, je veux mourir avec toi. »

Elle s'entêta. Lui, penché, la suppliait, en lui affirmant qu'il reviendrait, que c'était pour notre salut à tous. Mais, d'un air égaré, elle hochait la tête, elle répétait :

« Je vais avec toi, je vais avec toi. Qu'est-ce que ça te fait ? Je vais avec toi. »

Il dut prendre les enfants. Puis, il l'aida à monter. Nous pûmes les suivre sur la crête de la maison. Ils marchaient lentement. Elle avait repris dans ses bras les enfants qui pleuraient ; et lui, à chaque pas, se retournait, la soutenait.

« Mets-la en sûreté, reviens tout de suite ! » criai-je.

Je l'aperçus qui agitait la main, mais le grondement des eaux m'empêcha d'entendre sa réponse. Bientôt, nous ne les vîmes plus. Ils étaient descendus sur l'autre maison, plus basse que la première. Au bout de cinq minutes, ils reparurent sur la troisième, dont le toit devait être très en pente, car ils se traînaient à genoux le long du faîte. Une épouvante soudaine me saisit. Je me mis à crier, les mains aux lèvres, de toutes mes forces :

« Revenez ! Revenez ! »

Et tous, Pierre, Jacques, Gaspard, leur criaient aussi de revenir. Nos voix les arrêtèrent une minute. Mais ils continuèrent ensuite d'avancer. Maintenant, ils se trouvaient au coude formé par la rue, en face de la maison Raimbeau, une haute bâtisse dont le toit dépassait celui des maisons voisines de trois mètres au moins. Un instant, ils hésitèrent. Puis, Cyprien monta le long d'un tuyau de cheminée, avec une agilité de chat. Aimée, qui avait dû consentir à l'attendre, restait debout au milieu des tuiles. Nous la distinguions nettement, serrant ses enfants contre sa poitrine, toute noire sur le ciel clair, comme grandie. Et c'est alors que l'épouvantable malheur commença.

La maison des Raimbeau, destinée d'abord à une exploitation industrielle, était très légèrement bâtie. En outre, elle recevait en pleine façade le courant de la rue. Je croyais la voir trembler sous les attaques de l'eau ; et, la gorge serrée, je suivais Cyprien, qui traversait le toit. Tout à coup, un grondement se fit entendre. La lune se levait, une lune ronde, libre dans le ciel, et dont la face jaune éclairait le lac immense d'une lueur vive de lampe. Pas un détail de la catastrophe ne fut perdu pour nous. C'était la maison des Raimbeau qui venait de s'écrouler. Nous avions jeté un cri de terreur, en voyant Cyprien disparaître. Dans l'écroulement, nous ne distinguions qu'une tempête, un rejaillissement de vagues sous les débris de la toiture. Puis, le calme se fit, la nappe reprit son niveau, avec le trou noir de la maison engloutie, hérissant hors de l'eau la carcasse de ses planchers fendus. Il y avait là un amas de poutres enchevêtrées, une charpente de cathédrale à demi détruite. Et, entre ces poutres, il me sembla voir un corps remuer, quelque chose de vivant tenter des efforts surhumains.

« Il vit ! criai-je. Ah ! Dieu soit loué, il vit !... Là, au-dessus de cette nappe blanche que la lune éclaire ! »

Un rire nerveux nous secouait. Nous tapions dans nos mains de joie, comme sauvés nous-mêmes.

« Il va remonter, disait Pierre.

– Oui, oui, tenez ! l'expliquait Gaspard, le voilà qui tâche de saisir la poutre, à gauche. »

Mais nos rires cessèrent. Nous n'échangeâmes plus un mot, la gorge serrée par l'anxiété. Nous venions de comprendre la terrible situation où était Cyprien. Dans la chute de la maison, ses pieds se trouvaient pris entre deux poutres ; et il demeurait pendu, sans pouvoir se dégager, la tête en bas, à quelques centimètres de l'eau. Ce fut une agonie effroyable. Sur le toit de la maison voisine, Aimée était toujours debout, avec ses deux enfants. Un tremblement convulsif la secouait. Elle assistait à la mort de son mari, elle ne quittait pas du regard le malheureux, sous elle, à quelques mètres d'elle. Et elle poussait un hurlement continu, un hurlement de chien, fou d'horreur.

« Nous ne pouvons le laisser mourir ainsi, dit Jacques, éperdu. Il faut aller là-bas.

– On pourrait peut-être encore descendre le long des poutres, fit remarquer Pierre. On le dégagerait. »

Et ils se dirigeaient vers les toits voisins, lorsque la deuxième maison s'écroula à son tour. La route se trouvait coupée. Alors, un froid nous glaça. Nous nous étions pris les mains, machinalement ; nous nous les serrions à les broyer, sans pouvoir détacher nos regards de l'affreux spectacle.

Cyprien avait d'abord tâché de se raidir. Avec une force extraordinaire, il s'était écarté de l'eau, il maintenait son corps dans une position oblique. Mais la fatigue le brisait. Il lutta pourtant, voulut se rattraper aux poutres, lança les mains autour de lui, pour voir s'il ne rencontrerait rien où s'accrocher. Puis, acceptant la mort, il retomba, il pendit de nouveau, inerte. La mort fut lente à venir. Ses cheveux trempaient à peine dans l'eau, qui montait avec patience. Il devait en sentir la fraîcheur au sommet du crâne. Une première vague lui mouilla le front. D'autres fermèrent les yeux. Lentement, nous vîmes la tête disparaître [1].

1. Zola s'est inspiré d'un fait divers relaté dans la presse. *L'Illustration* du 10 juillet 1875 notait ainsi : « Dans une maison de la rue Saint-Joseph, un jeune homme, dans l'écroulement du bâtiment, eut les jambes engagées dans quelques poutres

Les femmes, à nos pieds, avaient enfoncé leur visage entre leurs mains jointes. Nous-mêmes, nous tombâmes à genoux, les bras tendus, pleurant, balbutiant des supplications. Sur la toiture, Aimée toujours debout, avec ses enfants serrés contre elle, hurlait plus fort dans la nuit.

IV

J'ignore combien de temps nous restâmes dans la stupeur de cette crise. Quand je revins à moi, l'eau avait grandi encore. Maintenant, elle atteignait les tuiles ; le toit n'était plus qu'une île étroite, émergeant de la nappe immense. À droite, à gauche, les maisons avaient dû s'écrouler. La mer s'étendait.

« Nous marchons », murmurait Rose qui se cramponnait aux tuiles.

Et nous avions tous, en effet, une sensation de roulis, comme si la toiture emportée se fût changée en radeau. Le grand ruissellement semblait nous charrier. Puis, quand nous regardions le clocher de l'église, immobile en face de nous, ce vertige cessait ; nous nous retrouvions à la même place, dans la houle des vagues.

L'eau, alors, commença l'assaut. Jusque-là, le courant avait suivi la rue ; mais les décombres qui la barraient à présent, le faisaient refluer. Ce fut une attaque en règle. Dès qu'une épave, une poutre, passait à la portée du courant, il la prenait, la balançait, puis la précipitait contre la maison comme un bélier. Et il ne la lâchait plus, il la retirait en arrière, pour

---

projetées en travers et resta suspendu par les pieds. Mais la tête plongeait dans l'eau jusqu'au cou. Il dut se débattre avant de mourir, roidir son corps, faire des efforts inouïs pour tenir sa tête hors de l'eau. » Roger Ripoll signale que « le nom même du personnage a pu venir de là, puisque c'était dans le quartier Saint-Cyprien, à Toulouse, que le fait s'était produit » (Émile Zola, *Contes et nouvelles*, éd. Roger Ripoll, Gallimard, « Bibliothèque de la Pléiade », 1976, p. 1524).

la lancer de nouveau, en battait les murs à coups redoublés, régulièrement. Bientôt, dix, douze poutres nous attaquèrent ainsi à la fois, de tous les côtés. L'eau rugissait. Des crachements d'écume mouillaient nos pieds. Nous entendions le gémissement sourd de la maison pleine d'eau, sonore, avec ses cloisons qui craquaient déjà. Par moments, à certaines attaques plus rudes, lorsque les poutres tapaient d'aplomb, nous pensions que c'était fini, que les murailles s'ouvraient et nous livraient à la rivière, par leurs brèches béantes.

Gaspard s'était risqué au bord même du toit. Il parvint à saisir une poutre, la tira de ses gros bras de lutteur.

« Il faut nous défendre », criait-il.

Jacques, de son côté, s'efforçait d'arrêter au passage une longue perche. Pierre l'aida. Je maudissais l'âge, qui me laissait sans force, aussi faible qu'un enfant. Mais la défense s'organisait, un duel, trois hommes contre un fleuve. Gaspard, tenant sa poutre en arrêt, attendait les pièces de bois dont le courant faisait des béliers ; et, rudement, il les arrêtait, à une courte distance des murs. Parfois, le choc était si violent, qu'il tombait. À côté de lui, Jacques et Pierre manœuvraient la longue perche, de façon à écarter également les épaves. Pendant près d'une heure, cette lutte inutile dura. Peu à peu, ils perdaient la tête, jurant, tapant, insultant l'eau. Gaspard la sabrait, comme s'il se fût pris corps à corps avec elle, la trouait de coups de pointe ainsi qu'une poitrine. Et l'eau gardait sa tranquille obstination, sans une blessure, invincible. Alors, Jacques et Pierre s'abandonnèrent sur le toit, exténués ; tandis que Gaspard, dans un dernier élan, se laissait arracher par le courant sa poutre, qui, à son tour, nous battit en brèche. Le combat était impossible.

Marie et Véronique s'étaient jetées dans les bras l'une de l'autre. Elles répétaient, d'une voix déchirée, toujours la même phrase, une phrase d'épouvante que j'entends encore sans cesse à mes oreilles :

« Je ne veux pas mourir !... Je ne veux pas mourir !

Rose les entourait de ses bras. Elle cherchait à les consoler, à les rassurer ; et elle-même, toute grelottante, levait sa face et criait malgré elle :

« Je ne veux pas mourir ! »

Seule, tante Agathe ne disait rien. Elle ne priait plus, ne faisait plus le signe de la croix. Hébétée, elle promenait ses regards, et tâchait encore de sourire, quand elle rencontrait mes yeux.

L'eau battait les tuiles, maintenant. Aucun secours n'était à espérer. Nous entendions toujours des voix, du côté de l'église ; deux lanternes, un moment, avaient passé au loin ; et le silence de nouveau s'élargissait, la nappe jaune étalait son immensité nue. Les gens de Saintin, qui possédaient des barques, devaient avoir été surpris avant nous.

Gaspard, cependant, continuait à rôder sur le toit. Tout d'un coup, il nous appela. Et il disait :

« Attention !... Aidez-moi. Tenez-moi ferme. »

Il avait repris une perche, il guettait une épave, énorme, noire, dont la masse nageait doucement vers la maison. C'était une large toiture de hangar, faite de planches solides, que les eaux avaient arrachée tout entière, et qui flottait, pareille à un radeau. Quand cette toiture fut à sa portée, il l'arrêta avec sa perche ; et, comme il se sentait emporté, il nous criait de l'aider. Nous l'avions saisi par la taille, nous le tenions ferme. Puis, dès que l'épave entra dans le courant, elle vint d'elle-même aborder contre notre toit, si rudement même, que nous eûmes peur un instant de la voir voler en éclats.

Gaspard avait hardiment sauté sur ce radeau que le hasard nous envoyait. Il le parcourait en tous sens, pour s'assurer de sa solidité, pendant que Pierre et Jacques le maintenaient au bord du toit ; et il riait, il disait joyeusement :

« Grand-père, nous voilà sauvés... Ne pleurez plus, les femmes ! Un vrai bateau. Tenez ! mes pieds sont à sec. Et il nous portera bien tous. Nous allons être comme chez nous, là-dessus ! »

Pourtant, il crut devoir le consolider. Il saisit les poutres qui flottaient, les lia avec des cordes, que Pierre avait emportées à tout hasard, en quittant les chambres du bas. Il tomba même dans l'eau ; mais, au cri qui nous échappa, il répondit par de nouveaux rires. L'eau le connaissait, il faisait une lieue de Garonne à la nage. Remonté sur le toit, il se secoua, en s'écriant :

« Voyons, embarquez, ne perdons pas de temps. »

Les femmes s'étaient mises à genoux. Gaspard dut porter Véronique et Marie au milieu du radeau, où il les fit asseoir. Rose et tante Agathe glissèrent d'elles-mêmes sur les tuiles et allèrent se placer auprès des jeunes filles. À ce moment, je regardai du côté de l'église. Aimée était toujours là. Elle s'adossait maintenant contre une cheminée, et elle tenait ses enfants en l'air, au bout des bras, ayant déjà de l'eau jusqu'à la ceinture.

« Ne vous affligez pas, grand-père, me dit Gaspard. Nous allons la prendre en passant, je vous le promets. »

Pierre et Jacques étaient montés sur le radeau. J'y sautai à mon tour. Il penchait un peu d'un côté, mais il était réellement assez solide pour nous porter tous. Enfin, Gaspard quitta le toit le dernier, en nous disant de prendre des perches, qu'il avait préparées et qui devaient nous servir de rames. Lui-même en tenait une très longue, dont il se servait avec une grande habileté. Nous nous laissions commander par lui. Sur un ordre qu'il nous donna, nous appuyâmes tous nos perches contre les tuiles pour nous éloigner. Mais il semblait que le radeau fût collé au toit. Malgré tous nos efforts, nous ne pouvions l'en détacher. À chaque nouvel essai, le courant nous ramenait vers la maison, violemment. Et c'était là une manœuvre des plus dangereuses, car le choc menaçait chaque fois de briser les planches sur lesquelles nous nous trouvions.

Alors, de nouveau, nous eûmes le sentiment de notre impuissance. Nous nous étions crus sauvés, et nous appartenions toujours à la rivière. Même, je regrettais que les femmes ne fussent plus sur le toit ; car, à chaque minute, je les voyais précipitées, entraînées dans l'eau furieuse. Mais, quand je parlai de regagner notre refuge, tous crièrent :

« Non, non, essayons encore. Plutôt mourir ici ! »

Gaspard ne riait plus. Nous renouvelions nos efforts, pesant sur les perches avec un redoublement d'énergie. Pierre eut enfin l'idée de remonter la pente des tuiles et de nous tirer vers la gauche, à l'aide d'une corde ; il put ainsi nous mener en dehors du courant ; puis, quand il eut de nouveau sauté sur le radeau, quelques coups de perche nous permirent de gagner le large. Mais Gaspard se rappela la promesse qu'il m'avait faite d'aller recueillir notre pauvre Aimée, dont le hurlement plaintif ne cessait pas. Pour cela, il fallait traverser la rue, où régnait ce terrible courant, contre lequel nous venions de lutter. Il me consulta du regard. J'étais bouleversé, jamais un pareil combat ne s'était livré en moi. Nous allions exposer huit existences. Et pourtant, si j'hésitai un instant, je n'eus pas la force de résister à l'appel lugubre.

« Oui, oui, dis-je à Gaspard. C'est impossible, nous ne pouvons nous en aller sans elle. »

Il baissa la tête, sans une parole, et se mit, avec sa perche, à se servir de tous les murs restés debout. Nous longions la maison voisine, nous passions pardessus nos étables. Mais, dès que nous débouchâmes dans la rue, un cri nous échappa. Le courant, qui nous avait ressaisis, nous emportait de nouveau, nous ramenait contre notre maison. Ce fut un vertige de quelques secondes. Nous étions roulés comme une feuille, si rapidement, que notre cri s'acheva dans le choc épouvantable du radeau sur les tuiles. Il y eut un déchirement, les planches déclouées tourbillonnèrent, nous fûmes tous précipités. J'ignore ce qui se passa alors. Je me souviens qu'en tombant je vis tante Agathe à plat sur l'eau, soutenue par ses jupes ; et elle s'enfonçait, la tête en arrière, sans se débattre.

Une vive douleur me fit ouvrir les yeux. C'était Pierre qui me tirait par les cheveux, le long des tuiles. Je restai couché, stupide, regardant. Pierre venait de replonger. Et, dans l'étourdissement où je me trouvais, je fus surpris d'apercevoir tout d'un coup Gaspard, à la place où mon frère avait disparu : le jeune homme portait Véronique dans ses bras. Quand il l'eut déposée près de moi, il se jeta de nouveau, il retira Marie, la face d'une blancheur de cire, si raide et si immobile, que je la crus morte. Puis, il se jeta encore. Mais, cette fois, il chercha inutilement. Pierre l'avait rejoint. Tous deux se parlaient, se donnaient des indications que je n'entendais pas. Comme ils remontaient sur le toit, épuisés :

« Et tante Agathe ! criai-je, et Jacques ! et Rose ! »

Ils secouèrent la tête. De grosses larmes roulaient dans leurs yeux. Aux quelques mots qu'ils me dirent, je compris que Jacques avait eu la tête fracassée par le heurt d'une poutre. Rose s'était cramponnée au cadavre de son mari, qui l'avait emportée. Tante Agathe n'avait pas reparu. Nous pensâmes que son corps, poussé par le courant, était entré dans la maison, au-dessous de nous, par une fenêtre ouverte.

Et, me soulevant, je regardai vers la toiture où Aimée se cramponnait quelques minutes auparavant. Mais l'eau montait toujours. Aimée ne hurlait plus. J'aperçus seulement ses deux bras raidis, qu'elle levait pour tenir ses enfants hors de l'eau. Puis, tout s'abîma, la nappe se referma, sous la lueur dormante de la lune.

V

Nous n'étions plus que cinq sur le toit. L'eau nous laissait à peine une étroite bande libre, le long du faîtage. Une des cheminées venait d'être emportée. Il nous fallut soulever Véronique et Marie évanouies, les tenir presque debout, pour que le flot ne leur mouillât pas les jambes. Elles reprirent enfin connaissance, et notre angoisse s'accrut, à les voir trempées, frissonnantes, crier de nouveau qu'elles ne voulaient pas mourir. Nous les rassurions comme on rassure les enfants, en leur disant qu'elles ne mourraient pas, que nous empêcherions bien la mort de les prendre. Mais elles ne nous croyaient plus, elles savaient bien qu'elles allaient mourir. Et, chaque fois que ce mot « mourir » tombait comme un glas, leurs dents claquaient, une angoisse les jetait au cou l'une de l'autre.

C'était la fin. Le village détruit ne montrait plus, autour de nous, que quelques pans de murailles. Seule, l'église dressait son clocher intact, d'où venaient toujours des voix, un murmure de gens à l'abri. Au loin, ronflait la coulée énorme des eaux. Nous n'entendions même plus ces éboulements de maisons, pareils à des charrettes de cailloux brusquement déchargées. C'était un abandon, un naufrage en plein océan, à mille lieues des terres.

Un instant, nous crûmes surprendre à gauche un bruit de rames. On aurait dit un battement, doux, cadencé, de plus en plus net. Ah ! quelle musique d'espoir, et comme nous nous dressâmes tous pour interroger l'espace ! Nous retenions notre haleine. Et nous n'apercevions rien. La nappe jaune s'étendait, tachée d'ombres noires ; mais aucune de ces ombres, cimes d'arbres, restes de murs écroulés, ne bougeait. Des épaves, des herbes, des tonneaux vides, nous causèrent des fausses joies ; nous agitions nos mouchoirs, jusqu'à ce que, notre erreur reconnue, nous retombions dans l'anxiété de ce bruit qui frappait toujours nos oreilles, sans que nous pussions découvrir d'où il venait.

« Ah ! je la vois, cria Gaspard, brusquement. Tenez ! là-bas, une grande barque ! »

Et il nous désignait, le bras tendu, un point éloigné. Moi, je ne voyais rien ; Pierre, non plus. Mais Gaspard s'entêtait. C'était bien une barque. Les coups de rames nous arrivaient plus distincts. Alors, nous finîmes aussi par l'apercevoir. Elle filait lentement, ayant l'air de tourner autour de nous, sans approcher. Je me souviens qu'à ce moment nous fûmes comme fous. Nous levions les bras avec fureur, nous poussions des cris, à nous briser la gorge. Et nous insultions la barque, nous la traitions de lâche. Elle, toujours noire et muette, tournait plus lentement. Était-ce réellement une barque ? je l'ignore encore. Quand nous crûmes la voir disparaître, elle emporta notre dernière espérance.

Désormais, à chaque seconde, nous nous attendions à être engloutis, dans la chute de la maison. Elle se trouvait minée, elle n'était sans doute portée que par quelque gros mur, qui allait l'entraîner tout entière, en s'écroulant. Mais ce dont je tremblais surtout, c'était de sentir la toiture fléchir sous notre poids. La maison aurait peut-être tenu toute la nuit ; seulement, les tuiles s'affaissaient, battues et trouées par les poutres. Nous nous étions réfugiés vers la gauche, sur des chevrons solides encore. Puis, ces chevrons eux-mêmes parurent faiblir. Certainement, ils s'enfonceraient, si nous restions tous les cinq entassés sur un si petit espace.

Depuis quelques minutes, mon frère Pierre avait remis sa pipe à ses lèvres, d'un geste machinal. Il tordait sa moustache de vieux soldat, les sourcils froncés, grognant de sourdes paroles. Ce danger croissant qui l'entourait et contre lequel son courage ne pouvait rien commençait à l'impatienter fortement. Il avait craché deux ou trois fois dans l'eau, d'un air de colère méprisante. Puis, comme nous enfoncions toujours, il se décida, il descendit la toiture.

« Pierre ! Pierre ! » criai-je, ayant peur de comprendre.

Il se retourna et me dit tranquillement :

« Adieu, Louis... Vois-tu, c'est trop long pour moi. Ça vous fera de la place. »

Et, après avoir jeté sa pipe la première, il se précipita lui-même, en ajoutant :

« Bonsoir, j'en ai assez ! »

Il ne reparut pas. Il était nageur médiocre. D'ailleurs, il s'abandonna sans doute, le cœur crevé par notre ruine et par la mort de tous les nôtres, ne voulant pas leur survivre.

Deux heures du matin sonnèrent à l'église. La nuit allait finir, cette horrible nuit déjà si pleine d'agonies et de larmes. Peu à peu, sous nos pieds, l'espace encore sec se rétrécissait ; c'était un murmure d'eau courante, de petits flots caressants qui jouaient et se poussaient. De nouveau, le courant avait changé ; les épaves passaient à droite du village, flottant avec lenteur, comme si les eaux, près d'atteindre leur plus haut niveau, se fussent reposées, lasses et paresseuses.

Gaspard, brusquement, retira ses souliers et sa veste. Depuis un instant, je le voyais joindre les mains, s'écraser les doigts. Et, comme je l'interrogeais :

« Écoutez, grand-père, dit-il, je meurs, à attendre. Je ne puis plus rester... Laissez-moi faire, je la sauverai. »

Il parlait de Véronique. Je voulus combattre son idée. Jamais il n'aurait la force de porter la jeune fille jusqu'à l'église. Mais lui, s'entêtait.

« Si ! si ! j'ai de bons bras, je me sens fort... Vous allez voir ! »

Et il ajoutait qu'il préférait tenter ce sauvetage tout de suite, qu'il devenait faible comme un enfant, à écouter ainsi la maison s'émietter sous nos pieds.

« Je l'aime, je la sauverai », répétait-il.

Je demeurai silencieux, j'attirai Marie contre ma poitrine. Alors, il crut que je lui reprochais son égoïsme d'amoureux, il balbutia :

« Je reviendrai prendre Marie, je vous le jure. Je trouverai bien un bateau, j'organiserai un secours quelconque... Ayez confiance, grand-père. »

Il ne conserva que son pantalon. Et, à demi-voix rapidement, il adressait des recommandations à Véronique : elle ne se débattrait pas, elle s'abandonnerait sans un mouvement, elle n'aurait pas peur surtout. La jeune fille, à chaque phrase, répondait oui, d'un air égaré. Enfin, après avoir fait un signe de croix, bien qu'il ne fût guère dévot d'habitude, il se laissa glisser sur le toit, en tenant Véronique par une corde qu'il lui avait nouée sous les bras. Elle poussa un grand cri, battit l'eau de ses membres, puis, suffoquée, s'évanouit.

« J'aime mieux ça, me cria Gaspard. Maintenant, je réponds d'elle. »

On s'imagine avec quelle angoisse je les suivis des yeux. Sur l'eau blanche, je distinguais les moindres mouvements de Gaspard. Il soutenait la jeune fille, à l'aide de la corde, qu'il avait enroulée autour de son propre cou ; et il la portait ainsi, à demi jetée sur son épaule droite. Ce poids écrasant l'enfonçait par moments ; pourtant, il avançait, nageant avec une force surhumaine. Je ne doutais plus, il avait déjà parcouru un tiers de la distance, lorsqu'il se heurta à quelque mur caché sous l'eau. Le choc fut terrible. Tous deux disparurent. Puis, je le vis reparaître seul ; la corde devait s'être rompue. Il plongea à deux reprises. Enfin, il revint, il ramenait Véronique, qu'il reprit sur son dos. Mais il n'avait plus de corde pour la tenir, elle l'écrasait davantage. Cependant, il avançait toujours. Un tremblement me secouait, à mesure qu'ils approchaient de l'église. Tout à coup, je voulus crier, j'apercevais des poutres qui arrivaient de biais. Ma bouche resta grande ouverte : un nouveau choc les avait séparés, les eaux se refermèrent.

À partir de ce moment, je demeurai stupide. Je n'avais plus qu'un instinct de bête veillant à sa conservation. Quand l'eau avançait, je reculais. Dans cette stupeur, j'entendis longtemps un rire, sans m'expliquer qui riait ainsi près de moi. Le jour se levait, une grande aurore blanche. Il faisait bon, très frais et très calme, comme au bord d'un étang dont la nappe s'éveille avant le lever du soleil. Mais le rire sonnait toujours ; et, en me tournant, je trouvai Marie, debout dans ses vêtements mouillés. C'était elle qui riait.

Ah ! la pauvre chère créature, comme elle était douce et jolie, à cette heure matinale ! Je la vis se baisser, prendre dans le creux de sa main un peu d'eau, dont elle se lava la figure. Puis, elle tordit ses beaux cheveux blonds, elle les noua derrière sa tête. Sans doute, elle faisait sa toilette, elle semblait se croire dans sa petite chambre, le dimanche, lorsque la cloche sonnait gaiement. Et elle continuait à rire, de son rire enfantin, les yeux clairs, la face heureuse.

Moi, je me mis à rire comme elle, gagné par sa folie. La terreur l'avait rendue folle, et c'était une grâce du ciel, tant elle paraissait ravie de la pureté de cette aube printanière.

Je la laissais se hâter, ne comprenant pas, hochant la tête tendrement. Elle se faisait toujours belle. Puis, quand elle se crut prête à partir, elle chanta un de ses cantiques de sa fine voix de cristal. Mais, bientôt, elle s'interrompit, elle cria, comme si elle avait répondu à une voix qui l'appelait et qu'elle entendait seule :

« J'y vais ! J'y vais ! »

Elle reprit son cantique, elle descendit la pente du toit, elle entra dans l'eau, qui la recouvrit doucement, sans secousse. Je n'avais pas cessé de sourire. Je regardais d'un air heureux la place où elle venait de disparaître.

Ensuite, je ne me souviens plus. J'étais tout seul sur le toit. L'eau avait encore monté. Une cheminée restait debout, et je crois que je m'y cramponnais de toutes mes forces, comme un animal qui ne veut pas mourir. Ensuite, rien, rien, un trou noir, le néant.

VI

Pourquoi suis-je encore là ? On m'a dit que les gens de Saintin étaient venus vers six heures, avec des barques, et qu'ils m'avaient trouvé couché sur une cheminée, évanoui. Les eaux ont eu la cruauté de ne pas m'emporter après tous les miens, pendant que je ne sentais plus mon malheur.

C'est moi, le vieux, qui me suis entêté à vivre. Tous les autres sont partis, les enfants au maillot, les filles à marier, les jeunes ménages, les vieux ménages. Et moi, je vis ainsi qu'une herbe mauvaise, rude et séchée, enracinée aux cailloux ! Si j'avais du courage, je ferais comme Pierre, je dirais : « J'en ai assez, bonsoir ! » et je me jetterais dans la Garonne, pour m'en aller par le chemin que tous ont suivi. Je n'ai plus un enfant, ma maison est détruite, mes champs sont ravagés. Oh ! le soir, quand nous étions tous à table, les vieux au milieu, les plus jeunes à la file, et que cette gaieté m'entourait et me tenait chaud ! Oh ! les grands jours de la moisson et de la vendange, quand nous étions tous au travail, et que nous rentrions gonflés de l'orgueil de notre richesse ! Oh ! les beaux enfants et les belles vignes, les belles filles et les beaux blés, la joie de ma vieillesse, la vivante récompense de ma vie entière ! Puisque tout cela est mort, mon Dieu ! pourquoi voulez-vous que je vive ?

Il n'y a pas de consolation. Je ne veux pas de secours. Je donnerai mes champs aux gens du village qui ont encore leurs enfants. Eux, trouveront le courage de débarrasser la terre des épaves et de la cultiver de nouveau. Quand on n'a plus d'enfants, un coin suffit pour mourir.

J'ai eu une seule envie, une dernière envie. J'aurais voulu retrouver les corps des miens, afin de les faire enterrer dans notre cimetière, sous une dalle où je serais allé les rejoindre. On racontait qu'on avait repêché, à Toulouse, une quantité de cadavres emportés par le fleuve. Je me suis décidé à tenter le voyage.

Quel épouvantable désastre ! Près de deux mille maisons écroulées ; sept cents morts ; tous les ponts emportés ; un quartier rasé, noyé sous la boue ; des drames atroces ; vingt mille misérables demi-nus et crevant la faim ; la ville empestée par les cadavres, terrifiée par la crainte du typhus ; le deuil partout, les rues pleines de convois funèbres, les aumônes impuissantes à panser les plaies. Mais je marchais sans rien voir, au milieu de ces ruines. J'avais mes ruines, j'avais mes morts, qui m'écrasaient.

On me dit qu'en effet beaucoup de corps avaient pu être repêchés. Ils étaient déjà ensevelis, en longues files, dans un coin du cimetière. Seulement, on avait eu le soin de photographier les inconnus. Et c'est parmi ces portraits lamentables que j'ai trouvé ceux de Gaspard et de Véronique. Les deux fiancés étaient demeurés liés l'un à l'autre, par une étreinte passionnée, échangeant dans la mort leur baiser de noces. Ils se serraient encore si puissamment, les bras raidis, la bouche collée sur la bouche, qu'il aurait fallu leur casser les membres pour les séparer. Aussi les avait-on photographiés ensemble, et ils dormaient ensemble sous la terre.

Je n'ai plus qu'eux, cette image affreuse, ces deux beaux enfants gonflés par l'eau, défigurés, gardant encore sur leurs faces livides l'héroïsme de leur tendresse. Je les regarde, et je pleure.

NANTAS [1]

I

La chambre que Nantas habitait depuis son arrivée de Marseille se trouvait au dernier étage d'une maison de la rue de Lille, à côté de l'hôtel du baron Danvilliers, membre du Conseil d'État. Cette maison appartenait au baron, qui l'avait fait construire sur d'anciens communs. Nantas, en se penchant, pouvait apercevoir un coin du jardin de l'hôtel, où des arbres superbes jetaient leur ombre. Au-delà, par-dessus les cimes vertes, une échappée s'ouvrait sur Paris, on voyait la trouée de la Seine, les Tuileries, le Louvre, l'enfilade des quais, toute une mer de toitures, jusqu'aux lointains perdus du Père-Lachaise.

C'était une étroite chambre mansardée, avec une fenêtre taillée dans les ardoises. Nantas l'avait simplement meublée d'un lit, d'une table et d'une chaise. Il était descendu là, cherchant le bon marché,

1. *Nantas*, écrit en septembre 1878, parut d'abord dans *Le Messager de l'Europe* en octobre, sous le titre *La Vie contemporaine*, puis, pour la première fois en français et sous son titre définitif, dans *Le Voltaire* du 19 au 26 juillet 1879. La nouvelle figure en deuxième position dans *Naïs Micoulin*, recueil paru chez Charpentier en novembre 1883. Les similitudes avec *La Curée*, le deuxième roman des *Rougon-Macquart*, sont nombreuses. Zola lui-même a souligné cette filiation dans sa préface de 1887 pour *Renée*, la pièce qu'il a tirée de son roman (voir notre Présentation, p. 22).

décidé à camper tant qu'il n'aurait pas trouvé une situation quelconque. Le papier sali, le plafond noir, la misère et la nudité de ce cabinet où il n'y avait pas de cheminée, ne le blessaient point. Depuis qu'il s'endormait en face du Louvre et des Tuileries, il se comparait à un général qui couche dans quelque misérable auberge, au bord d'une route, devant la ville riche et immense, qu'il doit prendre d'assaut le lendemain.

L'histoire de Nantas était courte. Fils d'un maçon de Marseille, il avait commencé ses études au lycée de cette ville, poussé par l'ambitieuse tendresse de sa mère, qui rêvait de faire de lui un monsieur. Les parents s'étaient saignés pour le mener jusqu'au baccalauréat.

Puis, la mère étant morte, Nantas dut accepter un petit emploi chez un négociant, où il traîna pendant douze années une vie dont la monotonie l'exaspérait. Il se serait enfui vingt fois, si son devoir de fils ne l'avait cloué à Marseille, près de son père tombé d'un échafaudage et devenu impotent. Maintenant, il devait suffire à tous les besoins. Mais un soir, en rentrant, il trouva le maçon mort, sa pipe encore chaude à côté de lui. Trois jours plus tard, il vendait les quatre nippes du ménage, et partait pour Paris, avec deux cents francs dans sa poche.

Il y avait, chez Nantas, une ambition entêtée de fortune, qu'il tenait de sa mère. C'était un garçon de décision prompte, de volonté froide. Tout jeune, il disait être une force. On avait souvent ri de lui, lorsqu'il s'oubliait à faire des confidences et à répéter sa phrase favorite : « Je suis une force », phrase qui devenait comique, quand on le voyait avec sa mince redingote noire, craquée aux épaules, et dont les manches lui remontaient au-dessus des poignets. Peu à peu, il s'était ainsi fait une religion de la force, ne voyant qu'elle dans le monde, convaincu que les forts sont quand même les victorieux. Selon lui, il suffisait de vouloir et de pouvoir. Le reste n'avait pas d'importance [1].

Le dimanche, lorsqu'il se promenait seul dans la banlieue brûlée de Marseille, il se sentait du génie ; au fond de son être, il y avait comme une impulsion instinctive qui le jetait en avant ; et il rentrait manger quelque platée de pommes de terre avec son père infirme, en se disant qu'un jour il saurait bien se tailler sa part, dans cette société où il n'était rien encore à trente ans. Ce n'était point une envie basse, un appétit des jouissances vulgaires ; c'était le sentiment très net d'une intelligence et d'une volonté qui, n'étant pas à leur place, entendaient monter tranquillement à cette place, par un besoin naturel de logique.

Dès qu'il toucha le pavé de Paris, Nantas crut qu'il lui suffirait d'allonger les mains, pour trouver une situation digne de lui. Le jour même, il se mit en campagne. On lui avait donné des lettres de recommandation, qu'il porta à leur adresse ; en outre, il frappa chez quelques compatriotes, espérant leur appui. Mais, au bout d'un mois, il n'avait obtenu aucun résultat : le moment était mauvais, disait-on ; ailleurs, on lui faisait des promesses qu'on ne tenait point. Cependant, sa petite bourse se vidait, il lui restait une vingtaine de francs, au plus. Et ce fut avec ces vingt francs qu'il dut vivre tout un mois encore, ne mangeant que du pain, battant Paris du matin au soir, et revenant se coucher sans lumière, brisé de fatigue, toujours les mains vides. Il ne se décourageait pas ; seulement, une sourde colère montait en lui. La destinée lui semblait illogique et injuste [2].

---

1. Le modèle de Nantas est ici Zola lui-même, qui, partant de son exemple et de son itinéraire personnel, exaltait le travail, la force et la volonté : « dites-vous bien ceci : c'est que, si vous êtes un talent, une force, vous arriverez quand même à la gloire et à la fortune » (*L'Argent dans la littérature*, in *Le Roman expérimental*, *op. cit.*, p. 193).

2. Au début du chapitre II de *La Curée*, l'arrivée d'Aristide Rougon (le futur Saccard) à Paris est évoquée de la même façon.

Un soir, Nantas rentra sans avoir mangé. La veille, il avait fini son dernier morceau de pain. Plus d'argent et pas un ami pour lui prêter vingt sous. La pluie était tombée toute la journée, une de ces pluies grises de Paris qui sont si froides. Un fleuve de boue coulait dans les rues. Nantas, trempé jusqu'aux os, était allé à Bercy, puis à Montmartre, où on lui avait indiqué des emplois ; mais, à Bercy, la place était prise, et l'on n'avait pas trouvé son écriture assez belle, à Montmartre. C'étaient ses deux dernières espérances. Il aurait accepté n'importe quoi, avec la certitude qu'il taillerait sa fortune dans la première situation venue. Il ne demandait d'abord que du pain, de quoi vivre à Paris, un terrain quelconque pour bâtir ensuite pierre à pierre. De Montmartre à la rue de Lille, il marcha lentement, le cœur noyé d'amertume. La pluie avait cessé, une foule affairée le bousculait sur les trottoirs. Il s'arrêta plusieurs minutes devant la boutique d'un changeur : cinq francs lui auraient peut-être suffi pour être un jour le maître de tout ce monde ; avec cinq francs on peut vivre huit jours, et en huit jours on fait bien des choses. Comme il rêvait ainsi, une voiture l'éclaboussa, il dut s'essuyer le front, qu'un jet de boue avait souffleté. Alors, il marcha plus vite, serrant les dents, pris d'une envie féroce de tomber à coups de poing sur la foule qui barrait les rues : cela l'aurait vengé de la bêtise du destin. Un omnibus faillit l'écraser, rue Richelieu. Au milieu de la place du Carrousel, il jeta aux Tuileries un regard jaloux. Sur le pont des Saints-Pères, une petite fille bien mise l'obligea à s'écarter de son droit chemin, qu'il suivait avec la raideur d'un sanglier traqué par une meute ; et ce détour lui parut une suprême humiliation : jusqu'aux enfants qui l'empêchaient de passer ! Enfin, quand il se fut réfugié dans sa chambre, ainsi qu'une bête blessée revient mourir au gîte, il s'assit lourdement sur sa chaise, assommé, examinant son pantalon que la crotte avait raidi, et ses souliers éculés qui laissaient couler une mare sur le carreau.

Cette fois, c'était bien la fin. Nantas se demandait comment il se tuerait. Son orgueil restait debout, il jugeait que son suicide allait punir Paris. Être une force, sentir en soi une puissance, et ne pas trouver une personne qui vous devine, qui vous donne le premier écu dont vous avez besoin ! Cela lui semblait d'une sottise monstrueuse, son être entier se soulevait de colère. Puis, c'était en lui un immense regret, lorsque ses regards tombaient sur ses bras inutiles. Aucune besogne pourtant ne lui faisait peur ; du bout de son petit doigt, il aurait soulevé un monde ; et il demeurait là, rejeté dans son coin, réduit à l'impuissance, se dévorant comme un lion en cage. Mais, bientôt, il se calmait, il trouvait la mort plus grande. On lui avait conté, quand il était petit, l'histoire d'un inventeur qui, ayant construit une merveilleuse machine, la cassa un jour à coups de marteau, devant l'indifférence de la foule. Eh bien ! il était cet homme, il apportait en lui une force nouvelle, un mécanisme rare d'intelligence et de volonté, et il allait détruire cette machine, en se brisant le crâne sur le pavé de la rue.

Le soleil se couchait derrière les grands arbres de l'hôtel Danvilliers, un soleil d'automne dont les rayons d'or allumaient les feuilles jaunies, Nantas se leva comme attiré par cet adieu de l'astre. Il allait mourir, il avait besoin de lumière. Un instant, il se pencha. Souvent, entre les masses des feuillages, au détour d'une allée, il avait aperçu une jeune fille blonde, très grande, marchant avec un orgueil princier. Il n'était point romanesque, il avait passé l'âge où les jeunes hommes rêvent, dans les mansardes, que des demoiselles du monde viennent leur apporter de grandes passions et de grandes fortunes. Pourtant, il arriva, à cette heure suprême du suicide, qu'il se rappela tout d'un coup cette belle fille blonde, si hautaine. Comment pouvait-elle se nommer ? Mais, au même instant, il serra les poings, car il ne sentait que de la haine pour les gens de cet hôtel dont les fenêtres entrouvertes lui laissaient apercevoir des coins de luxe sévère, et il murmura dans un élan de rage :

« Oh ! je me vendrais, je me vendrais, si l'on me donnait les premiers cent sous de ma fortune future !

Cette idée de se vendre l'occupa un moment. S'il y avait eu quelque part un Mont-de-Piété où l'on prêtât sur la volonté et l'énergie, il serait allé s'y engager. Il imaginait des marchés, un homme politique venait l'acheter pour faire de lui un instrument, un banquier le prenait pour user à toute heure de son intelligence ; et il acceptait, ayant le dédain de l'honneur, se disant qu'il suffisait d'être fort et de triompher un jour. Puis, il eut un sourire. Est-ce qu'on trouve à se vendre ? Les coquins, qui guettent les occasions, crèvent de misère, sans mettre jamais la main sur un acheteur. Il craignit d'être lâche, il se dit qu'il inventait là des distractions. Et il s'assit de nouveau, en jurant qu'il se précipiterait de la fenêtre, lorsqu'il ferait nuit noire.

Cependant, sa fatigue était telle, qu'il s'endormit sur sa chaise. Brusquement, il fut réveillé par un bruit de voix. C'était sa concierge qui introduisait chez lui une dame.

« Monsieur, commença-t-elle, je me suis permis de faire monter… »

Et, comme elle s'aperçut qu'il n'y avait pas de lumière dans la chambre, elle redescendit vivement chercher une bougie. Elle paraissait connaître la personne qu'elle amenait, à la fois complaisante et respectueuse.

« Voilà, reprit-elle en se retirant. Vous pouvez causer, personne ne vous dérangera. »

Nantas, qui s'était éveillé en sursaut, regardait la dame avec surprise. Elle avait levé sa voilette. C'était une personne de quarante-cinq ans, petite, très grasse, d'une figure poupine et blanche de vieille dévote. Il ne l'avait jamais vue. Lorsqu'il lui offrit l'unique chaise, en l'interrogeant du regard, elle se nomma :

« Mlle Chuin… Je viens, monsieur, pour vous entretenir d'une affaire importante. »

Lui, avait dû s'asseoir sur le bord du lit. Le nom de Mlle Chuin ne lui apprenait rien. Il prit le parti d'attendre qu'elle voulût bien s'expliquer. Mais elle ne se pressait pas ; elle avait fait d'un coup d'œil le tour de l'étroite pièce, et semblait hésiter sur la façon dont elle entamerait l'entretien. Enfin, elle parla, d'une voix très douce, en appuyant d'un sourire les phrases délicates.

« Monsieur, je viens en amie… On m'a donné sur votre compte les renseignements les plus touchants. Certes, ne croyez pas à un espionnage. Il n'y a, dans tout ceci, que le vif désir de vous être utile. Je sais combien la vie vous a été rude jusqu'à présent, avec quel courage vous avez lutté pour trouver une situation, et quel est aujourd'hui le résultat fâcheux de tant d'efforts… Pardonnez-moi une fois encore, monsieur, de m'introduire ainsi dans votre existence. Je vous jure que la sympathie seule… »

Nantas ne l'interrompait pas, pris de curiosité, pensant que sa concierge avait dû fournir tous ces détails. Mlle Chuin pouvait continuer, et pourtant elle cherchait de plus en plus des compliments, des façons caressantes de dire les choses.

« Vous êtes un garçon d'un grand avenir, monsieur. Je me suis permis de suivre vos tentatives et j'ai été vivement frappée par votre louable fermeté dans le malheur. Enfin, il me semble que vous iriez loin, si quelqu'un vous tendait la main. »

Elle s'arrêta encore. Elle attendait un mot. Le jeune homme crut que cette dame venait lui offrir une place. Il répondit qu'il accepterait tout. Mais elle, maintenant que la glace était rompue, lui demanda carrément :

« Éprouveriez-vous quelque répugnance à vous marier ?

– Me marier ! s'écria Nantas. Eh ! bon Dieu ! qui voudrait de moi, madame ?… Quelque pauvre fille que je ne pourrais seulement pas nourrir.

– Non, une jeune fille très belle, très riche, magnifiquement apparentée, qui vous mettra d'un coup dans la main les moyens d'arriver à la situation la plus haute. »

Nantas ne riait plus.

« Alors, quel est le marché ? demanda-t-il, en baissant instinctivement la voix.

– Cette jeune fille est enceinte, et il faut reconnaître l'enfant », dit nettement Mlle Chuin, qui oubliait ses tournures onctueuses pour aller plus vite en affaire.

Le premier mouvement de Nantas fut de jeter l'entremetteuse à la porte.

« C'est une infamie que vous me proposez là, murmura-t-il [1].

– Oh ! une infamie, s'écria Mlle Chuin, retrouvant sa voix mielleuse, je n'accepte pas ce vilain mot... La vérité, monsieur, est que vous sauverez une famille du désespoir. Le père ignore tout, la grossesse n'est encore que peu avancée ; et c'est moi qui ai conçu l'idée de marier le plus tôt possible la pauvre fille, en présentant le mari comme l'auteur de l'enfant. Je connais le père, il en mourrait. Ma combinaison amortira le coup, il croira à une réparation... Le malheur est que le véritable séducteur est marié. Ah ! monsieur, il y a des hommes qui manquent vraiment de sens moral... »

Elle aurait pu aller longtemps ainsi. Nantas ne l'écoutait plus. Pourquoi donc refuserait-il ? Ne demandait-il pas à se vendre tout à l'heure ? Eh bien ! on venait l'acheter. Donnant, donnant. Il donnait son nom, on lui donnait une situation. C'était un contrat comme un autre. Il regarda son pantalon crotté par la boue de Paris, il sentit qu'il n'avait pas mangé depuis la veille, toute la colère de ses deux mois de recherches et d'humiliations lui revint au

1. Dans *La Curée*, c'est Sidonie Rougon, la sœur de Saccard, qui sert d'entremetteuse et organise le mariage avec Renée Béraud du Châtel.

cœur. Enfin ! il allait donc mettre le pied sur ce monde qui le repoussait et le jetait au suicide !

« J'accepte », dit-il crûment.

Puis, il exigea de Mlle Chuin des explications claires. Que voulait-elle pour son entremise ? Elle se récria, elle ne voulait rien. Pourtant, elle finit par demander vingt mille francs, sur l'apport que l'on constituerait au jeune homme. Et, comme il ne marchandait pas, elle se montra expansive.

« Écoutez, c'est moi qui ai songé à vous. La jeune personne n'a pas dit non, lorsque je vous ai nommé… Oh ! c'est une bonne affaire, vous me remercierez plus tard. J'aurais pu trouver un homme titré, j'en connais un qui m'aurait baisé les mains. Mais j'ai préféré choisir en dehors du monde de cette pauvre enfant. Cela paraîtra plus romanesque… Puis, vous me plaisez. Vous êtes gentil, vous avez la tête solide. Oh ! vous irez loin. Ne m'oubliez pas, je suis tout à vous. »

Jusque-là, aucun nom n'avait été prononcé. Sur une interrogation de Nantas, la vieille fille se leva et dit en se présentant de nouveau :

« Mlle Chuin… Je suis chez le baron Danvilliers depuis la mort de la baronne, en qualité de gouvernante. C'est moi qui ai élevé Mlle Flavie, la fille de M. le baron… Mlle Flavie est la jeune personne en question. »

Et elle se retira, après avoir discrètement déposé sur la table une enveloppe qui contenait un billet de cinq cents francs. C'était une avance faite par elle, pour subvenir aux premiers frais. Quand il fut seul, Nantas alla se mettre à la fenêtre. La nuit était très noire ; on ne distinguait plus que la masse des arbres, à l'épaississement de l'ombre ; une fenêtre luisait sur la façade sombre de l'hôtel. Ainsi, c'était cette grande fille blonde, qui marchait d'un pas de reine et qui ne daignait point l'apercevoir. Elle ou une autre, qu'importait d'ailleurs ! La femme n'entrait pas dans le marché. Alors, Nantas leva les yeux plus haut, sur Paris grondant dans les ténèbres, sur les quais, les rues, les carrefours de la rive gauche, éclairés des flammes dansantes du gaz ; et il tutoya Paris, il devint familier et supérieur.

« Maintenant, tu es à moi [1] ! »

II

Le baron Danvilliers était dans le salon qui lui servait de cabinet, une haute pièce sévère, tendue de cuir, garnie de meubles antiques. Depuis l'avant-veille, il restait comme foudroyé par l'histoire que Mlle Chuin lui avait contée du déshonneur de Flavie. Elle avait eu beau amener les faits de loin, les adoucir, le vieillard était tombé sous le coup, et seule la pensée que le séducteur pouvait offrir une suprême réparation, le tenait debout encore. Ce matin-là, il attendait la visite de cet homme qu'il ne connaissait point et qui lui prenait ainsi sa fille. Il sonna.

« Joseph, il va venir un jeune homme que vous introduirez… Je n'y suis pour personne autre. »

Et il songeait amèrement, seul au coin de son feu. Le fils d'un maçon, un meurt-de-faim qui n'avait aucune situation avouable ! Mlle Chuin le donnait bien comme un garçon d'avenir, mais que de honte, dans une famille où il n'y avait pas eu une tache jusque-là ! Flavie s'était accusée avec une sorte

1. On pense évidemment au célèbre défi lancé depuis le cimetière du Père-Lachaise par le jeune Rastignac à la fin du *Père Goriot* de Balzac (1835) : « Rastignac, resté seul, fit quelques pas vers le haut du cimetière et vit Paris tortueusement couché le long des deux rives de la Seine, où commençaient à briller les lumières. Ses yeux s'attachèrent presque avidement entre la colonne de la place Vendôme et le dôme des Invalides, là où vivait ce beau monde dans lequel il avait voulu pénétrer. Il lança sur cette ruche bourdonnant un regard qui semblait par avance en pomper le miel, et dit ces mots grandioses : "À nous deux maintenant !" » (Balzac, *Le Père Goriot*, GF-Flammarion, 1995, p. 312-313). On trouve une scène similaire au chapitre II de *La Curée* : Saccard contemple avidement Paris du haut de la butte Montmartre.

d'emportement, pour épargner à sa gouvernante le moindre reproche. Depuis cette explication pénible, elle gardait la chambre, le baron avait refusé de la revoir. Il voulait, avant de pardonner, régler lui-même cette abominable affaire. Toutes ses dispositions étaient prises. Mais ses cheveux avaient achevé de blanchir, un tremblement sénile agitait sa tête.

« M. Nantas », annonça Joseph.

Le baron ne se leva pas. Il tourna seulement la tête et regarda fixement Nantas qui s'avançait. Celui-ci avait eu l'intelligence de ne pas céder au désir de s'habiller de neuf ; il avait acheté une redingote et un pantalon noir encore propres, mais très râpés ; et cela lui donnait l'apparence d'un étudiant pauvre et soigneux, ne sentant en rien l'aventurier. Il s'arrêta au milieu de la pièce, et attendit, debout, sans humilité pourtant.

« C'est donc vous, monsieur », bégaya le vieillard.

Mais il ne put continuer, l'émotion l'étranglait ; il craignait de céder à quelque violence. Après un silence, il dit simplement :

« Monsieur, vous avez commis une mauvaise action. »

Et, comme Nantas allait s'excuser, il répéta avec plus de force :

« Une mauvaise action... Je ne veux rien savoir, je vous prie de ne pas chercher à m'expliquer les choses. Ma fille se serait jetée à votre cou, que votre crime resterait le même... Il n'y a que les voleurs qui s'introduisent ainsi violemment dans les familles. »

Nantas avait de nouveau baissé la tête.

« C'est une dot gagnée aisément, c'est un guet-apens où vous étiez certain de prendre la fille et le père...

– Permettez, monsieur », interrompit le jeune homme qui se révoltait.

Mais le baron eut un geste terrible.

« Quoi ? que voulez-vous que je permette ?... Ce n'est pas à vous de parler ici. Je vous dis ce que je dois vous dire et ce que vous devez entendre, puisque vous venez à moi comme un coupable... Vous m'avez outragé. Voyez cette maison, notre famille y a vécu pendant plus de trois siècles sans une souillure ; n'y sentez-vous pas un honneur séculaire, une tradition de dignité et de respect ? Eh bien ! monsieur, vous avez souffleté tout cela. J'ai failli en mourir, et aujourd'hui mes mains tremblent, comme si j'avais brusquement vieilli de dix ans... Taisez-vous et écoutez-moi. »

Nantas était devenu très pâle. Il avait accepté là un rôle bien lourd. Pourtant, il voulut prétexter l'aveuglement de la passion.

« J'ai perdu la tête, murmura-t-il en tâchant d'inventer un roman. Je n'ai pu voir Mlle Flavie... »

Au nom de sa fille, le baron se leva et cria d'une voix de tonnerre :

« Taisez-vous ! Je vous ai dit que je ne voulais rien savoir. Que ma fille soit allée vous chercher, ou que ce soit vous qui soyez venu à elle, cela ne me regarde pas. Je ne lui ai rien demandé, je ne vous demande rien. Gardez tous les deux vos confessions, c'est une ordure où je n'entrerai pas. »

Il se rassit, tremblant, épuisé. Nantas s'inclinait, troublé profondément, malgré l'empire qu'il avait sur lui-même. Au bout d'un silence, le vieillard reprit de la voix sèche d'un homme qui traite une affaire :

« Je vous demande pardon, monsieur. Je m'étais promis de garder mon sang-froid. Ce n'est pas vous qui m'appartenez, c'est moi qui vous appartiens, puisque je suis à votre discrétion. Vous êtes ici pour m'offrir une transaction devenue nécessaire. Transigeons, monsieur. »

Et il affecta dès lors de parler comme un avoué qui arrange à l'amiable quelque procès honteux, où il ne met les mains qu'avec dégoût. Il disait posément :

« Mlle Flavie Danvilliers a hérité, à la mort de sa mère, d'une somme de deux cent mille francs [1],

1. Environ 760 000 euros.

qu'elle ne devait toucher que le jour de son mariage. Cette somme a déjà produit des intérêts. Voici, d'ailleurs, mes comptes de tutelle, que je veux vous communiquer. »

Il avait ouvert un dossier, il lut des chiffres. Nantas tenta vainement de l'arrêter. Maintenant, une émotion le prenait, en face de ce vieillard, si droit et si simple, qui lui paraissait très grand, depuis qu'il était calme.

« Enfin, conclut celui-ci, je vous reconnais dans le contrat que mon notaire a dressé ce matin, un apport de deux cent mille francs. Je sais que vous n'avez rien. Vous toucherez les deux cent mille francs chez mon banquier, le lendemain du mariage.

– Mais, monsieur, dit Nantas, je ne vous demande pas votre argent, je ne veux que votre fille… »

Le baron lui coupa la parole.

« Vous n'avez pas le droit de refuser, et ma fille ne saurait épouser un homme moins riche qu'elle… Je vous donne la dot que je lui destinais, voilà tout. Peut-être aviez-vous compté trouver davantage, mais on me croit plus riche que je ne le suis réellement, monsieur. »

Et, comme le jeune homme restait muet sous cette dernière cruauté, le baron termina l'entrevue, en sonnant le domestique.

« Joseph, dites à Mademoiselle que je l'attends tout de suite dans mon cabinet. »

Il s'était levé, il ne prononça plus un mot, marchant lentement. Nantas demeurait debout et immobile. Il trompait ce vieillard, il se sentait petit et sans force devant lui. Enfin, Flavie entra.

« Ma fille, dit le baron, voici cet homme. Le mariage aura lieu dans le délai légal. »

Et il s'en alla, il les laissa seuls, comme si, pour lui, le mariage était conclu. Quand la porte se fut refermée, un silence régna. Nantas et Flavie se regardaient. Ils ne s'étaient point vus encore. Elle lui parut très belle, avec son visage pâle et hautain, dont les grands yeux gris ne se baissaient pas. Peut-être avait-elle pleuré depuis trois jours qu'elle n'avait pas quitté sa chambre ; mais la froideur de ses joues devait avoir glacé ses larmes. Ce fut elle qui parla la première.

« Alors, monsieur, cette affaire est terminée ?

– Oui, madame », répondit simplement Nantas.

Elle eut une moue involontaire, en l'enveloppant d'un long regard, qui semblait chercher en lui sa bassesse.

« Allons, tant mieux, reprit-elle. Je craignais de ne trouver personne pour un tel marché. »

Nantas sentit, à sa voix, tout le mépris dont elle l'accablait. Mais il releva la tête. S'il avait tremblé devant le père, en sachant qu'il le trompait, il entendait être solide et carré en face de la fille, qui était sa complice.

« Pardon, madame, dit-il tranquillement, avec une grande politesse, je crois que vous vous méprenez sur la situation que nous fait à tous deux ce que vous venez d'appeler très justement un marché. J'entends que, dès aujourd'hui, nous nous mettions sur un pied d'égalité…

– Ah ! vraiment, interrompit Flavie, avec un sourire dédaigneux.

– Oui, sur un pied d'égalité complète… Vous avez besoin d'un nom pour cacher une faute que je ne me permets pas de juger, et je vous donne le mien. De mon côté, j'ai besoin d'une mise de fonds, d'une certaine position sociale, pour mener à bien de grandes entreprises, et vous m'apportez ces fonds. Nous sommes dès aujourd'hui deux associés dont les apports se balancent, nous avons seulement à nous remercier pour le service que nous nous rendons mutuellement. »

Elle ne souriait plus. Un pli d'orgueil irrité lui barrait le front. Pourtant elle ne répondit pas. Au bout d'un silence, elle reprit :

« Vous connaissez mes conditions ?

– Non, madame, dit Nantas, qui conservait un calme parfait. Veuillez me les dicter, et je m'y soumets d'avance. »

Alors, elle s'exprima nettement, sans une hésitation ni une rougeur.

« Vous ne serez jamais que mon mari de nom. Nos vies resteront complètement distinctes et séparées. Vous abandonnerez tous vos droits sur moi, et je n'aurai aucun devoir envers vous. »

À chaque phrase, Nantas acceptait d'un signe de tête. C'était bien là ce qu'il désirait. Il ajouta :

« Si je croyais devoir être galant, je vous dirais que des conditions si dures me désespèrent. Mais nous sommes au-dessus de compliments aussi fades. Je suis très heureux de vous voir le courage de nos situations respectives. Nous entrons dans la vie par un sentier où l'on ne cueille pas de fleurs... Je ne vous demande qu'une chose, madame, c'est de ne point user de la liberté que je vous laisse, de façon à rendre mon intervention nécessaire.

– Monsieur ! » dit violemment Flavie, dont l'orgueil se révolta.

Mais il s'inclina respectueusement, en la suppliant de ne point se blesser. Leur position était délicate, ils devaient tous deux tolérer certaines allusions, sans quoi la bonne entente devenait impossible. Il évita d'insister davantage. Mlle Chuin, dans une seconde entrevue, lui avait conté la faute de Flavie. Son séducteur était un certain M. des Fondettes, le mari d'une de ses amies de couvent. Comme elle passait un mois chez eux, à la campagne, elle s'était trouvée un soir entre les bras de cet homme, sans savoir au juste comment cela avait pu se faire et jusqu'à quel point elle était consentante. Mlle Chuin parlait presque d'un viol.

Brusquement, Nantas eut un mouvement amical. Ainsi que tous les gens qui ont conscience de leur force, il aimait à être bonhomme.

« Tenez ! madame, s'écria-t-il, nous ne nous connaissons pas ; mais nous aurions vraiment tort de nous détester ainsi, à première vue. Peut-être sommes-nous faits pour nous entendre… Je vois bien que vous me méprisez ; c'est que vous ignorez mon histoire. »

Et il parla avec fièvre, se passionnant, disant sa vie dévorée d'ambition, à Marseille, expliquant la rage de ses deux mois de démarches inutiles dans Paris. Puis, il montra son dédain de ce qu'il nommait les conventions sociales, où patauge le commun des hommes. Qu'importait le jugement de la foule, quand on posait le pied sur elle ! Il s'agissait d'être supérieur. La toute-puissance excusait tout. Et, à grands traits, il peignit la vie souveraine qu'il saurait se faire. Il ne craignait plus aucun obstacle, rien ne prévalait contre la force. Il serait fort, il serait heureux.

« Ne me croyez pas platement intéressé, ajouta-t-il. Je ne me vends pas pour votre fortune. Je ne prends votre argent que comme un moyen de monter très haut… Oh ! si vous saviez tout ce qui gronde en moi, si vous saviez les nuits ardentes que j'ai passées à refaire toujours le même rêve, sans cesse emporté par la réalité du lendemain, vous me comprendriez, vous seriez peut-être fière de vous appuyer à mon bras, en vous disant que vous me fournissez enfin les moyens d'être quelqu'un ! »

Elle l'écoutait toute droite, pas un trait de son visage ne remuait. Et lui se posait une question qu'il retournait depuis trois jours, sans pouvoir trouver la réponse : l'avait-elle remarqué à sa fenêtre, pour avoir accepté si vite le projet de Mlle Chuin, lorsque celle-ci l'avait nommé ? Il lui vint la pensée singulière qu'elle se serait peut-être mise à l'aimer d'un amour romanesque, s'il avait refusé avec indignation le marché que la gouvernante était venue lui offrir [1].

1. Ces détails suggestifs sont propres à la nouvelle. Dans *La Curée*, Saccard est peint comme un ambitieux sans état d'âme.

Il se tut, et Flavie resta glacée. Puis, comme s'il ne lui avait pas fait sa confession, elle répéta sèchement :

« Ainsi, mon mari de nom seulement, nos vies complètement distinctes, une liberté absolue. »

Nantas reprit aussitôt son air cérémonieux, sa voix brève d'homme qui discute un traité.

« C'est signé, madame. »

Et il se retira, mécontent de lui. Comment avait-il pu céder à l'envie bête de convaincre cette femme ? Elle était très belle, il valait mieux qu'il n'y eût rien de commun entre eux, car elle pouvait le gêner dans la vie.

III

Dix années s'étaient écoulées. Un matin, Nantas se trouvait dans le cabinet où le baron Danvilliers l'avait autrefois si rudement accueilli, lors de leur première entrevue. Maintenant, ce cabinet était le sien ; le baron, après s'être réconcilié avec sa fille et son gendre, leur avait abandonné l'hôtel, en ne se réservant qu'un pavillon situé à l'autre bout du jardin, sur la rue de Beaune. En dix ans, Nantas venait de conquérir une des plus hautes situations financières et industrielles [1]. Mêlé à toutes les grandes entreprises de chemins de fer, lancé dans toutes les spéculations sur les terrains qui signalèrent les premières années de l'Empire, il avait réalisé rapidement une fortune immense. Mais son ambition ne se bornait pas là, il voulait jouer un rôle politique, et il avait réussi à se faire nommer député, dans un département où il possédait plusieurs fermes. Dès son arrivée au Corps législatif, il s'était posé en futur ministre des Finances. Par ses connaissances

1. C'est cette ascension qui a particulièrement intéressé Zola dans *La Curée*. Ici, l'ellipse temporelle témoigne d'un changement de perspective.

spéciales et sa facilité de parole, il y prenait de jour en jour une place plus importante. Du reste, il montrait adroitement un dévouement absolu à l'Empire, tout en ayant en matière de finances des théories personnelles, qui faisaient grand bruit et qu'il savait préoccuper beaucoup l'empereur [1].

Ce matin-là, Nantas était accablé d'affaires. Dans les vastes bureaux qu'il avait installés au rez-de-chaussée de l'hôtel, régnait une activité prodigieuse. C'était un monde d'employés, les uns immobiles derrière des guichets, les autres allant et venant sans cesse, faisant battre les portes ; c'était un bruit d'or continu, des sacs ouverts et coulant sur les tables, la musique toujours sonnante d'une caisse dont le flot semblait devoir noyer les rues. Puis, dans l'antichambre, une cohue se pressait, des solliciteurs, des hommes d'affaires, des hommes politiques, tout Paris à genoux devant la puissance. Souvent, de grands personnages attendaient là patiemment pendant une heure. Et lui, assis à son bureau, en correspondance avec la province et l'étranger, pouvant de ses bras étendus étreindre le monde, réalisait enfin son ancien rêve de force, se sentait le moteur intelligent d'une colossale machine qui remuait les royaumes et les empires.

Nantas sonna l'huissier qui gardait sa porte. Il paraissait soucieux.

« Germain, demanda-t-il, savez-vous si Madame est rentrée ? »

Et, comme l'huissier répondait qu'il l'ignorait, il lui commanda de faire descendre la femme de chambre de Madame. Mais Germain ne se retirait pas.

« Pardon, Monsieur, murmura-t-il, il y a là M. le président du Corps législatif qui insiste pour entrer. »

Alors, il eut un geste d'humeur, en disant :

1. Cette dimension politique de l'ascension de Nantas renvoie cette fois plutôt à un autre roman des *Rougon-Macquart*, *Son Excellence Eugène Rougon* (1876).

« Eh bien ! introduisez-le, et faites ce que je vous ai ordonné. »

La veille, sur une question capitale du budget, un discours de Nantas avait produit une impression telle, que l'article en discussion avait été envoyé à la commission, pour être amendé dans le sens indiqué par lui. Après la séance, le bruit s'était répandu que le ministre des Finances allait se retirer, et l'on désignait déjà dans les groupes le jeune député comme son successeur. Lui, haussait les épaules : rien n'était fait, il n'avait eu avec l'empereur qu'un entretien sur des points spéciaux. Pourtant, la visite du président du Corps législatif pouvait être grosse de signification. Il parut secouer la préoccupation qui l'assombrissait, il se leva et alla serrer les mains du président.

« Ah ! monsieur le duc, dit-il, je vous demande pardon. J'ignorais que vous fussiez là... Croyez que je suis bien touché de l'honneur que vous me faites. »

Un instant, ils causèrent à bâtons rompus, sur un ton de cordialité. Puis, le président, sans rien lâcher de net, lui fit entendre qu'il était envoyé par l'empereur, pour le sonder. Accepterait-il le portefeuille des Finances, et avec quel programme ? Alors, lui, superbe de sang-froid, posa ses conditions. Mais, sous l'impassibilité de son visage, un grondement de triomphe montait. Enfin, il gravissait le dernier échelon, il était au sommet. Encore un pas, il allait avoir toutes les têtes au-dessous de lui. Comme le président concluait, en disant qu'il se rendait à l'instant même chez l'empereur, pour lui communiquer le programme débattu, une petite porte donnant sur les appartements s'ouvrit, et la femme de chambre de Madame parut.

Nantas, tout d'un coup redevenu blême, n'acheva pas la phrase qu'il prononçait. Il courut à cette femme, en murmurant :

« Excusez-moi, monsieur le duc... »

Et, tout bas, il l'interrogea. Madame était donc sortie de bonne heure ? Avait-elle dit où elle allait ?

Quand devait-elle rentrer ? La femme de chambre répondait par des paroles vagues, en fille intelligente qui ne veut pas se compromettre. Ayant compris la naïveté de cet interrogatoire, il finit par dire simplement :

« Dès que Madame rentrera, prévenez-la que je désire lui parler. »

Le duc, surpris, s'était approché d'une fenêtre et regardait dans la cour. Nantas revint à lui, en s'excusant de nouveau. Mais il avait perdu son sang-froid, il balbutia, il l'étonna par des paroles peu adroites.

« Allons, j'ai gâté mon affaire, laissa-t-il échapper tout haut, lorsque le président ne fut plus là. Voilà un portefeuille qui va m'échapper. »

Et il resta dans un état de malaise, coupé d'accès de colère. Plusieurs personnes furent introduites. Un ingénieur avait à lui présenter un rapport qui annonçait des bénéfices énormes dans une exploitation de mine. Un diplomate l'entretint d'un emprunt qu'une puissance voisine voulait ouvrir à Paris. Des créatures défilèrent, lui rendirent des comptes sur vingt affaires considérables. Enfin, il reçut un grand nombre de ses collègues de la Chambre ; tous se répandaient en éloges outrés sur son discours de la veille. Lui, renversé au fond de son fauteuil, acceptait cet encens, sans un sourire. Le bruit de l'or continuait dans les bureaux voisins ; une trépidation d'usine faisait trembler les murs, comme si on eût fabriqué là tout cet or qui sonnait. Il n'avait qu'à prendre une plume pour expédier des dépêches dont l'arrivée aurait réjoui ou consterné les marchés de l'Europe ; il pouvait empêcher ou précipiter la guerre, en appuyant ou en combattant l'emprunt dont on lui avait parlé ; même il tenait le budget de la France dans sa main, il saurait bientôt s'il serait pour ou contre l'Empire. C'était le triomphe, sa personnalité développée outre mesure devenait le centre autour duquel tournait un monde. Et il ne goûtait point ce triomphe, ainsi qu'il se l'était promis. Il éprouvait une lassitude, l'esprit autre part, tressaillant au moindre bruit. Lorsqu'une flamme, une fièvre d'ambition satisfaite montait à ses joues, il se sentait tout de suite pâlir, comme si par-derrière, brusquement, une main froide l'eût touché à la nuque.

Deux heures s'étaient passées, et Flavie n'avait pas encore paru. Nantas appela Germain pour le charger d'aller chercher M. Danvilliers, si le baron se trouvait chez lui. Resté seul, il marcha dans son cabinet, en refusant de recevoir davantage ce jour-là. Peu à peu, son agitation avait grandi. Évidemment, sa femme était à quelque rendez-vous. Elle devait avoir renoué avec M. des Fondettes, qui était veuf depuis six mois. Certes, Nantas se défendait d'être jaloux ; pendant dix années, il avait strictement observé le traité conclu ; seulement, il entendait, disait-il, ne pas être ridicule. Jamais il ne permettrait à sa femme de compromettre sa situation, en le rendant la moquerie de tous. Et sa force l'abandonnait, ce sentiment de mari qui veut simplement être respecté l'envahissait d'un tel trouble qu'il n'en avait pas éprouvé de pareil, même lorsqu'il jouait les coups de cartes les plus hasardés, dans les commencements de sa fortune.

Flavie entra, encore en toilette de ville ; elle n'avait retiré que son chapeau et ses gants. Nantas, dont la voix tremblait, lui dit qu'il serait monté chez elle, si elle lui avait fait savoir qu'elle était rentrée. Mais elle, sans s'asseoir, de l'air pressé d'une cliente, eut un geste pour l'inviter à se hâter.

« Madame, commença-t-il, une explication est devenue nécessaire entre nous… Où êtes-vous allée ce matin ? »

La voix frémissante de son mari, la brutalité de sa question, la surprirent extrêmement.

« Mais, répondit-elle d'un ton froid, où il m'a plu d'aller.

– Justement, c'est ce qui ne saurait me convenir désormais, reprit-il en devenant très pâle. Vous devez vous souvenir de ce que je vous ai dit, je ne tolérerai pas que vous usiez de la liberté que je vous laisse, de façon à déshonorer mon nom. »

Flavie eut un sourire de souverain mépris.

« Déshonorer votre nom, monsieur, mais cela vous regarde, c'est une besogne qui n'est plus à faire. »

Alors, Nantas, dans un emportement fou, s'avança comme s'il voulait la battre, bégayant :

« Malheureuse, vous sortez des bras de M. des Fondettes... Vous avez un amant, je le sais.

– Vous vous trompez, dit-elle sans reculer devant sa menace, je n'ai jamais revu M. des Fondettes... Mais j'aurais un amant que vous n'auriez pas à me le reprocher. Qu'est-ce que cela pourrait vous faire ? Vous oubliez donc nos conventions. »

Il la regarda un instant de ses yeux hagards ; puis, secoué de sanglots, mettant dans son cri une passion longtemps contenue, il s'abattit à ses pieds.

« Oh ! Flavie, je vous aime ! »

Elle, toute droite, s'écarta, parce qu'il avait touché le coin de sa robe. Mais le malheureux la suivait en se traînant sur les genoux, les mains tendues.

« Je vous aime, Flavie, je vous aime comme un fou... Cela est venu je ne sais comment. Il y a des années déjà. Et peu à peu cela m'a pris tout entier. Oh ! j'ai lutté, je trouvais cette passion indigne de moi, je me rappelais notre premier entretien... Mais, aujourd'hui, je souffre trop, il faut que je vous parle... »

Longtemps, il continua. C'était l'effondrement de toutes ses croyances. Cet homme qui avait mis sa foi dans la force, qui soutenait que la volonté est le seul levier capable de soulever le monde, tombait anéanti, faible comme un enfant, désarmé devant une femme. Et son rêve de fortune réalisé, sa haute situation conquise, il eût tout donné, pour que cette femme le relevât d'un baiser au front. Elle lui gâtait son triomphe. Il n'entendait plus l'or qui sonnait dans ses bureaux, il ne songeait plus au défilé des courtisans qui venaient de le saluer, il oubliait que l'empereur, en ce moment, l'appelait peut-être au pouvoir. Ces choses n'existaient pas. Il avait tout, et il ne voulait que Flavie. Si Flavie se refusait, il n'avait rien.

« Écoutez, continua-t-il, ce que j'ai fait, je l'ai fait pour vous... D'abord, c'est vrai, vous ne comptiez pas, je travaillais pour la satisfaction de mon orgueil. Puis, vous êtes devenue l'unique but de toutes mes pensées, de tous mes efforts. Je me disais que je devais monter le plus haut possible, afin de vous mériter. J'espérais vous fléchir, le jour où je mettrais à vos pieds ma puissance. Voyez où je suis aujourd'hui. N'ai-je pas gagné votre pardon ? Ne me méprisez plus, je vous en conjure ! »

Elle n'avait pas encore parlé. Elle dit tranquillement :

« Relevez-vous, monsieur, on pourrait entrer. »

Il refusa, il la supplia encore. Peut-être aurait-il attendu, s'il n'avait pas été jaloux de M. des Fondettes. C'était un tourment qui l'affolait. Puis, il se fit très humble.

« Je vois bien que vous me méprisez toujours. Eh bien ! attendez, ne donnez votre amour à personne. Je vous promets de si grandes choses, que je saurai bien vous fléchir. Il faut me pardonner, si j'ai été brutal tout à l'heure. Je n'ai plus la tête à moi... Oh ! laissez-moi espérer que vous m'aimerez un jour !

– Jamais ! » prononça-t-elle avec énergie.

Et, comme il restait par terre, écrasé, elle voulut sortir. Mais, lui, la tête perdue, pris d'un accès de rage, se leva et la saisit aux poignets. Une femme le bravait ainsi, lorsque le monde était à ses pieds ! Il pouvait tout, bouleverser les États, conduire la France à son gré, et il ne pourrait obtenir l'amour de sa femme ! Lui, si fort, si puissant, lui dont les moindres désirs étaient des ordres, il n'avait plus qu'un désir, et ce désir ne serait jamais contenté, parce qu'une créature, d'une faiblesse d'enfant, refusait ! Il lui serrait les bras, il répétait d'une voix rauque :

« Je veux... Je veux...

– Et moi je ne veux pas », disait Flavie toute blanche et raidie dans sa volonté.

La lutte continuait, lorsque le baron Danvilliers ouvrit la porte. À sa vue, Nantas lâcha Flavie et s'écria :

« Monsieur, voici votre fille qui revient de chez son amant... Dites-lui donc qu'une femme doit respecter le nom de son mari, même lorsqu'elle ne l'aime pas et que la pensée de son propre honneur ne l'arrête plus. »

Le baron, très vieilli, restait debout sur le seuil, devant cette scène de violence. C'était pour lui une surprise douloureuse. Il croyait le ménage uni, il approuvait les rapports cérémonieux des deux époux, pensant qu'il n'y avait là qu'une tenue de convenance. Son gendre et lui étaient de deux générations différentes ; mais, s'il était blessé par l'activité peu scrupuleuse du financier, s'il condamnait certaines entreprises qu'il traitait de casse-cou, il avait dû reconnaître la force de sa volonté et sa vive intelligence. Et, brusquement, il tombait dans ce drame, qu'il ne soupçonnait pas.

Lorsque Nantas accusa Flavie d'avoir un amant, le baron, qui traitait encore sa fille mariée avec la sévérité qu'il avait pour elle à dix ans, s'avança de son pas de vieillard solennel.

« Je vous jure qu'elle sort de chez son amant, répétait Nantas, et vous la voyez ! elle est là qui me brave. »

Flavie, dédaigneuse, avait tourné la tête. Elle arrangeait ses manchettes, que la brutalité de son mari avait froissées. Pas une rougeur n'était montée à son visage. Cependant, son père lui parlait.

« Ma fille, pourquoi ne vous défendez-vous pas ? Votre mari dirait-il la vérité ? Auriez-vous réservé cette dernière douleur à ma vieillesse ?... L'affront serait aussi pour moi ; car, dans une famille, la faute d'un seul membre suffit à salir tous les autres. »

Alors, elle eut un mouvement d'impatience. Son père prenait bien son temps pour l'accuser ! Un instant encore, elle supporta son interrogatoire, voulant lui épargner la honte d'une explication. Mais, comme il s'emportait à son tour, en la voyant muette et provocante, elle finit par dire :

« Eh ! mon père, laissez cet homme jouer son rôle… Vous ne le connaissez pas. Ne me forcez point à parler par respect pour vous.

– Il est votre mari, reprit le vieillard. Il est le père de votre enfant. »

Flavie s'était redressée, frémissante.

« Non, non, il n'est pas le père de mon enfant… À la fin, je vous dirai tout. Cet homme n'est pas même un séducteur, car ce serait une excuse au moins, s'il m'avait aimée. Cet homme s'est simplement vendu et a consenti à couvrir la faute d'un autre. »

Le baron se tourna vers Nantas, qui, livide, reculait.

« Entendez-vous, mon père ! reprenait Flavie avec plus de force, il s'est vendu, vendu pour de l'argent… Je ne l'ai jamais aimé, il ne m'a jamais touchée du bout de ses doigts… J'ai voulu vous épargner une grande douleur, je l'ai acheté afin qu'il vous mentît… Regardez-le, voyez si je dis la vérité. »

Nantas se cachait la face entre les mains.

« Et, aujourd'hui, continua la jeune femme, voilà qu'il veut que je l'aime… Il s'est mis à genoux et il a pleuré. Quelque comédie sans doute. Pardonnez-moi de vous avoir trompé, mon père ; mais, vraiment, est ce que j'appartiens à cet homme ?… Maintenant que vous savez tout, emmenez-moi. Il m'a violentée tout à l'heure, je ne resterai pas ici une minute de plus. »

Le baron redressa sa taille courbée. Et, silencieux, il alla donner le bras à sa fille. Tous deux traversèrent la pièce, sans que Nantas fît un geste pour les retenir. Puis, à la porte, le vieillard ne laissa tomber que cette parole :

« Adieu, monsieur. »

La porte s'était refermée. Nantas restait seul, écrasé, regardant follement le vide autour de lui. Comme Germain venait d'entrer et de poser une lettre sur le bureau, il l'ouvrit machinalement et la parcourut des yeux. Cette lettre, entièrement écrite de la main de l'empereur, l'appelait au ministère des Finances, en termes très obligeants. Il comprit à peine. La réalisation de toutes ses ambitions ne le touchait plus. Dans les caisses voisines, le bruit de l'or avait augmenté ; c'était l'heure où la maison Nantas ronflait, donnant le branle à tout un monde. Et lui, au milieu de ce labeur colossal qui était son œuvre, dans l'apogée de sa puissance, les yeux stupidement fixés sur l'écriture de l'empereur, poussa cette plainte d'enfant, qui était la négation de sa vie entière :

« Je ne suis pas heureux… Je ne suis pas heureux… »

Il pleurait, la tête tombée sur son bureau, et ses larmes chaudes effaçaient la lettre qui le nommait ministre.

IV

Depuis dix-huit mois que Nantas était ministre des Finances, il semblait s'étourdir par un travail surhumain. Au lendemain de la scène de violence qui s'était passée dans son cabinet, il avait eu avec le baron Danvilliers une entrevue ; et, sur les conseils de son père, Flavie avait consenti à rentrer au domicile conjugal. Mais les époux ne s'adressaient plus la parole, en dehors de la comédie qu'ils devaient jouer devant le monde. Nantas avait décidé qu'il ne quitterait pas son hôtel. Le soir, il amenait ses secrétaires et expédiait chez lui la besogne.

Ce fut l'époque de son existence où il fit les plus grandes choses. Une voix lui soufflait des inspirations hautes et fécondes. Sur son passage, un murmure de sympathie et d'admiration s'élevait. Mais lui restait insensible aux éloges. On eût dit qu'il travaillait sans espoir de récompense, avec la pensée d'entasser les œuvres dans le but unique de tenter l'impossible. Chaque fois qu'il montait plus haut, il consultait le visage de Flavie. Est-ce qu'elle était touchée enfin ? Est-ce qu'elle lui pardonnait son ancienne infamie, pour ne plus voir que le développement de son intelligence ? Et il ne surprenait toujours aucune émotion sur le visage muet de cette femme, et il se disait, en se remettant au travail : « Allons ! je ne suis point assez haut pour elle, il faut monter encore, monter sans cesse. » Il entendait forcer le bonheur, comme il avait forcé la fortune. Toute sa croyance en sa force lui revenait, il n'admettait pas d'autre levier en ce monde, car c'est la volonté de la vie qui a fait l'humanité. Quand le découragement le prenait parfois, il s'enfermait pour que personne ne pût se douter des faiblesses de sa chair. On ne devinait ses luttes qu'à ses yeux plus profonds, cerclés de noir, et où brûlait une flamme intense.

La jalousie le dévorait maintenant. Ne pas réussir à se faire aimer de Flavie, était un supplice ; mais une rage l'affolait, lorsqu'il songeait qu'elle pouvait se donner à un autre. Pour affirmer sa liberté, elle était capable de s'afficher avec M. des Fondettes. Il affectait donc de ne point s'occuper d'elle, tout en agonisant d'angoisse à ses moindres absences. S'il n'avait pas craint le ridicule, il l'aurait suivie lui-même dans les rues. Ce fut alors qu'il voulut avoir près d'elle une personne dont il achèterait le dévouement.

On avait conservé Mlle Chuin dans la maison. Le baron était habitué à elle. D'autre part, elle savait trop de choses pour qu'on pût s'en débarrasser. Un moment, la vieille fille avait eu le projet de se retirer avec les vingt mille francs que Nantas lui avait comptés, au lendemain de son mariage. Mais sans doute elle s'était dit que la maison devenait bonne pour y pêcher en eau trouble. Elle attendait donc une nouvelle occasion, ayant fait le calcul qu'il lui fallait encore une vingtaine de mille francs, si elle voulait acheter à Roinville, son pays, la maison du notaire, qui avait fait l'admiration de sa jeunesse.

Nantas n'avait pas à se gêner avec cette vieille fille, dont les mines confites en dévotion ne pouvaient plus le tromper. Pourtant, le matin où il la fit venir dans son cabinet et où il lui proposa nettement de le tenir au courant des moindres actions de sa femme, elle feignit de se révolter, en lui demandant pour qui il la prenait.

« Voyons, mademoiselle, dit-il impatienté, je suis très pressé, on m'attend. Abrégeons, je vous prie. »

Mais elle ne voulait rien entendre, s'il n'y mettait des formes. Ses principes étaient que les choses ne sont pas laides en elles-mêmes, qu'elles le deviennent ou cessent de l'être, selon la façon dont on les présente.

« Eh bien ! reprit-il, il s'agit, mademoiselle, d'une bonne action... Je crains que ma femme ne me cache certains chagrins. Je la vois triste depuis quelques semaines, et j'ai songé à vous, pour obtenir des renseignements.

– Vous pouvez compter sur moi, dit-elle alors avec une effusion maternelle. Je suis dévouée à Madame, je ferai tout pour son honneur et le vôtre... Dès demain, nous veillerons sur elle. »

Il lui promit de la récompenser de ses services. Elle se fâcha d'abord. Puis, elle eut l'habileté de le forcer à fixer une somme : il lui donnerait dix mille francs, si elle lui fournissait une preuve formelle de la bonne ou de la mauvaise conduite de Madame. Peu à peu, ils en étaient venus à préciser les choses.

Dès lors, Nantas se tourmenta moins. Trois mois s'écoulèrent, il se trouvait engagé dans une grosse besogne, la préparation du budget. D'accord avec l'empereur, il avait apporté au système financier d'importantes modifications. Il savait qu'il serait vivement attaqué à la Chambre, et il lui fallait préparer une quantité considérable de documents.

Souvent il veillait des nuits entières. Cela l'étourdissait et le rendait patient. Quand il voyait Mlle Chuin, il l'interrogeait d'une voix brève. Savait-elle quelque chose ? Madame avait-elle fait beaucoup de visites ? S'était-elle particulièrement arrêtée dans certaines maisons ? Mlle Chuin tenait un journal détaillé. Mais elle n'avait encore recueilli que des faits sans importance. Nantas se rassurait, tandis que la vieille clignait les yeux parfois, en répétant que, bientôt peut-être, elle aurait du nouveau.

La vérité était que Mlle Chuin avait fortement réfléchi. Dix mille francs ne faisaient pas son compte, il lui en fallait vingt mille, pour acheter la maison du notaire. Elle eut d'abord l'idée de se vendre à la femme, après s'être vendue au mari. Mais elle connaissait Madame, elle craignit d'être chassée au premier mot. Depuis longtemps, avant même qu'on la chargeât de cette besogne, elle l'avait espionnée pour son compte, en se disant que les vices des maîtres sont la fortune des valets ; et elle s'était heurtée à une de ces honnêtetés d'autant plus solides, qu'elles s'appuient sur l'orgueil. Flavie gardait de sa faute une rancune à tous les hommes. Aussi Mlle Chuin se désespérait-elle, lorsqu'un jour elle rencontra M. des Fondettes. Il la questionna si vivement sur sa maîtresse, qu'elle comprit tout d'un coup qu'il la désirait follement, brûlé par le souvenir de la minute où il l'avait tenue dans ses bras. Et son plan fut arrêté : servir à la fois le mari et l'amant, là était la combinaison de génie.

Justement, tout venait à point. M. des Fondettes, repoussé, désormais sans espoir, aurait donné sa fortune pour posséder encore cette femme qui lui avait appartenu. Ce fut lui qui, le premier, tâta Mlle Chuin. Il la revit, joua le sentiment, en jurant qu'il se tuerait, si elle ne l'aidait pas. Au bout de huit jours, après une grande dépense de sensibilité et de scrupules, l'affaire était faite : il donnerait dix mille francs, et elle, un soir, le cacherait dans la chambre de Flavie.

Le matin, Mlle Chuin alla trouver Nantas.

« Qu'avez-vous appris ? » demanda-t-il en pâlissant.

Mais elle ne précisa rien d'abord. Madame avait pour sûr une liaison. Même elle donnait des rendez-vous.

« Au fait, au fait », répétait-il, furieux d'impatience.

Enfin, elle nomma M. des Fondettes.

« Ce soir, il sera dans la chambre de Madame.

– C'est bien, merci », balbutia Nantas.

Il la congédia du geste, il avait peur de défaillir devant elle. Ce brusque renvoi l'étonnait et l'enchantait, car elle s'était attendue à un long interrogatoire, et elle avait même préparé ses réponses, pour ne pas s'embrouiller. Elle fit une révérence, elle se retira, en prenant une figure dolente.

Nantas s'était levé. Dès qu'il fut seul, il parla tout haut.

« Ce soir… Dans sa chambre… »

Et il portait les mains à son crâne, comme s'il l'avait entendu craquer. Ce rendez-vous, donné au domicile conjugal, lui semblait monstrueux d'impudence. Il ne pouvait se laisser outrager ainsi. Ses poings de lutteur se serraient, une rage le faisait rêver d'assassinat. Pourtant, il avait à finir un travail. Trois fois, il se rassit devant son bureau, et trois fois un soulèvement de tout son corps le remit debout ; tandis que, derrière lui, quelque chose le poussait, un besoin de monter sur-le-champ chez sa femme, pour la traiter de catin. Enfin, il se vainquit, il se remit à la besogne, en jurant qu'il les étranglerait, le soir. Ce fut la plus grande victoire qu'il remporta jamais sur lui-même.

L'après-midi, Nantas alla soumettre à l'empereur le projet définitif du budget. Celui-ci lui ayant fait quelques objections, il les discuta avec une lucidité parfaite. Mais il lui fallut promettre de modifier toute une partie de son travail. Le projet devait être déposé le lendemain.

« Sire, je passerai la nuit », dit-il.

Et, en revenant, il pensait : « Je les tuerai à minuit, et j'aurai ensuite jusqu'au jour pour terminer ce travail. »

Le soir, au dîner, le baron Danvilliers causa précisément de ce projet de budget, qui faisait grand bruit. Lui, n'approuvait pas toutes les idées de son gendre en matière de finances. Mais il les trouvait très larges, très remarquables. Pendant qu'il répondait au baron, Nantas, à plusieurs reprises, crut surprendre les yeux de sa femme fixés sur les siens. Souvent, maintenant, elle le regardait ainsi. Son regard ne s'attendrissait pas, elle l'écoutait simplement et semblait chercher à lire au-delà de son visage. Nantas pensa qu'elle craignait d'avoir été trahie. Aussi fit-il un effort pour paraître d'esprit dégagé : il causa beaucoup, s'éleva très haut, finit par convaincre son beau-père, qui céda devant sa grande intelligence. Flavie le regardait toujours ; et une mollesse à peine sensible avait un instant passé sur sa face.

Jusqu'à minuit, Nantas travailla dans son cabinet. Il s'était passionné peu à peu, plus rien n'existait que cette création, ce mécanisme financier qu'il avait lentement construit, rouage à rouage, au travers d'obstacles sans nombre. Quand la pendule sonna minuit, il leva instinctivement la tête. Un grand silence régnait dans l'hôtel. Tout d'un coup, il se souvint, l'adultère était là, au fond de cette ombre et de ce silence. Mais ce fut pour lui une peine que de quitter son fauteuil : il posa la plume à regret, fit quelques pas comme pour obéir à une volonté ancienne, qu'il ne retrouvait plus. Puis, une chaleur lui empourpra la face, une flamme alluma ses yeux. Et il monta à l'appartement de sa femme.

Ce soir-là, Flavie avait congédié de bonne heure sa femme de chambre. Elle voulait être seule. Jusqu'à minuit, elle resta dans le petit salon qui précédait sa chambre à coucher. Allongée sur une causeuse, elle avait pris un livre ; mais, à chaque instant, le livre tombait de ses mains, et elle songeait, les yeux perdus. Son visage s'était encore adouci, un sourire pâle y passait par moments.

Elle se leva en sursaut. On avait frappé.

« Qui est là ?

– Ouvrez », répondit Nantas.

Ce fut pour elle une si grande surprise, qu'elle ouvrit machinalement. Jamais son mari ne s'était ainsi présenté chez elle. Il entra, bouleversé ; la colère l'avait repris, en montant. Mlle Chuin, qui le guettait sur le palier, venait de lui murmurer à l'oreille que M. des Fondettes était là depuis deux heures. Aussi ne montra-t-il aucun ménagement.

« Madame, dit-il, un homme est caché dans votre chambre. »

Flavie ne répondit pas tout de suite, tellement sa pensée était loin. Enfin, elle comprit.

« Vous êtes fou, monsieur », murmura-t-elle.

Mais, sans s'arrêter à discuter, il marchait déjà vers la chambre. Alors, d'un bond, elle se mit devant la porte, en criant :

« Vous n'entrerez pas… Je suis ici chez moi, et je vous défends d'entrer ! »

Frémissante, grandie, elle gardait la porte. Un instant, ils restèrent immobiles, sans une parole, les yeux dans les yeux. Lui, le cou tendu, les mains en avant, allait se jeter sur elle, pour passer.

« Ôtez-vous de là, murmura-t-il d'une voix rauque. Je suis plus fort que vous, j'entrerai quand même.

– Non, vous n'entrerez pas, je ne veux pas. »

Follement, il répétait :

« Il y a un homme, il y a un homme… »

Elle, ne daignant même pas lui donner un démenti, haussait les épaules. Puis, comme il faisait encore un pas :

« Eh bien ! mettons qu'il y ait un homme, qu'est-ce que cela peut vous faire ? Ne suis-je pas libre ? »

Il recula devant ce mot qui le cinglait comme un soufflet. En effet, elle était libre. Un grand froid le prit aux épaules, il sentit nettement qu'elle avait le rôle supérieur, et que lui jouait là une scène d'enfant malade et illogique. Il n'observait pas le traité, sa stupide passion le rendait odieux. Pourquoi n'était-il pas resté à travailler dans son cabinet ? Le sang se retirait de ses joues, une ombre d'indicible souffrance blêmit son visage. Lorsque Flavie remarqua le bouleversement qui se faisait en lui, elle s'écarta de la porte, tandis qu'une douceur attendrissait ses yeux.

« Voyez », dit-elle simplement.

Et elle-même entra dans la chambre, une lampe à la main, tandis que Nantas demeurait sur le seuil. D'un geste, il lui avait dit que c'était inutile, qu'il ne voulait pas voir. Mais elle, maintenant, insistait. Comme elle arrivait devant le lit, elle souleva les rideaux, et M. des Fondettes apparut, caché derrière. Ce fut pour elle une telle stupeur, qu'elle eut un cri d'épouvante.

« C'est vrai, balbutia-t-elle éperdue, c'est vrai, cet homme était là... Je l'ignorais, oh ! sur ma vie, je vous le jure ! »

Puis, par un effort de volonté, elle se calma, elle parut même regretter ce premier mouvement qui venait de la pousser à se défendre.

« Vous aviez raison, monsieur, et je vous demande pardon », dit-elle à Nantas, en tâchant de retrouver sa voix froide.

Cependant, M. des Fondettes se sentait ridicule. Il faisait une mine sotte, il aurait donné beaucoup pour que le mari se fâchât. Mais Nantas se taisait. Il était simplement devenu très pâle. Quand il eut reporté ses regards de M. des Fondettes à Flavie, il s'inclina devant cette dernière, en prononçant cette seule phrase :

« Madame, excusez-moi, vous êtes libre. »

Et il tourna le dos, il s'en alla. En lui, quelque chose venait de se casser ; seul, le mécanisme des muscles et des os fonctionnait encore. Lorsqu'il se retrouva dans son cabinet, il marcha droit à un tiroir où il cachait un revolver. Après avoir examiné cette arme, il dit tout haut, comme pour prendre un engagement formel vis-à-vis de lui-même :

« Allons, c'est assez, je me tuerai tout à l'heure. »

Il remonta la lampe qui baissait, il s'assit devant son bureau et se remit tranquillement à la besogne. Sans une hésitation, au milieu du grand silence, il continua la phrase commencée. Un à un, méthodiquement, les feuillets s'entassaient. Deux heures plus tard, lorsque Flavie, qui avait chassé M. des Fondettes, descendit pieds nus pour écouter à la porte du cabinet, elle n'entendit que le petit bruit de la plume craquant sur le papier. Alors, elle se pencha, elle mit un œil au trou de la serrure. Nantas écrivait toujours avec le même calme, son visage exprimait la paix et la satisfaction du travail, tandis qu'un rayon de la lampe allumait le canon du revolver, près de lui.

V

La maison attenante au jardin de l'hôtel était maintenant la propriété de Nantas, qui l'avait achetée à son beau-père. Par un caprice, il défendait d'y louer l'étroite mansarde, où, pendant deux mois, il s'était débattu contre la misère, lors de son arrivée à Paris. Depuis sa grande fortune, il avait éprouvé, à diverses reprises, le besoin de monter s'y enfermer pour quelques heures. C'était là qu'il avait souffert, c'était là qu'il voulait triompher. Lorsqu'un obstacle se présentait, il aimait aussi à y réfléchir, à y prendre les grandes déterminations de sa vie. Il y redevenait ce qu'il était autrefois. Aussi, devant la nécessité du suicide, était-ce dans cette mansarde qu'il avait résolu de mourir.

Le matin, Nantas n'eut fini son travail que vers huit heures. Craignant que la fatigue ne l'assoupît, il se lava à grande eau. Puis, il appela successivement plusieurs employés, pour leur donner des ordres. Lorsque son secrétaire fut arrivé, il eut avec lui un entretien : le secrétaire devait porter sur-le-champ le projet de budget aux Tuileries, et fournir certaines explications, si l'empereur soulevait des objections nouvelles. Dès lors, Nantas crut avoir assez fait. Il laissait tout en ordre, il ne partirait pas comme un banqueroutier frappé de démence. Enfin, il s'appartenait, il pouvait disposer de lui, sans qu'on l'accusât d'égoïsme et de lâcheté.

Neuf heures sonnèrent. Il était temps. Mais, comme il allait quitter son cabinet, en emportant le revolver, il eut une dernière amertume à boire. Mlle Chuin se présenta pour toucher les dix mille francs promis. Il la paya, et dut subir sa familiarité. Elle se montrait maternelle, elle le traitait un peu comme un élève qui a réussi. S'il avait encore hésité, cette complicité honteuse l'aurait décidé au suicide. Il monta vivement et, dans sa hâte, laissa la clé sur la porte.

Rien n'était changé. Le papier avait les mêmes déchirures, le lit, la table et la chaise se trouvaient toujours là, avec leur odeur de pauvreté ancienne. Il respira un moment cet air qui lui rappelait les luttes d'autrefois. Puis, il s'approcha de la fenêtre et il aperçut la même échappée de Paris, les arbres de l'hôtel, la Seine, les quais, tout un coin de la rive droite, où le flot des maisons roulait, se haussait, se confondait, jusqu'aux lointains du Père-Lachaise.

Le revolver était sur la table boiteuse, à portée de sa main. Maintenant, il n'avait plus de hâte, il était certain que personne ne viendrait et qu'il se tuerait à sa guise. Il songeait et se disait qu'il se retrouvait au même point que jadis, ramené au même lieu, dans la même volonté du suicide. Un soir déjà, à cette place, il avait voulu se casser la tête ; il était trop pauvre alors pour acheter un pistolet, il n'avait que le pavé de la rue, mais la mort était quand même au bout. Ainsi, dans l'existence, il n'y avait donc que la mort qui ne trompât pas, qui se montrât toujours sûre et toujours prête. Il ne connaissait qu'elle de solide, il avait beau chercher, tout s'était continuellement effondré sous lui, la mort seule restait une certitude. Et il éprouva le regret d'avoir vécu dix ans de trop. L'expérience qu'il avait faite de la vie, en montant à la fortune et au pouvoir, lui paraissait puérile. À quoi bon cette dépense de volonté, à quoi bon tant de force produite, puisque, décidément, la volonté et la force n'étaient pas tout ? Il avait suffi d'une passion pour le détruire, il s'était pris sottement à aimer Flavie, et le monument qu'il bâtissait, craquait, s'écroulait comme un château de cartes, emporté par l'haleine d'un enfant. C'était misérable, cela ressemblait à la punition d'un écolier maraudeur, sous lequel la branche casse, et qui périt par où il a péché. La vie était bête, les hommes supérieurs y finissaient aussi platement que les imbéciles.

Nantas avait pris le revolver sur la table et l'armait lentement. Un dernier regret le fit mollir une seconde, à ce moment suprême. Que de grandes choses il aurait réalisées, si Flavie l'avait compris ! Le jour où elle se serait jetée à son cou, en lui disant : « Je t'aime ! » ce jour-là, il aurait trouvé un levier pour soulever le monde. Et sa dernière pensée était un grand dédain de la force, puisque la force, qui devait tout lui donner, n'avait pu lui donner Flavie.

Il leva son arme. La matinée était superbe. Par la fenêtre grande ouverte, le soleil entrait, mettant un éveil de jeunesse dans la mansarde. Au loin, Paris commençait son labeur de ville géante. Nantas appuya le canon sur sa tempe.

Mais la porte s'était violemment ouverte, et Flavie entra. D'un geste, elle détourna le coup, la balle alla s'enfoncer dans le plafond. Tous deux se regardaient. Elle était si essoufflée, si étranglée, qu'elle ne pouvait parler. Enfin, tutoyant Nantas pour la première fois, elle trouva le mot qu'il attendait, le seul mot qui pût le décider à vivre :

« Je t'aime ! cria-t-elle à son cou, sanglotante, arrachant cet aveu à son orgueil, à tout son être dompté, je t'aime parce que tu es fort ! »

— Je t'aime, s'écria-t-elle sanglotante.

Illustration de *Nantas* par Bertall.

(*Œuvres complètes illustrées* de Zola, Fasquelle, 1906.)

LA MORT D'OLIVIER BÉCAILLE [1]

I

C'est un samedi, à six heures du matin, que je suis mort, après trois jours de maladie. Ma pauvre femme fouillait depuis un instant dans la malle, où elle cherchait du linge. Lorsqu'elle s'est relevée et qu'elle m'a vu rigide, les yeux ouverts, sans un souffle, elle est accourue, croyant à un évanouissement, me touchant les mains, se penchant sur mon visage. Puis, la terreur l'a prise ; et, affolée, elle a bégayé, en éclatant en larmes :

« Mon Dieu ! mon Dieu ! il est mort ! »

J'entendais tout, mais les sons affaiblis semblaient venir de très loin. Seul, mon œil gauche percevait encore une lueur confuse, une lumière blanchâtre où les objets se fondaient ; l'œil droit se trouvait complètement paralysé. C'était une syncope de mon être entier, comme un coup de foudre qui m'avait anéanti. Ma volonté était morte, plus une fibre de ma chair ne m'obéissait. Et, dans ce néant, au-dessus de mes membres inertes, la pensée seule

---

1. Écrite en février 1879, la nouvelle *La Mort d'Olivier Bécaille* fut publiée dans *Le Messager de l'Europe* de mars 1879, puis dans *Le Voltaire* du 30 avril et du 1er au 5 mai 1879, avant d'être reprise dans *Naïs Micoulin*, à la suite de *Nantas*. Si cette nouvelle, l'une des plus connues de Zola, l'une des plus singulières aussi, témoigne d'influences littéraires possibles (*Le Colonel Chabert* de Balzac, *Onuphrius* de Théophile Gautier, *Rage et impuissance* de Flaubert...), elle a surtout pour origine la névrose obsessionnelle de l'auteur, bien attestée (voir notre Présentation, p. 24).

demeurait, lente et paresseuse, mais d'une netteté parfaite.

Ma pauvre Marguerite pleurait, tombée à genoux devant le lit, répétant d'une voix déchirée :

« Il est mort, mon Dieu ! il est mort ! »

Était-ce donc la mort, ce singulier état de torpeur, cette chair frappée d'immobilité, tandis que l'intelligence fonctionnait toujours ? Était-ce mon âme qui s'attardait ainsi dans mon crâne, avant de prendre son vol ? Depuis mon enfance, j'étais sujet à des crises nerveuses. Deux fois, tout jeune, des fièvres aiguës avaient failli m'emporter[1]. Puis, autour de moi, on s'était habitué à me voir maladif ; et moi-même j'avais défendu à Marguerite d'aller chercher un médecin, lorsque je m'étais couché le matin de notre arrivée à Paris, dans cet hôtel meublé de la rue Dauphine. Un peu de repos suffirait, c'était la fatigue du voyage qui me courbaturait ainsi. Pourtant, je me sentais plein d'une angoisse affreuse. Nous avions quitté brusquement notre province, très pauvres, ayant à peine de quoi attendre les appointements de mon premier mois, dans l'administration où je m'étais assuré une place. Et voilà qu'une crise subite m'emportait !

Était-ce bien la mort ? Je m'étais imaginé une nuit plus noire, un silence plus lourd. Tout petit, j'avais déjà peur de mourir. Comme j'étais débile et que les gens me caressaient avec compassion, je pensais constamment que je ne vivrais pas, qu'on m'enterrerait de bonne heure. Et cette pensée de la terre me causait une épouvante, à laquelle je ne pouvais m'habituer, bien qu'elle me hantât nuit et jour. En grandissant, j'avais gardé cette idée fixe. Parfois,

1. Pendant l'hiver 1858, le jeune Zola, atteint d'une « fièvre muqueuse » (typhoïde), était tombé sérieusement malade. Loin d'être un événement anecdotique et vite oublié, cette maladie retentira dans le psychisme du créateur. Dans *Les Rougon-Macquart*, notamment, les images cauchemardesques de l'enfouissement, de l'ensevelissement sont nombreuses (voir *La Faute de l'abbé Mouret*, *Germinal*, *La Bête humaine*...).

après des journées de réflexion, je croyais avoir vaincu ma peur. Eh bien ! on mourait, c'était fini ; tout le monde mourait un jour, rien ne devait être plus commode ni meilleur. J'arrivais presque à être gai, je regardais la mort en face. Puis, un frisson brusque me glaçait, me rendait à mon vertige, comme si une main géante m'eût balancé au-dessus d'un gouffre noir. C'était la pensée de la terre qui revenait et emportait mes raisonnements. Que de fois, la nuit, je me suis réveillé en sursaut, ne sachant quel souffle avait passé sur mon sommeil, joignant les mains avec désespoir, balbutiant : « Mon Dieu ! mon Dieu ! il faut mourir ! » Une anxiété me serrait la poitrine, la nécessité de la mort me paraissait plus abominable, dans l'étourdissement du réveil. Je ne me rendormais qu'avec peine, le sommeil m'inquiétait, tellement il ressemblait à la mort. Si j'allais dormir toujours ! Si je fermais les yeux pour ne les rouvrir jamais [1] !

J'ignore si d'autres ont souffert ce tourment. Il a désolé ma vie. La mort s'est dressée entre moi et tout ce que j'ai aimé. Je me souviens des plus heureux instants que j'ai passés avec Marguerite. Dans les premiers mois de notre mariage, lorsqu'elle dormait la nuit à mon côté, lorsque je songeais à elle en faisant des rêves d'avenir, sans cesse l'attente d'une séparation fatale gâtait mes joies, détruisait mes espoirs. Il faudrait nous quitter, peut-être demain, peut-être dans une heure. Un immense découragement me prenait, je me demandais à quoi bon le

1. Zola, qui avouait de telles angoisses, les a prêtées, à peu près dans les mêmes termes, au personnage de Lazare Chanteau, dans *La Joie de vivre* (1884) : « Il haïssait le sommeil, il avait horreur de sentir son être défaillir, lorsqu'il tombait de la veille au vertige du néant. Puis, ses réveils brusques le secouaient davantage, le tiraient du noir, comme si un poing géant l'avait saisi aux cheveux et rejeté à la vie, avec la terreur bégayante de l'inconnu dont il sortait. Mon Dieu ! mon Dieu ! il fallait mourir ! et jamais encore ses mains ne s'étaient jointes dans un élan si désespéré » (*Les Rougon-Macquart*, Gallimard, « Bibliothèque de la Pléiade », 1960-1967, t. III, p. 998).

bonheur d'être ensemble, puisqu'il devait aboutir à un déchirement si cruel. Alors, mon imagination se plaisait dans le deuil. Qui partirait le premier, elle ou moi ? Et l'une ou l'autre alternative m'attendrissait aux larmes, en déroulant le tableau de nos vies brisées. Aux meilleures époques de mon existence, j'ai eu ainsi des mélancolies soudaines que personne ne comprenait. Lorsqu'il m'arrivait une bonne chance, on s'étonnait de me voir sombre. C'était que, tout d'un coup, l'idée de mon néant avait traversé ma joie. Le terrible : « À quoi bon ? » sonnait comme un glas à mes oreilles. Mais le pis de ce tourment, c'est qu'on l'endure dans une honte secrète. On n'ose dire son mal à personne. Souvent le mari et la femme, couchés côte à côte, doivent frissonner du même frisson, quand la lumière est éteinte ; et ni l'un ni l'autre ne parle, car on ne parle pas de la mort, pas plus qu'on ne prononce certains mots obscènes. On a peur d'elle, jusqu'à ne point la nommer, on la cache comme on cache son sexe [1].

Je réfléchissais à ces choses, pendant que ma chère Marguerite continuait à sangloter. Cela me faisait grand-peine de ne savoir comment calmer son chagrin, en lui disant que je ne souffrais pas. Si la mort n'était que cet évanouissement de la chair, en vérité j'avais eu tort de la tant redouter. C'était un bien-être égoïste, un repos dans lequel j'oubliais mes

1. Edmond de Goncourt, à plusieurs reprises dans son *Journal*, a fait état des angoisses de Zola, comme le 6 mars 1882, au discours direct : « "Oui, la mort, depuis ce jour [celui de la disparition de sa mère, en 1880], elle est toujours au fond de notre pensée et bien souvent – nous avons une veilleuse maintenant dans notre chambre à coucher – bien souvent, la nuit, regardant ma femme, qui ne dort pas, je sens qu'elle pense comme moi à cela ; et nous restons ainsi sans jamais faire allusion à quoi nous pensons, tous les deux... par pudeur, oui, par une certaine pudeur... Oh ! c'est terrible, cette pensée !" Et de la terreur vient à ses yeux. "Il y a des nuits où je saute tout à coup sur mes deux pieds au bas de mon lit et je reste, une seconde, dans un état de terreur indicible" » (*Journal. Mémoires de la vie littéraire*, t. II : *1866-1886*, Robert Laffont, « Bouquins », 1989, p. 928).

soucis. Ma mémoire surtout avait pris une vivacité extraordinaire. Rapidement, mon existence entière passait devant moi, ainsi qu'un spectacle auquel je me sentais désormais étranger. Sensation étrange et curieuse qui m'amusait : on aurait dit une voix lointaine qui me racontait mon histoire.

Il y avait un coin de campagne, près de Guérande, sur la route de Piriac, dont le souvenir me poursuivait [1]. La route tourne, un petit bois de pins descend à la débandade une pente rocheuse. Lorsque j'avais sept ans, j'allais là avec mon père, dans une maison à demi écroulée, manger des crêpes chez les parents de Marguerite, des paludiers qui vivaient déjà péniblement des salines voisines. Puis, je me rappelais le collège de Nantes où j'avais grandi, dans l'ennui des vieux murs, avec le continuel désir du large horizon de Guérande, les marais salants à perte de vue, au bas de la ville, et la mer immense, étalée sous le ciel. Là, un trou noir se creusait : mon père mourait, j'entrais à l'administration de l'hôpital comme employé, je commençais une vie monotone, ayant pour unique joie mes visites du dimanche à la vieille maison de la route de Piriac. Les choses y marchaient de mal en pis, car les salines ne rapportaient presque plus rien, et le pays tombait à une grande misère. Marguerite n'était encore qu'une enfant. Elle m'aimait, parce que je la promenais dans une brouette. Mais, plus tard, le matin où je la demandai en mariage, je compris, à son geste effrayé, qu'elle me trouvait affreux. Les parents me l'avaient donnée tout de suite ; ça les débarrassait. Elle, soumise, n'avait pas dit non. Quand elle se fut habituée à l'idée d'être ma femme, elle ne parut plus trop ennuyée. Le jour du mariage, à Guérande, je me souviens qu'il pleuvait à torrents ; et, quand nous

---

1. Zola a passé des vacances à Piriac en 1876, et son séjour donnera naissance à une autre nouvelle, *Les Coquillages de Monsieur Chabre* (voir ci-après, p. 216).

rentrâmes, elle dut se mettre en jupon, car sa robe était trempée.

Voilà toute ma jeunesse. Nous avons vécu quelque temps là-bas. Puis, un jour, en rentrant, je surpris ma femme pleurant à chaudes larmes. Elle s'ennuyait, elle voulait partir. Au bout de six mois, j'avais des économies, faites sou à sou, à l'aide de travaux supplémentaires ; et, comme un ancien ami de ma famille s'était occupé de me trouver une place à Paris, j'emmenai la chère enfant, pour qu'elle ne pleurât plus. En chemin de fer, elle riait. La nuit, la banquette des troisièmes classes étant très dure, je la pris sur mes genoux, afin qu'elle pût dormir mollement.

C'était là le passé. Et, à cette heure, je venais de mourir sur cette couche étroite d'hôtel meublé, tandis que ma femme, tombée à genoux sur le carreau, se lamentait. La tache blanche que percevait mon œil gauche pâlissait peu à peu ; mais je me rappelais très nettement la chambre. À gauche, était la commode ; à droite, la cheminée, au milieu de laquelle une pendule détraquée, sans balancier, marquait dix heures six minutes. La fenêtre s'ouvrait sur la rue Dauphine, noire et profonde. Tout Paris passait là, et dans un tel vacarme, que j'entendais les vitres trembler.

Nous ne connaissions personne à Paris. Comme nous avions pressé notre départ, on ne m'attendait que le lundi suivant à mon administration. Depuis que j'avais dû prendre le lit, c'était une étrange sensation que cet emprisonnement dans cette chambre, où le voyage venait de nous jeter, encore effarés de quinze heures de chemin de fer, étourdis du tumulte des rues. Ma femme m'avait soigné avec sa douceur souriante ; mais je sentais combien elle était troublée. De temps à autre, elle s'approchait de la fenêtre, donnait un coup d'œil à la rue, puis revenait toute pâle, effrayée par ce grand Paris dont elle ne connaissait pas une pierre et qui grondait si terriblement. Et qu'allait-elle faire, si je ne me réveillais plus ? Qu'allait-elle devenir dans cette ville immense, seule, sans un soutien, ignorante de tout ?

Marguerite avait pris une de mes mains qui pendait, inerte au bord du lit ; et elle la baisait, et elle répétait follement :

« Olivier, réponds-moi... Mon Dieu ! il est mort ! il est mort ! »

La mort n'était donc pas le néant, puisque j'entendais et que je raisonnais. Seul, le néant m'avait terrifié, depuis mon enfance. Je ne m'imaginais pas la disparition de mon être, la suppression totale de ce que j'étais ; et cela pour toujours, pendant des siècles et des siècles encore, sans que jamais mon existence pût recommencer. Je frissonnais parfois, lorsque je trouvais dans un journal une date future du siècle prochain : je ne vivrais certainement plus à cette date, et cette année d'un avenir que je ne verrais pas, où je ne serais pas, m'emplissait d'angoisse. N'étais-je pas le monde, et tout ne croulerait-il pas, lorsque je m'en irais ?

Rêver de la vie dans la mort, tel avait toujours été mon espoir. Mais ce n'était pas la mort sans doute. J'allais certainement me réveiller tout à l'heure. Oui, tout à l'heure, je me pencherais et je saisirais Marguerite entre mes bras, pour sécher ses larmes. Quelle joie de nous retrouver ! Et comme nous nous aimerions davantage ! Je prendrais encore deux jours de repos, puis, j'irais à mon administration. Une vie nouvelle commencerait pour nous, plus heureuse, plus large. Seulement, je n'avais pas de hâte. Tout à l'heure, j'étais trop accablé. Marguerite avait tort de se désespérer ainsi, car je ne me sentais pas la force de tourner la tête sur l'oreiller pour lui sourire. Tout à l'heure, lorsqu'elle dirait de nouveau : « Il est mort ! mon Dieu ! il est mort ! » je l'embrasserais, je murmurerais très bas, afin de ne pas l'effrayer : « Mais non, chère enfant. Je dormais. Tu vois bien que je vis et que je t'aime. »

II

Aux cris que Marguerite poussait, la porte a été brusquement ouverte, et une voix s'est écriée :

« Qu'y a-t-il donc, ma voisine ?... Encore une crise, n'est-ce pas ? »

J'ai reconnu la voix. C'était celle d'une vieille femme, Mme Gabin, qui demeurait sur le même palier que nous. Elle s'était montrée très obligeante, dès notre arrivée, émue par notre position. Tout de suite, elle nous avait raconté son histoire. Un propriétaire intraitable lui avait vendu ses meubles, l'hiver dernier ; et, depuis ce temps, elle logeait à l'hôtel, avec sa fille Adèle, une gamine de dix ans. Toutes deux découpaient des abat-jour, c'était au plus si elles gagnaient quarante sous à cette besogne.

« Mon Dieu ! est-ce que c'est fini ? » demanda-t-elle en baissant la voix.

Je compris qu'elle s'approchait. Elle me regarda, me toucha, puis elle reprit avec pitié :

« Ma pauvre petite ! Ma pauvre petite ! »

Marguerite, épuisée, avait des sanglots d'enfant. Mme Gabin la souleva, l'assit dans le fauteuil boiteux qui se trouvait près de la cheminée ; et, là, elle tâcha de la consoler.

« Vrai, vous allez vous faire du mal. Ce n'est pas parce que votre mari est parti, que vous devez vous crever de désespoir. Bien sûr, quand j'ai perdu Gabin, j'étais pareille à vous, je suis restée trois jours sans pouvoir avaler gros comme ça de nourriture. Mais ça ne m'a avancée à rien ; au contraire, ça m'a enfoncée davantage... Voyons, pour l'amour de Dieu ! soyez raisonnable. »

Peu à peu, Marguerite se tut. Elle était à bout de force ; et, de temps à autre, une crise de larmes la secouait encore. Pendant ce temps, la vieille femme prenait possession de la chambre, avec une autorité bourrue.

« Ne vous occupez de rien, répétait-elle. Justement, Dédé est allée reporter l'ouvrage ; puis, entre voisins, il faut bien s'entraider... Dites donc, vos malles ne sont pas encore complètement défaites ; mais il y a du linge dans la commode, n'est-ce pas ? »

Je l'entendis ouvrir la commode. Elle dut prendre une serviette, qu'elle vint étendre sur la table de nuit. Ensuite, elle frotta une allumette, ce qui me fit penser qu'elle allumait près de moi une des bougies de la cheminée, en guise de cierge. Je suivais chacun de ses mouvements dans la chambre, je me rendais compte de ses moindres actions.

« Ce pauvre monsieur ! murmura-t-elle. Heureusement que je vous ai entendue crier, ma chère. »

Et, tout d'un coup, la lueur vague que je voyais encore de mon œil gauche, disparut. Mme Gabin venait de me fermer les yeux. Je n'avais pas eu la sensation de son doigt sur ma paupière. Quand j'eus compris, un léger froid commença à me glacer.

Mais la porte s'était rouverte. Dédé, la gamine de dix ans, entrait en criant de sa voix flûtée :

« Maman ! maman ! ah ! je savais bien que tu étais ici !... Tiens, voilà ton compte, trois francs quatre sous... J'ai rapporté vingt douzaines d'abat-jour...

– Chut ! chut ! tais-toi donc ! » répétait vainement la mère.

Comme la petite continuait, elle lui montra le lit. Dédé s'arrêta, et je la sentis inquiète, reculant vers la porte.

« Est-ce que le monsieur dort ? demanda-t-elle très bas.

– Oui, va-t'en jouer », répondit Mme Gabin.

Mais l'enfant ne s'en allait pas. Elle devait me regarder de ses yeux agrandis, effarée et comprenant vaguement. Brusquement, elle parut prise d'une peur folle, elle se sauva en culbutant une chaise.

« Il est mort, oh ! maman, il est mort. »

Un profond silence régna. Marguerite, accablée dans le fauteuil, ne pleurait plus. Mme Gabin rôdait toujours par la chambre. Elle se remit à parler entre ses dents.

« Les enfants savent tout, au jour d'aujourd'hui. Voyez celle-là. Dieu sait si je l'élève bien ! Lorsqu'elle va faire une commission ou que je l'envoie reporter l'ouvrage, je calcule les minutes, pour être sûre qu'elle ne galopine pas... Ça ne fait rien, elle sait tout, elle a vu d'un coup d'œil ce qu'il en était. Pourtant, on ne lui a jamais montré qu'un mort, son oncle François, et, à cette époque, elle n'avait pas quatre ans... Enfin, il n'y a plus d'enfants, que voulez-vous ! »

Elle s'interrompit, elle passa sans transition à un autre sujet.

« Dites donc, ma petite, il faut songer aux formalités, la déclaration à la mairie, puis tous les détails du convoi. Vous n'êtes pas en état de vous occuper de ça. Moi, je ne veux pas vous laisser seule... Hein ? si vous le permettez, je vais voir si M. Simoneau est chez lui. »

Marguerite ne répondit pas. J'assistais à toutes ces scènes comme de très loin. Il me semblait, par moments, que je volais, ainsi qu'une flamme subtile, dans l'air de la chambre, tandis qu'un étranger, une masse informe reposait inerte sur le lit. Cependant, j'aurais voulu que Marguerite refusât les services de ce Simoneau. Je l'avais aperçu trois ou quatre fois durant ma courte maladie. Il habitait une chambre voisine et se montrait très serviable. Mme Gabin nous avait raconté qu'il se trouvait simplement de passage à Paris, où il venait recueillir d'anciennes créances de son père, retiré en province et mort dernièrement. C'était un grand garçon, très beau, très fort. Je le détestais, peut-être parce qu'il se portait bien. La veille, il était encore entré, et j'avais souffert de le voir assis près de Marguerite. Elle était si jolie, si blanche à côté de lui !

Et il l'avait regardée si profondément, pendant qu'elle lui souriait, en disant qu'il était bien bon de venir ainsi prendre de mes nouvelles !

« Voici M. Simoneau », murmura Mme Gabin, qui rentrait.

Il poussa doucement la porte, et, dès qu'elle l'aperçut, Marguerite de nouveau éclata en larmes. La présence de cet ami, du seul homme qu'elle connût, réveillait en elle sa douleur. Il n'essaya pas de la consoler. Je ne pouvais le voir ; mais, dans les ténèbres qui m'enveloppaient, j'évoquais sa figure, et je le distinguais nettement, troublé, chagrin de trouver la pauvre femme dans un tel désespoir. Et qu'elle devait être belle pourtant, avec ses cheveux blonds dénoués, sa face pâle, ses chères petites mains d'enfant brûlantes de fièvre !

« Je me mets à votre disposition, madame, murmura Simoneau. Si vous voulez bien me charger de tout… »

Elle ne lui répondit que par des paroles entrecoupées. Mais, comme le jeune homme se retirait, Mme Gabin l'accompagna, et je l'entendis qui parlait d'argent, en passant près de moi. Cela coûtait toujours très cher ; elle craignait bien que la pauvre petite n'eût pas un sou. En tout cas, on pouvait la questionner. Simoneau fit taire la vieille femme. Il ne voulait pas qu'on tourmentât Marguerite. Il allait passer à la mairie et commander le convoi.

Quand le silence recommença, je me demandai si ce cauchemar durerait longtemps ainsi. Je vivais, puisque je percevais les moindres faits extérieurs. Et je commençais à me rendre un compte exact de mon état. Il devait s'agir d'un de ces cas de catalepsie dont j'avais entendu parler. Déjà, quand j'étais enfant, à l'époque de ma grande maladie nerveuse, j'avais eu des syncopes de plusieurs heures. Évidemment, c'était une crise de cette nature qui me tenait rigide, comme mort, et qui trompait tout le monde autour de moi. Mais le cœur allait reprendre ses battements, le sang circulerait de nouveau dans la détente des muscles ; et je m'éveillerais, et je consolerais Marguerite. En raisonnant ainsi, je m'exhortai à la patience.

Les heures passaient. Mme Gabin avait apporté son déjeuner. Marguerite refusait toute nourriture.

Puis, l'après-midi s'écoula. Par la fenêtre laissée ouverte, montaient les bruits de la rue Dauphine. À un léger tintement du cuivre du chandelier sur le marbre de la table de nuit, il me sembla qu'on venait de changer la bougie. Enfin, Simoneau reparut.

« Eh bien ? lui demanda à demi-voix la vieille femme.

– Tout est réglé, répondit-il. Le convoi est pour demain onze heures... Ne vous inquiétez de rien et ne parlez pas de ces choses devant cette pauvre femme. »

Mme Gabin reprit quand même :

« Le médecin des morts n'est pas venu encore. »

Simoneau alla s'asseoir près de Marguerite, l'encouragea, et se tut. Le convoi était pour le lendemain onze heures : cette parole retentissait dans mon crâne comme un glas. Et ce médecin qui ne venait point, ce médecin des morts, comme le nommait Mme Gabin ! Lui, verrait bien tout de suite que j'étais simplement en léthargie. Il ferait le nécessaire, il saurait m'éveiller. Je l'attendais dans une impatience affreuse.

Cependant, la journée s'écoula. Mme Gabin, pour ne pas perdre son temps, avait fini par apporter ses abat-jour. Même, après en avoir demandé la permission à Marguerite, elle fit venir Dédé, parce que, disait-elle, elle n'aimait guère laisser les enfants longtemps seuls.

« Allons, entre, murmura-t-elle en amenant la petite, et ne fais pas la bête, ne regarde pas de ce côté, ou tu auras affaire à moi. »

Elle lui défendait de me regarder, elle trouvait cela plus convenable. Dédé, sûrement, glissait des coups d'œil de temps à autre, car j'entendais sa mère lui allonger des claques sur les bras. Elle lui répétait furieusement :

« Travaille, ou je te fais sortir. Et, cette nuit, le monsieur ira te tirer les pieds. »

Toutes deux, la mère et la fille, s'étaient installées devant notre table. Le bruit de leurs ciseaux découpant les abat-jour me parvenait distinctement ; ceux-là, très délicats, demandaient sans doute un découpage compliqué, car elles n'allaient pas vite : je les comptais un à un, pour combattre mon angoisse croissante.

Et, dans la chambre, il n'y avait que le petit bruit des ciseaux. Marguerite, vaincue par la fatigue, devait s'être assoupie. À deux reprises, Simoneau se leva. L'idée abominable qu'il profitait du sommeil de Marguerite, pour effleurer des lèvres ses cheveux, me torturait. Je ne connaissais pas cet homme, et je sentais qu'il aimait ma femme. Un rire de la petite Dédé acheva de m'irriter.

« Pourquoi ris-tu, imbécile ? lui demanda sa mère. Je vais te mettre sur le carré… Voyons, réponds, qu'est-ce qui te fait rire ? »

L'enfant balbutiait. Elle n'avait pas ri, elle avait toussé. Moi, je m'imaginais qu'elle devait avoir vu Simoneau se pencher vers Marguerite, et que cela lui paraissait drôle.

La lampe était allumée, lorsqu'on frappa.

« Ah ! voici le médecin », dit la vieille femme.

C'était le médecin, en effet. Il ne s'excusa même pas de venir si tard. Sans doute, il avait eu bien des étages à monter, dans la journée. Comme la lampe éclairait très faiblement la chambre, il demanda :

« Le corps est ici ?

– Oui, monsieur », répondit Simoneau.

Marguerite s'était levée, frissonnante. Mme Gabin avait mis Dédé sur le palier, parce qu'un enfant n'a pas besoin d'assister à ça ; et elle s'efforçait d'entraîner ma femme vers la fenêtre, afin de lui épargner un tel spectacle.

Pourtant, le médecin venait de s'approcher d'un pas rapide. Je le devinais fatigué, pressé, impatienté. M'avait-il touché la main ? Avait-il posé la sienne sur mon cœur ? Je ne saurais le dire. Mais il me sembla qu'il s'était simplement penché d'un air indifférent.

« Voulez-vous que je prenne la lampe pour vous éclairer ? offrit Simoneau avec obligeance.

– Non, inutile », dit le médecin tranquillement.

Comment ! inutile ! Cet homme avait ma vie entre les mains, et il jugeait inutile de procéder à un examen attentif. Mais je n'étais pas mort ! J'aurais voulu crier que je n'étais pas mort !

« À quelle heure est-il mort ? reprit-il.

– À six heures du matin », répondit Simoneau.

Une furieuse révolte montait en moi, dans les liens terribles qui me liaient. Oh ! ne pouvoir parler, ne pouvoir remuer un membre !

Le médecin ajouta :

« Ce temps lourd est mauvais... Rien n'est fatigant comme ces premières journées de printemps. »

Et il s'éloigna. C'était ma vie qui s'en allait. Des cris, des larmes, des injures m'étouffaient, déchiraient ma gorge convulsée, où ne passait plus un souffle. Ah ! le misérable, dont l'habitude professionnelle avait fait une machine, et qui venait au lit des morts avec l'idée d'une simple formalité à remplir ! Il ne savait donc rien, cet homme ! Toute sa science était donc menteuse, puisqu'il ne pouvait d'un coup d'œil distinguer la vie de la mort ! Et il s'en allait, et il s'en allait !

« Bonsoir, monsieur », dit Simoneau.

Il y eut un silence. Le médecin devait s'incliner devant Marguerite, qui était revenue, pendant que Mme Gabin fermait la fenêtre. Puis, il sortit de la chambre, j'entendis ses pas qui descendaient l'escalier.

Allons, c'était fini, j'étais condamné. Mon dernier espoir disparaissait avec cet homme. Si je ne m'éveillais pas avant le lendemain onze heures, on m'enterrait vivant. Et cette pensée était si effroyable, que je perdis conscience de ce qui m'entourait. Ce fut comme un évanouissement dans la mort elle-même. Le dernier bruit qui me frappa fut le petit bruit des ciseaux de Mme Gabin et de Dédé. La veillée funèbre commençait. Personne ne parlait plus. Marguerite avait refusé de dormir dans la chambre de la voisine. Elle était là, couchée à demi au fond du fauteuil, avec son beau visage pâle, ses yeux clos dont les cils restaient trempés de larmes ; tandis que, silencieux dans l'ombre, assis devant elle, Simoneau la regardait.

III

Je ne puis dire quelle fut mon agonie, pendant la matinée du lendemain. Cela m'est demeuré comme un rêve horrible, où mes sensations étaient si singulières, si troublées, qu'il me serait difficile de les noter exactement. Ce qui rendait ma torture affreuse, c'était que j'espérais toujours un brusque réveil. Et, à mesure que l'heure du convoi approchait, l'épouvante m'étranglait davantage.

Ce fut vers le matin seulement que j'eus de nouveau conscience des personnes et des choses qui m'entouraient. Un grincement de l'espagnolette me tira de ma somnolence. Mme Gabin avait ouvert la fenêtre. Il devait être environ sept heures, car j'entendais des cris de marchands, dans la rue, la voix grêle d'une gamine qui vendait du mouron [1], une autre voix enrouée criant des carottes. Ce réveil bruyant de Paris me calma d'abord : il me semblait impossible qu'on m'enfouit dans la terre, au milieu de toute cette vie. Un souvenir achevait de me rassurer. Je me rappelais avoir vu un cas pareil au mien, lorsque j'étais employé à l'hôpital de Guérande. Un homme y avait ainsi dormi pendant vingt-huit heures, son sommeil était même si profond, que les médecins hésitaient à se prononcer ; puis, cet homme s'était assis sur son séant, et il avait pu se lever tout de suite. Moi, il y avait déjà vingt-cinq

1. Mouron : mouron des oiseaux, plante pour nourrir les petits volatiles.

heures que je dormais. Si je m'éveillais vers dix heures, il serait temps encore.

Je tâchai de me rendre compte des personnes qui se trouvaient dans la chambre, et de ce qu'on y faisait. La petite Dédé devait jouer sur le carré, car la porte s'étant ouverte, un rire d'enfant vint du dehors. Sans doute, Simoneau n'était plus là : aucun bruit ne me révélait sa présence. Les savates de Mme Gabin traînaient seules sur le carreau. On parla enfin.

« Ma chère, dit la vieille, vous avez tort de ne pas en prendre pendant qu'il est chaud, ça vous soutiendrait. »

Elle s'adressait à Marguerite, et le léger égouttement du filtre, sur la cheminée, m'apprit qu'elle était en train de faire du café.

« Ce n'est pas pour dire, continua-t-elle, mais j'avais besoin de ça... À mon âge, ça ne vaut rien de veiller. Et c'est si triste, la nuit, quand il y a un malheur dans une maison... Prenez donc du café, ma chère, une larme seulement. »

Et elle força Marguerite à en boire une tasse.

« Hein ? c'est chaud, ça vous remet. Il vous faut des forces pour aller jusqu'au bout de la journée... Maintenant, si vous étiez bien sage, vous passeriez dans ma chambre, et vous attendriez là.

– Non, je veux rester », répondit Marguerite résolument.

Sa voix, que je n'avais plus entendue depuis la veille, me toucha beaucoup. Elle était changée, brisée de douleur. Ah ! chère femme ! je la sentais près de moi, comme une consolation dernière. Je savais qu'elle ne me quittait pas des yeux, qu'elle me pleurait de toutes les larmes de son cœur.

Mais les minutes passaient. Il y eut, à la porte, un bruit que je ne m'expliquai pas d'abord. On aurait dit l'emménagement d'un meuble qui se heurtait contre les murs de l'escalier trop étroit. Puis, je compris, en entendant de nouveau les larmes de Marguerite. C'était la bière.

« Vous venez trop tôt, dit Mme Gabin d'un air de mauvaise humeur. Posez ça derrière le lit. »

Quelle heure était-il donc ? Neuf heures peut-être. Ainsi, cette bière était déjà là. Et je la voyais dans la nuit épaisse, toute neuve, avec ses planches à peine rabotées. Mon Dieu ! est-ce que tout allait finir ? Est-ce qu'on m'emporterait dans cette boîte, que je sentais à mes pieds ?

J'eus pourtant une suprême joie. Marguerite, malgré sa faiblesse, voulut me donner les derniers soins. Ce fut elle qui, aidée de la vieille femme, m'habilla, avec une tendresse de sœur et d'épouse. Je sentais que j'étais une fois encore entre ses bras, à chaque vêtement qu'elle me passait. Elle s'arrêtait, succombant sous l'émotion ; elle m'étreignait, elle me baignait de ses pleurs. J'aurais voulu pouvoir lui rendre son étreinte, en lui criant : « Je vis ! » et je restais impuissant, je devais m'abandonner comme une masse inerte.

« Vous avez tort, tout ça est perdu », répétait Mme Gabin.

Marguerite répondait de sa voix entrecoupée :

« Laissez-moi, je veux lui mettre ce que nous avons de plus beau. »

Je compris qu'elle m'habillait comme pour le jour de nos noces. J'avais encore ces vêtements, dont je comptais ne me servir à Paris que les grands jours. Puis, elle retomba dans le fauteuil, épuisée par l'effort qu'elle venait de faire.

Alors, tout d'un coup, Simoneau parla. Sans doute, il venait d'entrer.

« Ils sont en bas, murmura-t-il.

– Bon, ce n'est pas trop tôt, répondit Mme Gabin, en baissant également la voix. Dites-leur de monter, il faut en finir.

– C'est que j'ai peur du désespoir de cette pauvre femme. »

La vieille parut réfléchir. Elle reprit :

« Écoutez, monsieur Simoneau, vous allez l'emmener de force dans ma chambre… Je ne veux pas qu'elle reste ici. C'est un service à lui rendre... Pendant ce temps, en un tour de main, ce sera bâclé. »

Ces paroles me frappèrent au cœur. Et que devins-je, lorsque j'entendis la lutte affreuse qui s'engagea ! Simoneau s'était approché de Marguerite, en la suppliant de ne pas demeurer dans la pièce.

« Par pitié, implorait-il, venez avec moi, épargnez-vous une douleur inutile.

– Non, non, répétait ma femme, je resterai, je veux rester jusqu'au dernier moment. Songez donc que je n'ai que lui au monde, et que, lorsqu'il ne sera plus là, je serai seule. »

Cependant, près du lit, Mme Gabin soufflait à l'oreille du jeune homme :

« Marchez donc, empoignez-la, emportez-la dans vos bras. »

Est-ce que ce Simoneau allait prendre Marguerite et l'emporter ainsi ? Tout de suite, elle cria. D'un élan furieux, je voulus me mettre debout. Mais les ressorts de ma chair étaient brisés. Et je restais si rigide, que je ne pouvais même soulever les paupières pour voir ce qui se passait là, devant moi. La lutte se prolongeait, ma femme s'accrochait aux meubles, en répétant :

« Oh ! de grâce, de grâce, monsieur... Lâchez-moi, je ne veux pas. »

Il avait dû la saisir dans ses bras vigoureux, car elle ne poussait plus que des plaintes d'enfant. Il l'emporta, les sanglots se perdirent, et je m'imaginais les voir, lui grand et solide, l'emmenant sur sa poitrine, à son cou, et elle, éplorée, brisée, s'abandonnant, le suivant désormais partout où il voudrait la conduire.

« Fichtre ! ça n'a pas été sans peine ! murmura Mme Gabin. Allons, houp ! maintenant que le plancher est débarrassé ! »

Dans la colère jalouse qui m'affolait, je regardais cet enlèvement comme un rapt abominable. Je ne voyais plus Marguerite depuis la veille, mais je l'entendais encore. Maintenant, c'était fini ; on venait de me la prendre ; un homme l'avait ravie, avant même que je fusse dans la terre. Et il était avec elle, derrière la cloison, seul à la consoler, à l'embrasser peut-être !

La porte s'était ouverte de nouveau, des pas lourds marchaient dans la pièce.

« Dépêchons, dépêchons, répétait Mme Gabin. Cette petite dame n'aurait qu'à revenir. »

Elle parlait à des gens inconnus et qui ne lui répondaient que par des grognements.

« Moi, vous comprenez, je ne suis pas une parente, je ne suis qu'une voisine. Je n'ai rien à gagner dans tout ça. C'est par pure bonté de cœur que je m'occupe de leurs affaires. Et ce n'est déjà pas si gai… Oui, oui, j'ai passé la nuit. Même qu'il ne faisait guère chaud, vers quatre heures. Enfin, j'ai toujours été bête, je suis trop bonne. »

À ce moment, on tira la bière au milieu de la chambre, et je compris. Allons, j'étais condamné, puisque le réveil ne venait pas. Mes idées perdaient de leur netteté, tout roulait en moi dans une fumée noire ; et j'éprouvais une telle lassitude, que ce fut comme un soulagement, de ne plus compter sur rien.

« On n'a pas épargné le bois, dit la voix enrouée d'un croque-mort. La boîte est trop longue.

– Eh bien ! il y sera à l'aise », ajouta un autre en s'égayant.

Je n'étais pas lourd, et ils s'en félicitaient, car ils avaient trois étages à descendre. Comme ils m'empoignaient par les épaules et par les pieds, Mme Gabin tout d'un coup se fâcha.

« Sacrée gamine ! cria-t-elle, il faut qu'elle mette son nez partout… Attends, je vas te faire regarder par les fentes. »

C'était Dédé qui entrebâillait la porte et passait sa tête ébouriffée. Elle voulait voir mettre le monsieur dans la boîte. Deux claques vigoureuses retentirent, suivies d'une explosion de sanglots. Et quand la mère fut rentrée, elle causa de sa fille avec les hommes qui m'arrangeaient dans la bière.

« Elle a dix ans. C'est un bon sujet ; mais elle est curieuse... Je ne la bats pas tous les jours. Seulement, il faut qu'elle obéisse.

– Oh ! vous savez, dit un des hommes, toutes les gamines sont comme ça... Lorsqu'il y a un mort quelque part, elles sont toujours à tourner autour. »

J'étais allongé commodément, et j'aurais pu croire que je me trouvais encore sur le lit, sans une gêne et mon bras gauche, qui était un peu serré contre une planche. Ainsi qu'ils le disaient, je tenais très bien là-dedans, grâce à ma petite taille.

« Attendez, s'écria Mme Gabin, j'ai promis à sa femme de lui mettre un oreiller sous la tête. »

Mais les hommes étaient pressés, ils fourrèrent l'oreiller en me brutalisant. Un d'eux cherchait partout le marteau, avec des jurons. On l'avait oublié en bas, et il fallut descendre. Le couvercle fut posé, je ressentis un ébranlement de tout mon corps, lorsque deux coups de marteau enfoncèrent le premier clou. C'en était fait, j'avais vécu. Puis, les clous entrèrent un à un, rapidement, tandis que le marteau sonnait en cadence. On aurait dit des emballeurs clouant une boîte de fruits secs, avec leur adresse insouciante. Dès lors, les bruits ne m'arrivèrent plus qu'assourdis et prolongés, résonnant d'une étrange manière, comme si le cercueil de sapin s'était transformé en une grande caisse d'harmonie. La dernière parole qui frappa mes oreilles, dans cette chambre de la rue Dauphine, ce fut cette phrase de Mme Gabin :

« Descendez doucement, et méfiez-vous de la rampe au second, elle ne tient plus. »

On m'emportait, j'avais la sensation d'être roulé dans une mer houleuse. D'ailleurs, à partir de ce moment, mes souvenirs sont très vagues. Je me rappelle pourtant que l'unique préoccupation qui me tenait encore, préoccupation imbécile et comme machinale, était de me rendre compte de la route que nous prenions pour aller au cimetière. Je ne connaissais pas une rue de Paris, j'ignorais la position exacte des grands cimetières, dont on avait parfois prononcé les noms devant moi, et cela ne m'empêchait pas de concentrer les derniers efforts de mon intelligence, afin de deviner si nous tournions à droite ou à gauche. Le corbillard me cahotait sur les pavés. Autour de moi, le roulement des voitures, le piétinement des passants, faisaient une clameur confuse que développait la sonorité du cercueil. D'abord, je suivis l'itinéraire avec assez de netteté. Puis, il y eut une station, on me promena, et je compris que nous étions à l'église. Mais, quand le corbillard s'ébranla de nouveau, je perdis toute conscience des lieux que nous traversions. Une volée de cloches m'avertit que nous passions près d'une église ; un roulement plus doux et continu me fit croire que nous longions une promenade. J'étais comme un condamné mené au lieu du supplice, hébété, attendant le coup suprême qui ne venait pas.

On s'arrêta, on me tira du corbillard. Et ce fut bâclé tout de suite. Les bruits avaient cessé, je sentais que j'étais dans un lieu désert, sous des arbres, avec le large ciel sur ma tête. Sans doute, quelques personnes suivaient le convoi, les locataires de l'hôtel, Simoneau et d'autres, car des chuchotements arrivaient jusqu'à moi. Il y eut une psalmodie, un prêtre balbutiait du latin. On piétina deux minutes. Puis, brusquement, je sentis que je m'enfonçais ; tandis que des cordes frottaient comme des archets, contre les angles du cercueil, qui rendait un son de contrebasse fêlée. C'était la fin. Un choc terrible, pareil au retentissement d'un coup de canon, éclata un peu à gauche de ma tête ; un second choc se produisit à mes pieds ; un autre, plus violent encore, me tomba sur le ventre, si sonore, que je crus la bière fendue en deux. Et je m'évanouis.

IV

Combien de temps restai-je ainsi ? je ne saurais le dire. Une éternité et une seconde ont la même durée dans le néant. Je n'étais plus. Peu à peu, confusément, la conscience d'être me revint. Je dormais toujours, mais je me mis à rêver. Un cauchemar se détacha du fond noir qui barrait mon horizon. Et ce rêve que je faisais était une imagination étrange, qui m'avait souvent tourmenté autrefois, les yeux ouverts, lorsque, avec ma nature prédisposée aux inventions horribles, je goûtais l'atroce plaisir de me créer des catastrophes.

Je m'imaginais donc que ma femme m'attendait quelque part, à Guérande, je crois, et que j'avais pris le chemin de fer pour aller la rejoindre. Comme le train passait sous un tunnel, tout à coup, un effroyable bruit roulait avec un fracas de tonnerre. C'était un double écroulement qui venait de se produire. Notre train n'avait pas reçu une pierre, les wagons restaient intacts ; seulement, aux deux bouts du tunnel, devant et derrière nous, la voûte s'était effondrée, et nous nous trouvions ainsi au centre d'une montagne, murés par des blocs de rocher. Alors commençait une longue et affreuse agonie. Aucun espoir de secours ; il fallait un mois pour déblayer le tunnel ; encore ce travail demandait-il des précautions infinies, des machines puissantes. Nous étions prisonniers dans une sorte de cave sans issue. Notre mort à tous n'était plus qu'une question d'heures.

Souvent, je le répète, mon imagination avait travaillé sur cette donnée terrible. Je variais le drame à l'infini. J'avais pour acteurs des hommes, des femmes, des enfants, plus de cent personnes, toute une foule qui me fournissait sans cesse de nouveaux épisodes. Il se trouvait bien quelques provisions dans le train ; mais la nourriture manquait vite, et sans aller jusqu'à se manger entre eux, les misérables affamés se disputaient férocement le dernier morceau de pain. C'était un vieillard qu'on repoussait à coups de poing et qui agonisait ; c'était une mère qui se battait comme une louve, pour défendre les trois ou quatre bouchées réservées à son enfant. Dans mon wagon, deux jeunes mariés râlaient aux bras l'un de l'autre, et ils n'espéraient plus, ils ne bougeaient plus. D'ailleurs, la voie était libre, les gens descendaient, rôdaient le long du train, comme des bêtes lâchées, en quête d'une proie. Toutes les classes se mêlaient, un homme très riche, un haut fonctionnaire, disait-on, pleurait au cou d'un ouvrier, en le tutoyant. Dès les premières heures, les lampes s'étaient épuisées, les feux de la locomotive avaient fini par s'éteindre. Quand on passait d'un wagon à un autre, on tâtait les roues de la main pour ne pas se cogner, et l'on arrivait ainsi à la locomotive, que l'on reconnaissait à sa bielle froide, à ses énormes flancs endormis, force inutile, muette et immobile dans l'ombre. Rien n'était plus effrayant que ce train, ainsi muré tout entier sous terre, comme enterré vivant, avec ses voyageurs, qui mouraient un à un.

Je me complaisais, je descendais dans l'horreur des moindres détails. Des hurlements traversaient les ténèbres. Tout d'un coup, un voisin qu'on ne savait pas là, qu'on ne voyait pas, s'abattait contre votre épaule. Mais, cette fois, ce dont je souffrais surtout, c'était du froid et du manque d'air. Jamais je n'avais eu si froid ; un manteau de neige me tombait sur les épaules, une humidité lourde pleuvait sur mon crâne. Et j'étouffais avec cela, il me semblait que la voûte de rocher croulait sur ma poitrine, que toute la montagne pesait et m'écrasait. Cependant, un cri de délivrance avait retenti. Depuis longtemps, nous nous imaginions entendre au loin un bruit sourd, et nous nous bercions de l'espoir qu'on travaillait près de nous. Le salut n'arrivait point de là pourtant. Un de nous venait de découvrir un puits dans le tunnel ; et nous courions tous, nous allions voir ce puits d'air, en haut duquel on apercevait une tache bleue, grande comme un pain à cacheter. Oh ! quelle joie, cette tache bleue ! C'était le ciel, nous nous grandissions vers elle pour respirer, nous distinguions nettement des points noirs qui s'agitaient, sans doute des ouvriers en train d'établir un treuil, afin d'opérer notre sauvetage. Une clameur furieuse : « Sauvés ! sauvés ! » sortait de toutes les bouches, tandis que des bras tremblants se levaient vers la petite tache d'un bleu pâle.

Ce fut la violence de cette clameur qui m'éveilla. Où étais-je ? Encore dans le tunnel sans doute. Je me trouvais couché tout de mon long, et je sentais, à droite et à gauche, de dures parois qui me serraient les flancs. Je voulus me lever, mais je me cognai violemment le crâne. Le roc m'enveloppait donc de toutes parts ? Et la tache bleue avait disparu, le ciel n'était plus là, même lointain. J'étouffais toujours, je claquais des dents, pris d'un frisson.

Brusquement, je me souvins. Une horreur souleva mes cheveux, je sentis l'affreuse vérité couler en moi, des pieds à la tête, comme une glace. Étais-je sorti enfin de cette syncope, qui m'avait frappé pendant de longues heures d'une rigidité de cadavre ? Oui, je remuais, je promenais les mains le long des planches du cercueil. Une dernière épreuve me restait à faire : j'ouvris la bouche, je parlai, appelant Marguerite, instinctivement. Mais j'avais hurlé, et ma voix, dans cette boîte de sapin, avait pris un son rauque si effrayant, que je m'épouvantai moi-même. Mon Dieu ! c'était donc vrai ? je pouvais marcher, crier que je vivais, et ma voix ne serait pas entendue, et j'étais enfermé, écrasé sous la terre !

Je fis un effort suprême pour me calmer et réfléchir. N'y avait-il aucun moyen de sortir de là ? Mon rêve recommençait, je n'avais pas encore le cerveau bien solide, je mêlais l'imagination du puits d'air et de sa tache de ciel avec la réalité de la fosse où je suffoquais. Les yeux démesurément ouverts, je regardais les ténèbres. Peut-être apercevrais-je un trou, une fente, une goutte de lumière ! Mais des étincelles de feu passaient seules dans la nuit, des clartés rouges s'élargissaient et s'évanouissaient. Rien, un gouffre noir, insondable. Puis, la lucidité me revenait, j'écartais ce cauchemar imbécile. Il me fallait toute ma tête, si je voulais tenter le salut.

D'abord, le grand danger me parut être dans l'étouffement qui augmentait. Sans doute, j'avais pu rester si longtemps privé d'air, grâce à la syncope qui suspendait en moi les fonctions de l'existence ; mais, maintenant que mon cœur battait, que mes poumons soufflaient, j'allais mourir d'asphyxie, si je ne me dégageais au plus tôt. Je souffrais également du froid, et je craignais de me laisser envahir par cet engourdissement mortel des hommes qui tombent dans la neige, pour ne plus se relever.

Tout en me répétant qu'il me fallait du calme, je sentais des bouffées de folie monter à mon crâne. Alors, je m'exhortais, essayant de me rappeler ce que je savais sur la façon dont on enterre. Sans doute, j'étais dans une concession de cinq ans ; cela m'ôtait un espoir, car j'avais remarqué autrefois, à Nantes, que les tranchées de la fosse commune laissaient passer, dans leur remblaiement continu, les pieds des dernières bières enfouies. Il m'aurait suffi alors de briser une planche pour m'échapper ; tandis que, si je me trouvais dans un trou comblé entièrement, j'avais sur moi toute une couche épaisse de terre, qui allait être un terrible obstacle. N'avais-je pas entendu dire qu'à Paris on enterrait à six pieds [1] de profondeur ? Comment percer cette masse énorme ? Si même je parvenais à fendre le couvercle, la terre n'allait-elle pas entrer, glisser comme un sable fin, m'emplir les yeux et la bouche ? Et ce serait encore la mort, une mort abominable, une noyade dans de la boue.

Cependant, je tâtai soigneusement autour de moi. La bière était grande, je remuais les bras avec facilité. Dans le couvercle, je ne sentis aucune fente. À

1. Voir ci-dessus, p. 117, note 1.

droite et à gauche, les planches étaient mal rabotées, mais résistantes et solides. Je repliai mon bras le long de ma poitrine, pour remonter vers la tête. Là, je découvris, dans la planche du bout, un nœud qui cédait légèrement sous la pression ; je travaillai avec la plus grande peine, je finis par chasser le nœud, et de l'autre côté, en enfonçant le doigt, je reconnus la terre, une terre grasse, argileuse et mouillée. Mais cela ne m'avançait à rien. Je regrettai même d'avoir ôté ce nœud, comme si la terre avait pu entrer. Une autre expérience m'occupa un instant ; je tapai autour du cercueil, afin de savoir si, par hasard, il n'y aurait pas quelque vide, à droite ou à gauche. Partout, le son fut le même. Comme je donnais aussi de légers coups de pied, il me sembla pourtant que le son était plus clair au bout. Peut-être n'était-ce qu'un effet de la sonorité du bois.

Alors, je commençai par des poussées légères, les bras en avant, avec les poings. Le bois résista. J'employai ensuite les genoux, m'arc-boutant sur les pieds et sur les reins. Il n'y eut pas un craquement. Je finis par donner toute ma force, je poussai du corps entier, si violemment, que mes os meurtris criaient. Et ce fut à ce moment que je devins fou.

Jusque-là, j'avais résisté au vertige, aux souffles de rage qui montaient par instants en moi, comme une fumée d'ivresse. Surtout, je réprimais les cris, car je comprenais que, si je criais, j'étais perdu. Tout d'un coup, je me mis à crier, à hurler. Cela était plus fort que moi, les hurlements sortaient de ma gorge qui se dégonflait. J'appelai au secours d'une voix que je ne me connaissais pas, m'affolant davantage à chaque nouvel appel, criant que je ne voulais pas mourir. Et j'égratignais le bois avec mes ongles, je me tordais dans les convulsions d'un loup enfermé. Combien de temps dura cette crise ? je l'ignore, mais je sens encore l'implacable dureté du cercueil où je me débattais, j'entends encore la tempête de cris et de sanglots dont j'emplissais ces quatre planches.

Dans une dernière lueur de raison, j'aurais voulu me retenir et je ne pouvais pas.

Un grand accablement suivit. J'attendais la mort, au milieu d'une somnolence douloureuse. Ce cercueil était de pierre ; jamais je ne parviendrais à le fendre ; et cette certitude de ma défaite me laissait inerte, sans courage pour tenter un nouvel effort. Une autre souffrance, la faim, s'était jointe au froid et à l'asphyxie. Je défaillais. Bientôt, ce supplice fut intolérable. Avec mon doigt, je tâchai d'attirer des pincées de terre, par le nœud que j'avais enfoncé, et je mangeai cette terre, ce qui redoubla mon tourment. Je mordais mes bras, n'osant aller jusqu'au sang, tenté par ma chair, suçant ma peau avec l'envie d'y enfoncer les dents.

Ah ! comme je désirais la mort, à cette heure ! Toute ma vie, j'avais tremblé devant le néant ; et je le voulais, je le réclamais, jamais il ne serait assez noir. Quel enfantillage que de redouter ce sommeil sans rêve, cette éternité de silence et de ténèbres ! La mort n'était bonne que parce qu'elle supprimait l'être d'un coup, pour toujours. Oh ! dormir comme les pierres, rentrer dans l'argile, n'être plus !

Mes mains tâtonnantes continuaient machinalement à se promener contre le bois. Soudain, je me piquai au pouce gauche, et la légère douleur me tira de mon engourdissement. Qu'était-ce donc ? Je cherchai de nouveau, je reconnus un clou, un clou que les croque-morts avaient enfoncé de travers, et qui n'avait pas mordu dans le bord du cercueil. Il était très long, très pointu. La tête tenait dans le couvercle, mais je sentis qu'il remuait. À partir de cet instant, je n'eus plus qu'une idée : avoir ce clou. Je passai ma main droite sur mon ventre, je commençai à l'ébranler. Il ne cédait guère, c'était un gros travail. Je changeais souvent de main, car la main gauche, mal placée, se fatiguait vite. Tandis que je m'acharnais ainsi, tout un plan s'était développé dans ma tête. Ce clou devenait le salut. Il me le fallait quand même. Mais serait-il temps encore ? La faim me torturait, je dus m'arrêter, en proie à un vertige qui me laissait les mains molles, l'esprit vacillant. J'avais sucé les gouttes qui coulaient de la piqûre de mon pouce. Alors, je me mordis le bras, je bus mon sang, éperonné par la douleur, ranimé par ce vin tiède et âcre qui mouillait ma bouche. Et je me remis au clou des deux mains, je réussis à l'arracher.

Dès ce moment, je crus au succès. Mon plan était simple. J'enfonçai la pointe du clou dans le couvercle et je traçai une ligne droite, la plus longue possible, où je promenai le clou, de façon à pratiquer une entaille. Mes mains se roidissaient, je m'entêtais furieusement. Quand je pensai avoir assez entamé le bois, j'eus l'idée de me retourner, de me mettre sur le ventre, puis, en me soulevant sur les genoux et sur les coudes, de pousser des reins. Mais, si le couvercle craqua, il ne se fendit pas encore. L'entaille n'était pas assez profonde. Je dus me replacer sur le dos et reprendre la besogne, ce qui me coûta beaucoup de peine. Enfin, je tentai un nouvel effort, et cette fois le couvercle se brisa, d'un bout à l'autre.

Certes, je n'étais pas sauvé, mais l'espérance m'inondait le cœur. J'avais cessé de pousser, je ne bougeais plus, de peur de déterminer quelque éboulement qui m'aurait enseveli. Mon projet était de me servir du couvercle comme d'un abri, tandis que je tâcherais de pratiquer une sorte de puits dans l'argile. Malheureusement, ce travail présentait de grandes difficultés : les mottes épaisses qui se détachaient embarrassaient les planches que je ne pouvais manœuvrer ; jamais je n'arriverais au sol, déjà des éboulements partiels me pliaient l'échine et m'enfonçaient la face dans la terre. La peur me reprenait, lorsqu'en m'allongeant pour trouver un point d'appui, je crus sentir que la planche qui fermait la bière, aux pieds, cédait sous la pression. Je tapai alors vigoureusement du talon, songeant qu'il pouvait y avoir, à cet endroit, une fosse qu'on était en train de creuser.

Tout d'un coup, mes pieds enfoncèrent dans le vide. La prévision était juste : une fosse nouvellement ouverte se trouvait là. Je n'eus qu'une mince cloison de terre à trouer pour rouler dans cette fosse. Grand Dieu ! j'étais sauvé !

Un instant, je restai sur le dos, les yeux en l'air, au fond du trou. Il faisait nuit. Au ciel, les étoiles luisaient dans un bleuissement de velours. Par moments, un vent qui se levait m'apportait une tiédeur de printemps, une odeur d'arbres. Grand Dieu ! j'étais sauvé, je respirais, j'avais chaud, et je pleurais, et je balbutiais, les mains dévotement tendues vers l'espace. Oh ! que c'était bon de vivre !

V

Ma première pensée fut de me rendre chez le gardien du cimetière, pour qu'il me fît reconduire chez moi. Mais des idées, vagues encore, m'arrêtèrent. J'allais effrayer tout le monde. Pourquoi me presser, lorsque j'étais le maître de la situation ? Je me tâtai les membres, je n'avais que la légère morsure de mes dents au bras gauche ; et la petite fièvre qui en résultait, m'excitait, me donnait une force inespérée. Certes, je pourrais marcher sans aide.

Alors, je pris mon temps. Toutes sortes de rêveries confuses me traversaient le cerveau. J'avais senti près de moi, dans la fosse, les outils des fossoyeurs, et j'éprouvai le besoin de réparer le dégât que je venais de faire, de reboucher le trou, pour qu'on ne pût s'apercevoir de ma résurrection. À ce moment, je n'avais aucune idée nette ; je trouvais seulement inutile de publier l'aventure, éprouvant une honte à vivre, lorsque le monde entier me croyait mort. En une demi-heure de travail, je parvins à effacer toute trace. Et je sautai hors de la fosse.

Quelle belle nuit ! Un silence profond régnait dans le cimetière. Les arbres noirs faisaient des ombres immobiles, au milieu de la blancheur des tombes.

Comme je cherchais à m'orienter, je remarquai que toute une moitié du ciel flambait d'un reflet d'incendie. Paris était là. Je me dirigeai de ce côté, filant le long d'une avenue, dans l'obscurité des branches. Mais, au bout de cinquante pas, je dus m'arrêter, essoufflé déjà. Et je m'assis sur un banc de pierre. Alors seulement je m'examinai : j'étais complètement habillé, chaussé même, et seul un chapeau me manquait. Combien je remerciai ma chère Marguerite du pieux sentiment qui l'avait fait me vêtir ! Le brusque souvenir de Marguerite me remit debout. Je voulais la voir.

Au bout de l'avenue, une muraille m'arrêta. Je montai sur une tombe, et quand je fus pendu au chaperon, de l'autre côté du mur, je me laissai aller. La chute fut rude. Puis, je marchai quelques minutes dans une grande rue déserte, qui tournait autour du cimetière. J'ignorais complètement où j'étais ; mais je me répétais, avec l'entêtement de l'idée fixe, que j'allais rentrer dans Paris et que je saurais bien trouver la rue Dauphine. Des gens passèrent, je ne les questionnai même pas, saisi de méfiance, ne voulant me confier à personne. Aujourd'hui, j'ai conscience qu'une grosse fièvre me secouait déjà, et que ma tête se perdait. Enfin, comme je débouchais sur une grande voie, un éblouissement me prit, et je tombai lourdement sur le trottoir.

Ici, il y a un trou dans ma vie. Pendant trois semaines, je demeurai sans connaissance. Quand je m'éveillai enfin, je me trouvais dans une chambre inconnue. Un homme était là, à me soigner. Il me raconta simplement que, m'ayant ramassé un matin, sur le boulevard Montparnasse, il m'avait gardé chez lui. C'était un vieux docteur, qui n'exerçait plus. Lorsque je le remerciais, il me répondait avec brusquerie que mon cas lui avait paru curieux et qu'il avait voulu l'étudier. D'ailleurs, dans les premiers jours de ma convalescence, il ne me permit de lui adresser aucune question. Plus tard, il ne m'en fit aucune. Durant huit jours encore, je gardai le lit, la tête faible, ne cherchant pas même à me souvenir, car le souvenir était une fatigue et un chagrin. Je me sentais plein de pudeur et de crainte. Lorsque je pourrais sortir, j'irais voir. Peut-être, dans le délire de la fièvre, avais-je laissé échapper un nom ; mais jamais le médecin ne fit allusion à ce que j'avais pu dire. Sa charité resta discrète.

Cependant, l'été était venu. Un matin de juin, j'obtins enfin la permission de faire une courte promenade. C'était une matinée superbe, un de ces gais soleils qui donnent une jeunesse aux rues du vieux Paris. J'allais doucement, questionnant les promeneurs à chaque carrefour, demandant la rue Dauphine. J'y arrivai, et j'eus de la peine à reconnaître l'hôtel meublé où nous étions descendus. Une peur d'enfant m'agitait. Si je me présentais brusquement à Marguerite, je craignais de la tuer. Le mieux peut-être serait de prévenir d'abord cette vieille femme, Mme Gabin, qui logeait là. Mais il me déplaisait de mettre quelqu'un entre nous. Je ne m'arrêtais à rien. Tout au fond de moi, il y avait comme un grand vide, comme un sacrifice accompli depuis longtemps.

La maison était toute jaune de soleil. Je l'avais reconnue à un restaurant borgne, qui se trouvait au rez-de-chaussée, et d'où l'on nous montait la nourriture. Je levai les yeux, je regardai la dernière fenêtre du troisième étage, à gauche. Elle était grande ouverte. Tout à coup, une jeune femme, ébouriffée, la camisole de travers, vint s'accouder ; et, derrière elle, un jeune homme qui la poursuivait, avança la tête et la baisa au cou. Ce n'était pas Marguerite. Je n'éprouvai aucune surprise. Il me sembla que j'avais rêvé cela et d'autres choses encore que j'allais apprendre.

Un instant, je demeurai dans la rue, indécis, songeant à monter et à questionner ces amoureux qui riaient toujours, au grand soleil. Puis, je pris le parti d'entrer dans le petit restaurant, en bas. Je devais être méconnaissable ; ma barbe avait poussé pendant ma fièvre cérébrale, mon visage s'était creusé. Comme je m'asseyais à une table, je vis justement Mme Gabin qui apportait une tasse, pour acheter deux sous de café ; et elle se planta devant le comptoir, elle entama avec la dame de l'établissement les commérages de tous les jours. Je tendis l'oreille.

« Eh bien ! demandait la dame, cette pauvre petite du troisième a donc fini par se décider ?

– Que voulez-vous ? répondit Mme Gabin, c'était ce qu'elle avait de mieux à faire. M. Simoneau lui témoignait tant d'amitié !... Il avait heureusement terminé ses affaires, un gros héritage, et il lui offrait de l'emmener là-bas, dans son pays, vivre chez une tante à lui, qui a besoin d'une personne de confiance. »

La dame du comptoir eut un léger rire. J'avais enfoncé ma face dans un journal, très pâle, les mains tremblantes.

« Sans doute, ça finira par un mariage, reprit Mme Gabin. Mais je vous jure sur mon honneur que je n'ai rien vu de louche. La petite pleurait son mari, et le jeune homme se conduisait parfaitement bien... Enfin, ils sont partis hier. Quand elle ne sera plus en deuil, n'est-ce pas ? ils feront ce qu'ils voudront. »

À ce moment, la porte qui menait du restaurant dans l'allée s'ouvrit toute grande, et Dédé entra.

« Maman, tu ne montes pas ?... J'attends, moi. Viens vite.

– Tout à l'heure, tu m'embêtes ! » dit la mère.

L'enfant resta, écoutant les deux femmes, de son air précoce de gamine poussée sur le pavé de Paris.

« Dame ! après tout, expliquait Mme Gabin, le défunt ne valait pas M. Simoneau... Il ne me revenait guère, ce gringalet. Toujours à geindre ! Et pas le sou ! Ah ! non, vrai ! un mari comme ça, c'est désagréable pour une femme qui a du sang... Tandis que M. Simoneau, un homme riche, fort comme un Turc...

– Oh ! interrompit Dédé, moi, je l'ai vu, un jour qu'il se débarbouillait. Il en a, du poil sur les bras !

– Veux-tu t'en aller ! cria la vieille en la bousculant. Tu fourres toujours ton nez où il ne doit pas être. »

Puis, pour conclure :

« Tenez ! l'autre a bien fait de mourir. C'est une fière chance. »

Quand je me retrouvai dans la rue, je marchai lentement, les jambes cassées. Pourtant, je ne souffrais pas trop. J'eus même un sourire, en apercevant mon ombre au soleil. En effet, j'étais bien chétif, j'avais eu une singulière idée d'épouser Marguerite. Et je me rappelais ses ennuis de Guérande, ses impatiences, sa vie morne et fatiguée. La chère femme se montrait bonne. Mais je n'avais jamais été son amant, c'était un frère qu'elle venait de pleurer. Pourquoi aurais-je de nouveau dérangé sa vie ? Un mort n'est pas jaloux. Lorsque je levai la tête, je vis que le jardin du Luxembourg était devant moi. J'y entrai et je m'assis au soleil, rêvant avec une grande douceur. La pensée de Marguerite m'attendrissait, maintenant. Je me l'imaginais en province, dame dans une petite ville, très heureuse, très aimée, très fêtée ; elle embellissait, elle avait trois garçons et deux filles. Allons ! j'étais un brave homme d'être mort, et je ne ferais certainement pas la bêtise cruelle de ressusciter.

Depuis ce temps, j'ai beaucoup voyagé, j'ai vécu un peu partout. Je suis un homme médiocre, qui a travaillé et mangé comme tout le monde. La mort ne m'effraie plus ; mais elle semble ne pas vouloir de moi, à présent que je n'ai aucune raison de vivre, et je crains qu'elle ne m'oublie.

LES COQUILLAGES DE MONSIEUR CHABRE [1]

I

Le grand chagrin de M. Chabre était de ne pas avoir d'enfant. Il avait épousé une demoiselle Catinot, de la maison Desvignes et Catinot, la blonde Estelle, grande belle fille de dix-huit ans ; et, depuis quatre ans, il attendait, anxieux, consterné, blessé de l'inutilité de ses efforts.

M. Chabre était un ancien marchand de grains retiré. Il avait une belle fortune. Bien qu'il eût mené la vie chaste d'un bourgeois enfoncé dans l'idée fixe de devenir millionnaire, il traînait à quarante-cinq ans des jambes alourdies de vieillard. Sa face blême, usée par les soucis de l'argent, était plate et banale comme un trottoir. Et il se désespérait, car un homme qui a gagné cinquante mille francs de rentes a certes le droit de s'étonner qu'il soit plus difficile d'être père que d'être riche [2].

---

1. Le récit *Les Coquillages de Monsieur Chabre* a été écrit en août 1876, pendant un séjour des Zola à Piriac-sur-Mer, sur le littoral breton, et publié par *Le Messager de l'Europe* en septembre 1876 sous le titre *Bains de mer en France*. En français, seule la quatrième partie paraîtra, avec des variantes, dans *Le Figaro* du 4 juillet 1881, sous le titre *La Pêche aux crevettes*. Dans *Naïs Micoulin*, *Les Coquillages de Monsieur Chabre* figure à la cinquième et avant-dernière place.

2. Le « bourgeois » est une cible essentielle du réalisme satirique dans toute l'œuvre de Zola, très proche en cela des obsessions et des prises de position de son ami Flaubert.

La belle Mme Chabre avait alors vingt-deux ans. Elle était adorable avec son teint de pêche mûre, ses cheveux couleur de soleil, envolés sur sa nuque. Ses yeux d'un bleu vert semblaient une eau dormante, sous laquelle il était malaisé de lire. Quand son mari se plaignait de la stérilité de leur union, elle redressait sa taille souple, elle développait l'ampleur de ses hanches et de sa gorge ; et le sourire qui pinçait le coin de ses lèvres disait clairement : « Est-ce ma faute ? » D'ailleurs, dans le cercle de ses relations, Mme Chabre était regardée comme une personne d'une éducation parfaite, incapable de faire causer d'elle, suffisamment dévote, nourrie enfin dans les bonnes traditions bourgeoises par une mère rigide. Seules, les ailes fines de son petit nez blanc avaient parfois des battements nerveux, qui auraient inquiété un autre mari qu'un ancien marchand de grains.

Cependant, le médecin de la famille, le docteur Guiraud, gros homme fin et souriant, avait eu déjà plusieurs conversations particulières avec M. Chabre. Il lui expliquait combien la science est encore en retard. Mon Dieu ! non, on ne plantait pas un enfant comme un chêne. Pourtant, ne voulant désespérer personne, il lui avait promis de songer à son cas. Et, un matin de juillet, il vint lui dire :

« Vous devriez partir pour les bains de mer, cher monsieur... Oui, c'est excellent. Et surtout mangez beaucoup de coquillages, ne mangez que des coquillages. »

M. Chabre, repris d'espérance, demanda vivement :

« Des coquillages, docteur ?... Vous croyez que des coquillages... ?

– Parfaitement ! On a vu le traitement réussir. Entendez-vous, tous les jours des huîtres, des moules, des clovisses, des oursins, des arapèdes [1], même des homards et des langoustes. »

1. Zola utilise le nom provençal de ce mollusque comestible appelé en Bretagne « bernique » ou « bernicle ». Solidement fixé sur les rochers, il a la forme d'un chapeau chinois.

Puis, comme il se retirait, il ajouta négligemment, sur le seuil de la porte :

« Ne vous enterrez pas. Mme Chabre est jeune et a besoin de distractions... Allez à Trouville. L'air y est très bon. »

Trois jours après, le ménage Chabre partait. Seulement, l'ancien marchand de grains avait pensé qu'il était complètement inutile d'aller à Trouville, où il dépenserait un argent fou. On est également bien dans tous les pays pour manger des coquillages ; même, dans un pays perdu, les coquillages devaient être plus abondants et moins chers. Quant aux amusements, ils seraient toujours trop nombreux. Ce n'était pas un voyage de plaisir qu'ils faisaient.

Un ami avait enseigné à M. Chabre la petite plage du Pouliguen, près de Saint-Nazaire. Mme Chabre, après un voyage de douze heures, s'ennuya beaucoup, pendant la journée qu'ils passèrent à Saint-Nazaire, dans cette ville naissante, avec ses rues neuves tracées au cordeau, pleines encore de chantiers de construction. Ils allèrent visiter le port, ils se traînèrent dans les rues, où les magasins hésitent entre les épiceries noires des villages et les grandes épiceries luxueuses des villes. Au Pouliguen, il n'y avait plus un seul chalet à louer. Les petites maisons de planches et de plâtre, qui semblent entourer la baie des baraques violemment peinturlurées d'un champ de foire, se trouvaient déjà envahies par des Anglais et par les riches négociants de Nantes. D'ailleurs, Estelle faisait une moue, en face de ces architectures, dans lesquelles des bourgeois artistes avaient donné carrière à leur imagination.

On conseilla aux voyageurs d'aller coucher à Guérande. C'était un dimanche. Quand ils arrivèrent, vers midi, M. Chabre éprouva un saisissement, bien qu'il ne fût pas de nature poétique. La vue de Guérande, de ce bijou féodal si bien conservé, avec son enceinte fortifiée et ses portes profondes, surmontées de mâchicoulis, l'étonna. Estelle regardait la ville silencieuse, entourée des grands arbres de ses promenades ; et, dans l'eau dormante de ses yeux, une rêverie souriait. Mais la voiture roulait toujours, le cheval passa au trot sous une porte, et les roues dansèrent sur le pavé pointu des rues étroites. Les Chabre n'avaient pas échangé une parole.

« Un vrai trou ! murmura enfin l'ancien marchand de grains. Les villages, autour de Paris, sont mieux bâtis. »

Comme le ménage descendait de voiture devant l'hôtel du Commerce, situé au centre de la ville, à côté de l'église, justement on sortait de la grand-messe. Pendant que son mari s'occupait des bagages, Estelle fit quelques pas, très intéressée par le défilé des fidèles, dont un grand nombre portaient des costumes originaux. Il y avait là, en blouse blanche et en culotte bouffante, des paludiers [1] qui vivent dans les marais salants, dont le vaste désert s'étale entre Guérande et Le Croisic. Il y avait aussi des métayers, race complètement distincte, qui portaient la courte veste de drap et le large chapeau rond. Mais Estelle fut surtout ravie par le costume riche d'une jeune fille. La coiffe la serrait aux tempes et se terminait en pointe. Sur son corset rouge, garni de larges manches à revers, s'appliquait un plastron de soie broché de fleurs voyantes. Et une ceinture, aux broderies d'or et d'argent, serrait ses trois jupes de drap bleu superposées, plissées à plis serrés ; tandis qu'un long tablier de soie orange descendait, en laissant à découvert ses bas de laine rouge et ses pieds chaussés de petites mules jaunes.

« S'il est permis ! dit M. Chabre, qui venait de se planter derrière sa femme. Il faut être en Bretagne pour voir un pareil carnaval. »

Estelle ne répondit pas. Un grand jeune homme, d'une vingtaine d'années, sortait de l'église, en donnant le bras à une vieille dame. Il était très blanc de peau, la mine fière, les cheveux d'un blond fauve.

1. Paludiers : ouvriers qui travaillent dans les marais salants.

On aurait dit un géant, aux épaules larges, aux membres déjà bossués de muscles, et si tendre, si délicat pourtant, qu'il avait la figure rose d'une jeune fille, sans un poil aux joues. Comme Estelle le regardait fixement, surprise de sa grande beauté, il tourna la tête, la regarda une seconde, et rougit.

« Tiens ! murmura M. Chabre, en voilà un au moins qui a une figure humaine. Ça fera un beau carabinier.

– C'est M. Hector, dit la servante de l'hôtel, qui avait entendu. Il accompagne sa maman, Mme de Plougastel... Oh ! un enfant bien doux, bien honnête ! »

Pendant le déjeuner, à la table d'hôte, les Chabre assistèrent à une vive discussion. Le conservateur des hypothèques, qui prenait ses repas à l'hôtel du Commerce, vanta la vie patriarcale de Guérande, surtout les bonnes mœurs de la jeunesse. À l'entendre, c'était l'éducation religieuse qui conservait ainsi l'innocence des habitants. Et il donnait des exemples, il citait des faits. Mais un commis voyageur, arrivé du matin, avec des caisses de bijoux faux, ricanait, en racontant qu'il avait aperçu, le long du chemin, des filles et des garçons qui s'embrassaient derrière les haies. Il aurait voulu voir les gars du pays, si on leur avait mis sous le nez des dames aimables. Et il finit par plaisanter la religion, les curés et les religieuses, si bien que le conservateur des hypothèques jeta sa serviette et s'en alla, suffoqué. Les Chabre avaient mangé, sans dire un mot, le mari furieux des choses qu'on entendait dans les tables d'hôte, la femme paisible et souriante, comme si elle ne comprenait pas.

Pour occuper l'après-midi, le ménage visita Guérande. Dans l'église Saint-Aubin, il faisait une fraîcheur délicieuse. Ils s'y promenèrent doucement, levant les yeux vers les hautes voûtes, sous lesquelles des faisceaux de colonnettes montent comme des fusées de pierre. Ils s'arrêtèrent devant les sculptures étranges des chapiteaux, où l'on voit des bourreaux scier des patients en deux, et les faire cuire sur des grils, tandis qu'ils alimentent le feu avec de gros soufflets. Puis, ils parcoururent les cinq ou six rues de la ville, et M. Chabre garda son opinion : décidément, c'était un trou, sans le moindre commerce, une de ces vieilleries du Moyen Âge, comme on en avait tant démoli déjà. Les rues étaient désertes, bordées de maisons à pignon, qui se tassaient les unes contre les autres, pareilles à de vieilles femmes lasses. Des toits pointus, des poivrières couvertes d'ardoises clouées, des tourelles d'angle, des restes de sculptures usés par le temps, faisaient de certains coins silencieux comme des musées dormant au soleil. Estelle, qui lisait des romans depuis qu'elle était mariée, avait des regards langoureux, en examinant les fenêtres à petites vitres garnies de plomb. Elle songeait à Walter Scott [1].

Mais, quand les Chabre sortirent de la ville pour en faire le tour, ils hochèrent la tête et durent convenir que c'était vraiment gentil. Les murailles de granit se développent sans une brèche, dorées par le soleil, intactes comme au premier jour. Des draperies de lierre et de chèvrefeuille pendent seules des mâchicoulis. Sur les tours, qui flanquent les remparts, des arbustes ont poussé, des genêts d'or, des giroflées de flamme, dont les panaches de fleurs brûlent dans le ciel, clair. Et, tout autour de la ville, s'étendent des promenades ombragées de grands arbres, des ormes séculaires, sous lesquels l'herbe pousse. On marche là à petits pas, comme sur un tapis, en longeant les anciens fossés, comblés par endroits, changés plus loin en mares stagnantes dont les eaux moussues ont d'étranges reflets. Des

---

1. Zola, à la suite de Flaubert, fait de la lectrice de romans – en particulier de ceux de Walter Scott, icône du romantisme – une victime de rêveries émollientes qui la prédisposent à l'adultère. Dans *Une page d'amour* (1878), Hélène Mouret, qui lit *Ivanhoé*, succombe ainsi complaisamment au charme de ces « tableaux bonnes pour les têtes vides, qui n'ont point le sentiment exact de la vie » (*Les Rougon-Macquart, op. cit.*, t. II, p. 846).

bouleaux, contre les murailles, y mirent leurs troncs blancs. Des nappes de plantes y étalent leurs cheveux verts. Des coups de lumière glissent entre les arbres, éclairent des coins mystérieux, des enfoncements de poterne, où les grenouilles mettent seules leurs sauts brusques et effarés, dans le silence recueilli des siècles morts [1].

« Il y a dix tours, je les ai comptées ! » s'écria M. Chabre, lorsqu'ils furent revenus à leur point de départ.

Les quatre portes de la ville l'avaient surtout frappé avec leur porche étroit et profond, où une seule voiture pouvait passer à la fois. Est-ce que ce n'était pas ridicule, au dix-neuvième siècle, de rester enfermé ainsi ? C'est lui qui aurait rasé les portes, de vraies citadelles, trouées de meurtrières, aux murs si épais, qu'on aurait pu bâtir à leur place deux maisons de six étages !

« Sans compter, ajoutait-il, les matériaux qu'on retirerait également des remparts. »

Ils étaient alors sur le Mail, vaste promenade exhaussée, formant un quart de cercle, de la porte de l'est à la porte du sud. Estelle restait songeuse, en face de l'admirable horizon qui s'étendait à des lieues, au-delà des toitures du faubourg. C'était d'abord une bande de nature puissante, des pins tordus par les vents de la mer, des buissons noueux, toute une végétation d'une verdure noire. Puis s'étendait le désert des marais salants, l'immense plaine nue, avec les miroirs des bassins carrés et les blancheurs des petits tas de sel, qui s'allumaient sur la nappe grise des sables. Et, plus loin, à la limite du ciel, l'Océan mettait sa profondeur bleue. Trois

---

1. Les Zola se sont laissé séduire par le charme de Guérande, « un bijou de ville, une ville féodale qu'on pourrait mettre à la vitrine d'un marchand de curiosités » (lettre à Marius Roux, 11 août 1876), « aussi belle qu'une armure antique », comme disait déjà Balzac, qui y a situé l'action de *Béatrix*, un roman qui ne fut pas sans influencer Zola lorsqu'il rédigea sa nouvelle.

voiles, dans ce bleu, semblaient trois hirondelles blanches.

« Voici le jeune homme de ce matin, dit tout d'un coup M. Chabre. Tu ne trouves pas qu'il ressemble au petit des Larivière ? S'il avait une bosse, ce serait tout à fait ça. »

Estelle s'était lentement tournée. Mais Hector, planté au bord du Mail, l'air absorbé, lui aussi, par la vue lointaine de la mer, ne parut pas s'apercevoir qu'on le regardait. Alors, la jeune femme se remit lentement à marcher. Elle s'appuyait sur la longue canne de son ombrelle. Au bout d'une dizaine de pas, le nœud de l'ombrelle se détacha. Et les Chabre entendirent une voix derrière eux.

« Madame, madame… »

C'était Hector qui avait ramassé le nœud.

« Mille fois merci, monsieur », dit Estelle avec son tranquille sourire.

Il était bien doux, bien honnête, ce garçon. Il plut tout de suite à M. Chabre, qui lui confia son embarras sur le choix d'une plage et lui demanda même des renseignements. Hector, très timide, balbutiait.

« Je ne crois pas que vous trouviez ce que vous cherchez ni au Croisic ni au bourg de Batz, dit-il en montrant les clochers de ces petites villes à l'horizon. Je vous conseille d'aller à Piriac… »

Et il fournit des détails, Piriac était à trois lieues. Il avait un oncle dans les environs. Enfin, sur une question de M. Chabre, il affirma que les coquillages s'y trouvaient en abondance.

La jeune femme tapait l'herbe rase du bout de son ombrelle. Le jeune homme ne levait pas les yeux sur elle, comme très embarrassé par sa présence.

« Une bien jolie ville que Guérande, monsieur, finit par dire Estelle de sa voix flûtée.

– Oh ! bien jolie », balbutia Hector, en la dévorant brusquement du regard.

II

Un matin, trois jours après l'installation du ménage à Piriac, M. Chabre, debout sur la plate-forme de la jetée qui protège le petit port, surveillait placidement le bain d'Estelle, en train de faire la planche. Le soleil était déjà très chaud ; et, correctement habillé, en redingote noire et en chapeau de feutre, il s'abritait sous une ombrelle de touriste, à doublure verte.

« Est-elle bonne ? demanda-t-il pour avoir l'air de s'intéresser au bain de sa femme.

– Très bonne ! » répondit Estelle, en se remettant sur le ventre.

Jamais M. Chabre ne se baignait. Il avait une grande terreur de l'eau, qu'il dissimulait en disant que les médecins lui défendaient formellement les bains de mer. Quand une vague, sur le sable, roulait jusqu'à ses semelles, il se reculait avec un tressaillement, comme devant une bête méchante montrant les dents. D'ailleurs, l'eau aurait dérangé sa correction habituelle, il la trouvait malpropre et inconvenante.

« Alors, elle est bonne ? » répéta-t-il, étourdi par la chaleur, pris d'une somnolence inquiète sur ce bout de jetée.

Estelle ne répondit pas, battant l'eau de ses bras, nageant en chien. D'une hardiesse garçonnière, elle se baignait pendant des heures, ce qui consternait son mari, car il croyait décent de l'attendre sur le bord. À Piriac, Estelle avait trouvé le bain qu'elle aimait. Elle dédaignait la plage en pente, qu'il faut descendre longtemps, avant d'enfoncer jusqu'à la ceinture. Elle se rendait à l'extrémité de la jetée, enveloppée dans son peignoir de molleton blanc, le laissait glisser de ses épaules et piquait tranquillement une tête. Il lui fallait six mètres de fond, disait-elle, pour ne pas se cogner aux rochers. Son costume de bain sans jupe, fait d'une seule pièce, dessinait sa haute taille ; et la longue ceinture bleue qui lui ceignait les reins la cambrait, les hanches balancées d'un mouvement rythmique. Dans l'eau claire, les cheveux emprisonnés sous un bonnet de caoutchouc, d'où s'échappaient des mèches folles, elle avait la souplesse d'un poisson bleuâtre, à tête de femme, inquiétante et rose.

M. Chabre était là depuis un quart d'heure, sous le soleil ardent. Trois fois déjà, il avait consulté sa montre. Il finit par se hasarder à dire timidement :

« Tu restes bien longtemps, ma bonne... Tu devrais sortir, les bains si longs te fatiguent.

– Mais j'entre à peine ! cria la jeune femme. On est comme dans du lait. »

Puis, se remettant sur le dos :

« Si tu t'ennuies, tu peux t'en aller... Je n'ai pas besoin de toi. »

Il protesta de la tête, il déclara qu'un malheur était si vite arrivé ! Et Estelle souriait, en songeant de quel beau secours lui serait son mari, si elle était prise d'une crampe. Mais brusquement, elle regarda de l'autre côté de la jetée, dans la baie qui se creuse à gauche du village.

« Tiens ! dit-elle, qu'est-ce qu'il y a donc là-bas ? Je vais voir. »

Et elle fila rapidement, par brassées longues et régulières.

« Estelle ! Estelle ! criait M. Chabre. Veux-tu bien ne pas t'éloigner !... Tu sais que je déteste les imprudences. »

Mais Estelle ne l'écoutait pas, il dut se résigner. Debout, se haussant pour suivre la tache blanche que le chapeau de paille de sa femme faisait sur l'eau, il se contenta de changer de main son ombrelle, sous laquelle l'air surchauffé le suffoquait de plus en plus.

« Qu'a-t-elle donc vu ? murmurait-il. Ah ! oui, cette chose qui flotte là-bas... Quelque saleté. Un paquet d'algues, bien sûr. Ou un baril... Tiens ! non, ça bouge. »

Et, tout d'un coup, il reconnut l'objet.

« Mais c'est un monsieur qui nage ! »

Estelle, cependant, après quelques brassées, avait aussi parfaitement reconnu que c'était un monsieur. Alors, elle cessa de nager droit à lui, ce qu'elle sentait peu convenable. Mais, par coquetterie, heureuse de montrer sa hardiesse, elle ne revint pas à la jetée, elle continua de se diriger vers la pleine mer. Elle avançait paisiblement, sans paraître apercevoir le nageur. Celui-ci, comme si un courant l'avait porté, obliquait peu à peu vers elle. Puis, quand elle se tourna pour revenir à la jetée, il y eut une rencontre qui parut toute fortuite.

« Madame, votre santé est bonne ? demanda poliment le monsieur.

– Tiens ! c'est vous, monsieur ! » dit gaiement Estelle.

Et elle ajouta avec un léger rire :

« Comme on se retrouve tout de même ! »

C'était le jeune Hector de Plougastel. Il restait très timide, très fort et très rose dans l'eau. Un instant, ils nagèrent sans parler, à une distance décente. Ils étaient obligés de hausser la voix pour s'entendre. Pourtant, Estelle crut devoir se montrer polie.

« Nous vous remercions de nous avoir indiqué Piriac… Mon mari est enchanté.

– C'est votre mari, n'est-ce pas, ce monsieur tout seul qui est là-bas sur la jetée ? demanda Hector.

– Oui, monsieur », répondit-elle.

Et ils se turent de nouveau. Ils regardaient le mari, grand comme un insecte noir, au-dessus de la mer. M. Chabre, très intrigué, se haussait davantage, en se demandant quelle connaissance sa femme avait bien pu rencontrer en plein Océan. C'était indubitable, sa femme causait avec le monsieur. Il les voyait tourner la tête l'un vers l'autre. Ce devait être un de leurs amis de Paris. Mais il avait beau chercher, il ne trouvait personne dans leurs relations qui aurait osé s'aventurer ainsi. Et il attendait, en imprimant à son ombrelle un mouvement de toupie, pour se distraire.

« Oui, expliquait Hector à la belle Mme Chabre, je suis venu passer quelques jours chez mon oncle, dont vous apercevez là-bas le château, à mi-côte. Alors, tous les jours, pour prendre mon bain, je pars de cette pointe, en face de la terrasse, et je vais jusqu'à la jetée. Puis, je retourne. En tout, deux kilomètres. C'est un exercice excellent... Mais vous, madame, vous êtes très brave. Je n'ai jamais vu une dame aussi brave.

– Oh ! dit Estelle, toute petite j'ai pataugé... L'eau me connaît bien. Nous sommes de vieilles amies. »

Peu à peu, ils se rapprochaient, pour ne pas avoir à crier si fort. La mer, par cette chaude matinée, dormait, pareille à un vaste pan de moire. Des plaques de satin s'étendaient, puis des bandes qui ressemblaient à une étoffe plissée, s'allongeaient, s'agrandissaient, portant au loin le léger frisson des courants. Quand ils furent près l'un de l'autre, la conversation devint plus intime.

L'admirable journée ! Et Hector indiquait à Estelle plusieurs points des côtes. Là, ce village, à un kilomètre de Piriac, c'était Port-aux-Loups ; en face se trouvait le Morbihan, dont les falaises blanches se détachaient avec la netteté d'une touche d'aquarelle ; enfin de l'autre côté, vers la pleine mer, l'île Dumet faisait une tache grise, au milieu de l'eau bleue. Estelle, à chaque indication, suivait le doigt d'Hector, s'arrêtait un instant pour regarder. Et cela l'amusait de voir ces côtes lointaines, les yeux au ras de l'eau, dans un infini limpide. Quand elle se tournait vers le soleil, c'était un éblouissement, la mer semblait se changer en un Sahara sans bornes, avec la réverbération aveuglante de l'astre sur l'immensité décolorée des sables.

« Comme c'est beau ! murmurait-elle, comme c'est beau ! »

Elle se mit sur le dos pour se reposer. Elle ne bougeait plus, les mains en croix, la tête rejetée en arrière, s'abandonnant. Et ses jambes blanches, ses bras blancs flottaient.

« Alors, vous êtes né à Guérande, monsieur ? » demanda-t-elle.

Afin de causer plus commodément, Hector se mit également sur le dos.

« Oui, madame, répondit-il. Je ne suis jamais allé qu'une fois à Nantes. »

Il donna des détails sur son éducation. Il avait grandi auprès de sa mère, qui était d'une dévotion étroite, et qui gardait intactes les traditions de l'ancienne noblesse. Son précepteur, un prêtre, lui avait appris à peu près ce qu'on apprend dans les collèges, en y ajoutant beaucoup de catéchisme et de blason. Il montait à cheval, tirait l'épée, était rompu aux exercices du corps. Et, avec cela, il semblait avoir une innocence de vierge, car il communiait tous les huit jours, ne lisait jamais de romans, et devait épouser à sa majorité une cousine à lui, qui était laide.

« Comment ! vous avez vingt ans à peine ! » s'écria Estelle, en jetant un coup d'œil étonné sur ce colosse enfant.

Elle devint maternelle. Cette fleur de la forte race bretonne l'intéressait. Mais, comme ils restaient tous deux sur le dos, les yeux perdus dans la transparence du ciel, ne s'inquiétant plus autrement de la terre, ils furent poussés si près l'un de l'autre, qu'il la heurta légèrement.

« Oh ! pardon ! » dit-il.

Il plongea, reparut quatre mètres plus loin. Elle s'était remise à nager et riait beaucoup.

« C'est un abordage », criait-elle.

Lui, était très rouge. Il se rapprochait, en la regardant sournoisement. Elle lui semblait délicieuse, sous son chapeau de paille rabattu. On ne voyait que son visage, dont le menton à fossette trempait dans l'eau. Quelques gouttes tombant des mèches blondes échappées du bonnet mettaient des perles dans le duvet des joues. Et rien n'était exquis comme ce sourire, cette tête de jolie femme qui s'avançait à petit bruit, en ne laissant derrière elle qu'un filet d'argent.

Hector devint plus rouge encore, lorsqu'il s'aperçut qu'Estelle se savait regardée et s'égayait de la singulière figure qu'il devait faire.

« Monsieur votre mari paraît s'impatienter, dit-il pour renouer la conversation.

– Oh ! non, répondit-elle tranquillement, il a l'habitude de m'attendre, quand je prends mon bain. »

À la vérité, M. Chabre s'agitait. Il faisait quatre pas en avant, revenait, puis repartait, en imprimant à son ombrelle un mouvement de rotation plus vif, dans l'espoir de se donner de l'air. La conversation de sa femme avec le nageur inconnu commençait à le surprendre.

Estelle songea tout à coup qu'il n'avait peut-être pas reconnu Hector.

« Je vais lui crier que c'est vous », dit-elle.

Et, lorsqu'elle put être entendue de la jetée, elle haussa la voix.

« Tu sais, mon ami, c'est ce monsieur de Guérande qui a été si aimable.

– Ah ! très bien, très bien », cria à son tour M. Chabre.

Il ôta son chapeau et salua.

« L'eau est bonne, monsieur ? demanda-t-il avec politesse.

– Très bonne, monsieur », répondit Hector.

Le bain continua sous les yeux du mari, qui n'osait plus se plaindre, bien que ses pieds fussent cuits par les pierres brûlantes. Au bout de la jetée, la mer était d'une transparence admirable. On apercevait nettement le fond, à quatre ou cinq mètres, avec son sable fin, ses quelques galets mettant une tache noire ou blanche, ses herbes minces, debout, balançant leurs longs cheveux. Et ce fond limpide amusait beaucoup Estelle. Elle nageait doucement, pour ne pas trop agiter la surface ; puis, penchée, avec de l'eau jusqu'au nez, elle regardait sous elle se dérouler le sable et les galets, dans la mystérieuse et vague profondeur. Les herbes surtout lui donnaient un léger frisson, lorsqu'elle passait au-dessus d'elles. C'étaient des nappes verdâtres, comme vivantes, remuant des feuilles découpées et pareilles à un fourmillement de pattes de crabes, les unes courtes, ramassées, tapies entre deux roches, les autres dégingandées, allongées et souples ainsi que des serpents. Elle jetait de petits cris, annonçant ses découvertes.

« Oh ! cette grosse pierre ! on dirait qu'elle bouge... Oh ! cet arbre, un vrai arbre, avec des branches !... Oh ! ça, c'est un poisson ! Il file raide. »

Puis, tout d'un coup, elle se récria.

« Qu'est-ce que c'est donc ? un bouquet de mariée !... Comment ! il y a des bouquets de mariée dans la mer ?... Voyez, si on ne dirait pas des fleurs blanches. C'est très joli, très joli... »

Aussitôt Hector plongea. Et il reparut, tenant une poignée d'herbes blanchâtres, qui tombèrent et se fanèrent en sortant de l'eau.

« Je vous remercie bien, dit Estelle. Il ne fallait pas vous donner la peine... Tiens ! mon ami, garde-moi ça. »

Et elle jeta la poignée d'herbes aux pieds de M. Chabre. Pendant un instant encore, la jeune femme et le jeune homme nagèrent. Ils faisaient une écume bouillonnante, avançaient par brassées saccadées. Puis, tout d'un coup, leur nage semblait s'endormir, ils glissaient avec lenteur, en élargissant seulement autour d'eux des cercles qui oscillaient et se mouraient. C'était comme une intimité discrète et sensuelle, de se rouler ainsi dans le même flot. Hector, à mesure que l'eau se refermait sur le corps fuyant d'Estelle, cherchait à se glisser dans le sillage qu'elle laissait, à retrouver la place et la tiédeur de ses membres. Autour d'eux, la mer s'était calmée encore, d'un bleu dont la pâleur tournait au rose.

« Ma bonne, tu vas prendre froid, murmura M. Chabre qui suait à grosses gouttes.

– Je sors, mon ami », répondit-elle.

Elle sortit en effet, remonta vivement à l'aide d'une chaîne, le long du talus oblique de la jetée. Hector devait guetter sa sortie. Mais, quand il leva la tête au bruit de pluie qu'elle faisait, elle était déjà sur la plate-forme, enveloppée dans son peignoir. Il eut une figure si surprise et si contrariée, qu'elle sourit, en grelottant un peu ; et elle grelottait, parce qu'elle se savait charmante, agitée ainsi d'un frisson, grande, détachant sa silhouette drapée sur le ciel.

Le jeune homme dut prendre congé.

« Au plaisir de vous revoir, monsieur », dit le mari.

Et, pendant qu'Estelle, en courant sur les dalles de la jetée, suivait au-dessus de l'eau la tête d'Hector qui retraversait la baie, M. Chabre venait derrière elle, gravement, tenant à la main l'herbe marine cueillie par le jeune homme, le bras tendu pour ne pas mouiller sa redingote.

III

Les Chabre avaient loué à Piriac le premier étage d'une grande maison, dont les fenêtres donnaient sur la mer. Comme on ne trouvait dans le village que des cabarets borgnes[1], ils avaient dû prendre une femme du pays, qui leur faisait la cuisine. Une étrange cuisine par exemple, des rôtis réduits en charbon, et des sauces de couleur inquiétante, devant lesquelles Estelle préférait manger du pain. Mais, comme le disait M. Chabre, on n'était pas venu pour la gourmandise. Lui, d'ailleurs, ne touchait guère aux rôtis ni aux sauces. Il se bourrait de coquillages, matin et soir, avec une conviction d'homme qui s'administre une médecine. Le pis était qu'il détestait ces bêtes inconnues, aux formes bizarres, élevé dans une cuisine bourgeoise, fade et lavée, ayant un goût d'enfant pour les sucreries. Les coquillages lui emportaient la bouche, salés, poivrés,

1. Borgne : de mauvais aspect, sans distinction.

de saveurs si imprévues et si fortes, qu'il ne pouvait dissimuler une grimace en les avalant ; mais il aurait avalé les coquilles, s'il l'avait fallu, tant il s'entêtait dans son désir d'être père.

« Ma bonne, tu n'en manges pas ! » criait-il souvent à Estelle.

Il exigeait qu'elle en mangeât autant que lui. C'était nécessaire pour le résultat, disait-il. Et des discussions s'engageaient. Estelle prétendait que le docteur Guiraud n'avait pas parlé d'elle. Mais lui, répondait qu'il était logique de se soumettre l'un et l'autre au traitement. Alors, la jeune femme pinçait les lèvres, jetait de clairs regards sur l'obésité blême de son mari. Un irrésistible sourire creusait légèrement la fossette de son menton. Elle n'ajoutait rien, n'aimant à blesser personne. Même, ayant découvert un parc d'huîtres, elle avait fini par en manger une douzaine à chacun de ses repas. Ce n'était point que, personnellement, elle eût besoin d'huîtres, mais elle les adorait.

La vie, à Piriac, était d'une monotonie ensommeillée. Il y avait seulement trois familles de baigneurs, un épicier en gros de Nantes, un ancien notaire de Guérande, homme sourd et naïf, un ménage d'Angers qui pêchait toute la journée, avec de l'eau jusqu'à la ceinture. Ce petit monde faisait peu de bruit. On se saluait, quand on se rencontrait, et les relations n'allaient pas plus loin. Sur le quai désert, la grosse émotion était de voir de loin en loin deux chiens se battre.

Estelle, habituée au vacarme de Paris, se serait ennuyée mortellement, si Hector n'avait fini par leur rendre visite tous les jours. Il devint le grand ami de M. Chabre, à la suite d'une promenade qu'ils firent ensemble sur la côte. M. Chabre, dans un moment d'expansion, confia au jeune homme le motif de leur voyage, tout en choisissant les termes les plus chastes pour ne pas offenser la pureté de ce grand garçon. Lorsqu'il eut expliqué scientifiquement pourquoi il mangeait tant de coquillages, Hector, stupéfié, oubliant de rougir, le regarda de la tête aux pieds, sans songer à cacher sa surprise qu'un homme pût avoir besoin de se mettre à un tel régime. Cependant, le lendemain, il s'était présenté avec un petit panier plein de clovisses, que l'ancien marchand de grains avait accepté d'un air de reconnaissance. Et, depuis ce jour, très habile à toutes les pêches, connaissant chaque roche de la baie, il ne venait plus sans apporter des coquillages. Il lui fit manger des moules superbes qu'il allait ramasser à mer basse, des oursins qu'il ouvrait et nettoyait en se piquant les doigts, des arapèdes qu'il détachait des rochers avec la pointe d'un couteau, toutes sortes de bêtes qu'il appelait de noms barbares, et auxquelles il n'avait jamais goûté lui-même. M. Chabre, enchanté, n'ayant plus à débourser un sou, se confondait en remerciements.

Maintenant, Hector trouvait toujours un prétexte pour entrer. Chaque fois qu'il arrivait avec son petit panier, et qu'il rencontrait Estelle, il disait la même phrase :

« J'apporte des coquillages pour M. Chabre. »

Et tous deux souriaient, les yeux rapetissés et luisants. Les coquillages de M. Chabre les amusaient.

Dès lors, Estelle trouva Piriac charmant. Chaque jour, après le bain, elle faisait une promenade avec Hector. Son mari les suivait à distance, car ses jambes étaient lourdes, et ils allaient souvent trop vite pour lui. Hector montrait à la jeune femme les anciennes splendeurs de Piriac, des restes de sculptures, des portes et des fenêtres à rinceaux [1], très délicatement travaillées. Aujourd'hui, la ville de jadis est un village perdu, aux rues barrées de fumier, étranglées entre des masures noires. Mais la solitude y est si douce, qu'Estelle enjambait les coulées d'ordure, intéressée par le moindre bout de muraille, jetant des coups d'œil surpris dans les intérieurs des

1. Rinceau : ornement sculpté ou peint, composé de branches, de feuilles, de fruits disposés en enroulement.

habitants, où tout un bric-à-brac de misère traînait sur la terre battue. Hector l'arrêtait devant les figuiers superbes, aux larges feuilles de cuir velu, dont les jardins sont plantés, et qui allongent leurs branches par-dessus les clôtures basses. Ils entraient dans les ruelles les plus étroites, ils se penchaient sur les margelles des puits, au fond desquels ils apercevaient leurs images souriantes, dans l'eau claire, blanche comme une glace ; tandis que, derrière eux, M. Chabre digérait ses coquillages, abrité sous la percaline [1] verte de son ombrelle, qu'il ne quittait jamais.

Une des grandes gaietés d'Estelle était les oies et les cochons, qui se promenaient en bandes, librement. Dans les premiers temps, elle avait eu très peur des cochons, dont les allures brusques, les masses de graisse roulant sur des pattes minces, lui donnaient la continuelle inquiétude d'être heurtée et renversée ; ils étaient aussi bien sales, le ventre noir de boue, le groin barbouillé, ronflant à terre. Mais Hector lui avait juré que les cochons étaient les meilleurs enfants du monde. Et, maintenant, elle s'amusait de leurs courses inquiètes à l'heure de la pâtée, elle s'émerveillait de leur robe de soie rose, d'une fraîcheur de robe de bal, quand il avait plu. Les oies aussi l'occupaient. Dans un trou à fumier, au bout d'une ruelle, souvent deux bandes d'oies arrivaient, chacune de son côté. Elles semblaient se saluer d'un claquement de bec, se mêlaient, happaient ensemble des épluchures de légumes. Une, en l'air, au sommet du tas, l'œil rond, le cou raidi, comme calée sur ses pattes et gonflant le duvet blanc de sa panse, avait une majesté tranquille de souverain, au grand nez jaune ; tandis que les autres, le cou plié, cherchaient à terre, avec une musique rauque. Puis, brusquement, la grande oie descendait en jetant un cri ; et les oies de sa bande suivaient,

1. Percaline : toile fine de coton, utilisée surtout pour les doublures.

tous les cous allongés du même côté, filant en mesure dans un déhanchement d'animaux infirmes. Si un chien passait, les cous se tendaient davantage et sifflaient. Alors, la jeune femme battait des mains, suivait le défilé majestueux des deux sociétés qui rentraient chez elles, en personnes graves appelées par des affaires importantes. Un des amusements était encore de voir se baigner les cochons et les oies, qui descendaient l'après-midi sur la plage prendre leur bain, comme des hommes.

Le premier dimanche, Estelle crut devoir aller à la messe. Elle ne pratiquait pas, à Paris. Mais, à la campagne, la messe était une distraction, une occasion de s'habiller et de voir du monde. D'ailleurs, elle y retrouva Hector lisant dans un énorme paroissien à reliure usée. Par-dessus le livre, il ne cessa de la regarder, les lèvres sérieuses, mais les yeux si luisants, qu'on y devinait des sourires. À la sortie, il lui offrit le bras, pour traverser le petit cimetière qui entoure l'église. Et, l'après-midi, après les vêpres, il y eut un autre spectacle, une procession à un calvaire [1] planté au bout du village. Un paysan marchait le premier, tenant une bannière de soie violette brochée d'or, à hampe rouge. Puis, deux longues files de femmes s'espaçaient largement. Les prêtres venaient au milieu, un curé, un vicaire et le précepteur d'un château voisin, chantant à pleine voix. Enfin, derrière, à la suite d'une bannière blanche portée par une grosse fille aux bras hâlés, piétinait la queue des fidèles, qui se traînait avec un fort bruit de sabots, pareille à un troupeau débandé. Quand la procession passa sur le port, les bannières et les coiffes blanches des femmes se détachèrent au loin sur le bleu ardent de la mer ; et ce lent cortège dans le soleil prit une grande pureté.

Le cimetière attendrissait beaucoup Estelle. Elle n'aimait pas les choses tristes, d'habitude. Le jour

1. Calvaire : colline, élévation sur laquelle on a planté une croix, pour figurer le Calvaire du Christ.

de son arrivée, elle avait eu un frisson, en apercevant toutes ces tombes, qui se trouvaient sous sa fenêtre. L'église était sur le port, entourée des croix, dont les bras se tendaient vers l'immensité des eaux et du ciel et, les nuits de vent, les souffles du large pleuraient dans cette forêt de planches noires. Mais elle s'était vite habituée à ce deuil, tant le petit cimetière avait une douceur gaie. Les morts semblaient y sourire, au milieu des vivants qui les coudoyaient. Comme le cimetière était clos d'un mur bas, à hauteur d'appui, et qu'il bouchait le passage au centre même de Piriac, les gens ne se gênaient point pour enjamber le mur et suivre les allées, à peine tracées dans les hautes herbes. Les enfants jouaient là, une débandade d'enfants lâchés au travers des dalles de granit. Des chats blottis sous des arbustes bondissaient brusquement, se poursuivaient ; souvent, on y entendait des miaulements de chattes amoureuses, dont on voyait les silhouettes hérissées et les grandes queues balayant l'air. C'était un coin délicieux, envahi par les végétations folles, planté de fenouils gigantesques, aux larges ombelles jaunes, d'une odeur si pénétrante, qu'après les journées chaudes, des souffles d'anis, venus des tombes, embaumaient Piriac tout entier. Et, la nuit, quel champ tranquille et tendre ! La paix du village endormi semblait sortir du cimetière. L'ombre effaçait les croix, des promeneurs attardés s'asseyaient sur des bancs de granit, contre le mur, pendant que la mer, en face, roulait ses vagues, dont la brise apportait la poussière salée.

Estelle, un soir qu'elle rentrait au bras d'Hector, eut l'envie de traverser le champ désert. M. Chabre trouva l'idée romanesque et protesta en suivant le quai. Elle dut quitter le bras du jeune homme, tant l'allée était étroite. Au milieu des hautes herbes, sa jupe faisait un long bruit. L'odeur des fenouils était si forte, que les chattes amoureuses ne se sauvaient point, pâmées sous les verdures. Comme ils entraient dans l'ombre de l'église, elle sentit à sa taille la main d'Hector. Elle eut peur et jeta un cri.

« C'est bête ! dit-elle, quand ils sortirent de l'ombre, j'ai cru qu'un revenant m'emportait. »

Hector se mit à rire et donna une explication.

« Oh ! une branche, quelque fenouil qui a fouetté vos jupes ! »

Ils s'arrêtèrent, regardèrent les croix autour d'eux, ce profond calme de la mort qui les attendrissait ; et, sans ajouter un mot, ils s'en allèrent, très troublés.

« Tu as eu peur, je t'ai entendue, dit M. Chabre. C'est bien fait ! »

À la mer haute, par distraction, on allait voir arriver les bateaux de sardines. Lorsqu'une voile se dirigeait vers le port, Hector la signalait au ménage. Mais le mari, dès le sixième bateau, avait déclaré que c'était toujours la même chose. Estelle, au contraire, ne paraissait pas se lasser, trouvait un plaisir de plus en plus vif à se rendre sur la jetée. Il fallait courir souvent. Elle sautait sur les grosses pierres descellées, laissait voler ses jupes qu'elle empoignait d'une main, afin de ne pas tomber. Elle étouffait, en arrivant, les mains à son corsage, renversée en arrière pour reprendre haleine. Et Hector la trouvait adorable ainsi, décoiffée, l'air hardi, avec son allure garçonnière. Cependant, le bateau était amarré, les pêcheurs montaient les paniers de sardines, qui avaient des reflets d'argent au soleil, des bleus et des roses de saphir et de rubis pâles. Alors, le jeune homme fournissait toujours les mêmes explications : chaque panier contenait mille sardines, le mille valait un prix fixé chaque matin selon l'abondance de la pêche, les pêcheurs partageaient le produit de la vente, après avoir abandonné un tiers pour le propriétaire du bateau. Et il y avait encore la salaison qui se faisait tout de suite, dans des caisses de bois percées de trous, pour laisser l'eau de la saumure s'égoutter. Cependant, peu à peu, Estelle et son compagnon négligèrent les sardines. Ils allaient encore les voir, mais ils ne les regardaient plus. Ils partaient en courant, revenaient avec une lenteur lasse, en contemplant silencieusement la mer.

« Est-ce que la sardine est belle ? leur demandait chaque fois M. Chabre, au retour.

– Oui, très belle », répondaient-ils.

Enfin le dimanche soir, on avait à Piriac le spectacle d'un bal en plein air. Les gars et les filles du pays, les mains nouées, tournaient pendant des heures, en répétant le même vers, sur le même ton sourd et fortement rythmé. Ces grosses voix, ronflant au fond du crépuscule, prenaient à la longue un charme barbare. Estelle, assise sur la plage, ayant à ses pieds Hector, écoutait, se perdait bientôt dans une rêverie. La mer montait, avec un large bruit de caresse. On aurait dit une voix de passion, quand la vague battait le sable ; puis, cette voix s'apaisait tout d'un coup, et le cri se mourait avec l'eau qui se retirait, dans un murmure plaintif d'amour dompté. La jeune femme rêvait d'être aimée ainsi, par un géant dont elle aurait fait un petit garçon.

« Tu dois t'ennuyer à Piriac, ma bonne », demandait parfois M. Chabre à sa femme.

Et elle se hâtait de répondre :

« Mais non, mon ami, je t'assure. »

Elle s'amusait, dans ce trou perdu. Les oies, les cochons, les sardines, prenaient une importance extrême. Le petit cimetière était très gai. Cette vie endormie, cette solitude peuplée seulement de l'épicier de Nantes et du notaire sourd de Guérande, lui semblait plus tumultueuse que l'existence bruyante des plages à la mode. Au bout de quinze jours, M. Chabre, qui s'ennuyait à mourir, voulut rentrer à Paris. L'effet des coquillages, disait-il, devait être produit. Mais elle se récria.

« Oh ! mon ami, tu n'en as pas mangé assez… Je sais bien, moi, qu'il t'en faut encore. »

IV

Un soir, Hector dit au ménage :

« Nous aurons demain une grande marée... On pourrait aller pêcher des crevettes. »

La proposition parut ravir Estelle. Oui, oui, il fallait aller pêcher des crevettes ! Depuis longtemps, elle se promettait cette partie. M. Chabre éleva des objections. D'abord, on ne prenait jamais rien. Ensuite, il était plus simple d'acheter, pour une pièce de vingt sous, la pêche de quelque femme du pays, sans se mouiller jusqu'aux reins et s'écorcher les pieds. Mais il dut céder devant l'enthousiasme de sa femme. Et les préparatifs furent considérables.

Hector s'était chargé de fournir les filets. M. Chabre, malgré sa peur de l'eau froide, avait déclaré qu'il serait de la partie ; et, du moment qu'il consentait à pêcher, il entendait pêcher sérieusement. Le matin, il fit graisser une paire de bottes. Puis, il s'habilla entièrement de toile claire ; mais sa femme ne put obtenir qu'il négligeât son nœud de cravate, dont il étala les bouts, comme s'il se rendait à un mariage. Ce nœud était sa protestation d'homme comme il faut contre le débraillé de l'Océan. Quant à Estelle, elle mit simplement son costume de bain, par-dessus lequel elle passa une camisole. Hector, lui aussi, était en costume de bain.

Tous trois partirent vers deux heures. Chacun portait son filet sur l'épaule. On avait une demi-lieue à marcher au milieu des sables et des varechs, pour se rendre à une roche où Hector disait connaître de véritables bancs de crevettes. Il conduisit le ménage, tranquille, traversant les flaques, allant droit devant lui sans s'inquiéter des hasards du chemin. Estelle le suivait gaillardement, heureuse de la fraîcheur de ces terrains mouillés, dans lesquels ses petits pieds pataugeaient. M. Chabre, qui venait le dernier, ne voyait pas la nécessité de tremper ses bottes, avant d'être arrivé sur le lieu de la pêche. Il faisait avec conscience le tour des mares, sautait les ruisseaux que les eaux descendantes se creusaient dans le sable, choisissait les endroits secs, avec cette allure prudente et balancée d'un Parisien qui chercherait la pointe des pavés de la rue Vivienne, un jour de boue. Il soufflait déjà, il demandait à chaque instant :

« C'est donc bien loin, monsieur Hector ?... Tenez ! pourquoi ne pêchons-nous pas là ? Je vois des crevettes, je vous assure... D'ailleurs, il y en a partout dans la mer, n'est-ce pas ? et je parie qu'il suffit de pousser son filet.

– Poussez, poussez, monsieur Chabre », répondait Hector.

Et M. Chabre, pour respirer, donnait un coup de filet dans une mare grande comme la main. Il ne prenait rien, pas même une herbe, tant le trou d'eau était vide et clair. Alors, il se remettait en marche d'un air digne, les lèvres pincées. Mais, comme il perdait du chemin à vouloir prouver qu'il devait y avoir des crevettes partout, il finissait par se trouver considérablement en arrière.

La mer baissait toujours, se reculait à plus d'un kilomètre des côtes. Le fond de galets et de roches se vidait, étalant à perte de vue un désert mouillé, raboteux, d'une grandeur triste, pareil à un large pays plat qu'un orage aurait dévasté. On ne voyait, au loin, que la ligne verte de la mer, s'abaissant encore, comme si la terre l'avait bue ; tandis que des rochers noirs, en longues bandes étroites, surgissaient, allongeaient lentement des promontoires dans l'eau morte. Estelle, debout, regardait cette immensité nue.

« Que c'est grand ! » murmura-t-elle.

Hector lui désignait du doigt certains rochers, des blocs verdis, formant des parquets usés par la houle.

« Celui-ci, expliquait-il, ne se découvre que deux fois chaque mois. On va y chercher des moules... Apercevez-vous là-bas cette tache brune ? Ce sont les Vaches-Rousses, le meilleur endroit pour les homards. On les voit seulement aux deux grandes marées de l'année… Mais dépêchons-nous. Nous allons à ces roches dont la pointe commence à se montrer. »

Lorsque Estelle entra dans la mer, ce fut une joie. Elle levait les pieds très haut, les tapait fortement, en riant du rejaillissement de l'écume. Puis, quand elle eut de l'eau jusqu'aux genoux, il lui fallut lutter contre le flot ; et cela l'égayait de marcher vite, de sentir cette résistance, ce glissement rude et continu qui fouettait ses jambes.

« N'ayez pas peur, disait Hector, vous allez avoir de l'eau jusqu'à la ceinture, mais le fond remonte ensuite… Nous arrivons. »

Peu à peu, ils remontèrent en effet. Ils avaient traversé un petit bras de mer, et se trouvaient maintenant sur une large plaque de rochers que le flot découvrait. Lorsque la jeune femme se retourna, elle poussa un léger cri, tant elle était loin du bord. Piriac, tout là-bas, au ras de la côte, alignait les quelques taches de ses maisons blanches et la tour carrée de son église, garnie de volets verts. Jamais elle n'avait vu une pareille étendue, rayée sous le grand soleil par l'or des sables, la verdure sombre des algues, les tons mouillés et éclatants des roches. C'était comme la fin de la terre, le champ de ruines où le néant commençait.

Estelle et Hector s'apprêtaient à donner leur premier coup de filet, quand une voix lamentable se fit entendre. M. Chabre, planté au milieu du petit bras de mer, demandait son chemin.

« Par où passe-t-on ? criait-il. Dites, est-ce tout droit ? »

L'eau lui montait à la ceinture, il n'osait hasarder un pas, terrifié par la pensée qu'il pouvait tomber dans un trou et disparaître.

« À gauche ! » lui cria Hector.

Il avança à gauche ; mais, comme il enfonçait toujours, il s'arrêta de nouveau, saisi, n'ayant même plus le courage de retourner en arrière. Il se lamentait.

« Venez me donner la main. Je vous assure qu'il y a des trous. Je les sens.

– À droite ! monsieur Chabre, à droite ! » cria Hector.

Et le pauvre homme était si drôle, au milieu de l'eau, avec son filet sur l'épaule et son beau nœud de cravate, qu'Estelle et Hector ne purent retenir un léger rire. Enfin, il se tira d'affaire. Mais il arriva très ému, et il dit d'un air furieux :

« Je ne sais pas nager, moi ! »

Ce qui l'inquiétait maintenant, c'était le retour. Quand le jeune homme lui eut expliqué qu'il ne fallait pas se laisser prendre sur le rocher par la marée montante, il redevint anxieux.

« Vous me préviendrez, n'est-ce pas ?

– N'ayez pas peur, je réponds de vous. »

Alors, ils se mirent tous les trois à pêcher. De leurs filets étroits, ils fouillaient les trous. Estelle y apportait une passion de femme. Ce fut elle qui prit les premières crevettes, trois grosses crevettes rouges, qui sautaient violemment au fond du filet. Avec de grands cris, elle appela Hector pour qu'il l'aidât, car ces bêtes si vives l'inquiétaient ; mais, quand elle vit qu'elles ne bougeaient plus, dès qu'on les tenait par la tête, elle s'aguerrit, les glissa très bien elle-même dans le petit panier qu'elle portait en bandoulière. Parfois, elle amenait tout un paquet d'herbes, et il lui fallait fouiller là-dedans, lorsqu'un bruit sec, un petit bruit d'ailes, l'avertissait qu'il y avait des crevettes au fond. Elle triait les herbes délicatement, les rejetant par minces pincées, peu rassurée devant cet enchevêtrement d'étranges feuilles, gluantes et molles comme des poissons morts. De temps à autre, elle regardait dans son panier, impatiente de le voir se remplir.

« C'est particulier, répétait M. Chabre, je n'en pêche pas une. »

Comme il n'osait se hasarder entre les fentes des rochers, très gêné d'ailleurs par ses grandes bottes qui s'étaient emplies d'eau, il poussait son filet sur le sable et n'attrapait que des crabes, cinq, huit, dix crabes à la fois. Il en avait une peur affreuse, il se battait avec eux, pour les chasser de son filet. Par moments, il se retournait, regardait avec anxiété si la mer descendait toujours.

« Vous êtes sûr qu'elle descend ? » demandait-il à Hector.

Celui-ci se contentait de hocher la tête. Lui, pêchait en gaillard qui connaissait les bons endroits. Aussi, à chaque coup, amenait-il des poignées de crevettes. Quand il levait son filet à côté d'Estelle, il mettait sa pêche dans le panier de la jeune femme. Et elle riait, clignait les yeux du côté de son mari, posant un doigt sur ses lèvres. Elle était charmante, courbée sur le long manche de bois ou bien penchant sa tête blonde au-dessus du filet, tout allumée de la curiosité de savoir ce qu'elle avait pris. Une brise soufflait, l'eau qui s'égouttait des mailles s'en allait, en pluie, la mettait dans une rosée, tandis que son costume, s'envolant et plaquant sur elle, dessinait l'élégance de son fin profil.

Depuis près de deux heures, ils pêchaient ainsi, lorsqu'elle s'arrêta pour respirer un instant, essoufflée, ses petits cheveux fauves trempés de sueur. Autour d'elle, le désert restait immense, d'une paix souveraine ; seule, la mer prenait un frisson, avec une voix murmurante qui s'enflait. Le ciel, embrasé par le soleil de quatre heures, était d'un bleu pâle, presque gris ; et, malgré ce ton décoloré de fournaise, la chaleur ne se sentait pas, une fraîcheur montait de l'eau, balayait et blanchissait la clarté crue. Mais ce qui amusa Estelle, ce fut de voir à l'horizon, sur tous les rochers, une multitude de points qui se détachaient en noir, très nettement. C'étaient, comme eux, des pêcheurs de crevettes, d'une finesse de silhouette incroyable, pas plus gros que des fourmis, ridicules de néant dans cette immensité, et dont on distinguait les moindres attitudes, la ligne arrondie du dos, quand ils poussaient leurs filets, ou les bras tendus et gesticulants, pareils à des pattes fiévreuses de mouche, lorsqu'ils triaient leur pêche, en se battant contre les herbes et les crabes.

« Je vous assure qu'elle monte ! cria M. Chabre avec angoisse. Tenez ! ce rocher tout à l'heure était découvert.

– Sans doute elle monte, finit par répondre Hector impatienté. C'est justement lorsqu'elle monte qu'on prend le plus de crevettes. »

Mais M. Chabre perdait la tête. Dans son dernier coup de filet, il venait d'amener un poisson étrange, un diable de mer [1], qui le terrifiait, avec sa tête de monstre. Il en avait assez.

« Allons-nous-en ! Allons-nous-en ! répétait-il. C'est bête de faire des imprudences.

– Puisqu'on te dit que la pêche est meilleure quand la mer monte ! répondait sa femme.

– Et elle monte ferme ! » ajoutait à demi-voix Hector, les yeux allumés d'une lueur de méchanceté.

En effet, les vagues s'allongeaient, mangeaient les rochers avec une clameur plus haute. Des flots brusques envahissaient d'un coup toute une langue de terre. C'était la mer conquérante, reprenant pied à pied le domaine qu'elle balayait de sa houle depuis des siècles. Estelle avait découvert une mare plantée de longues herbes, souples comme des cheveux, et elle y prenait des crevettes énormes, s'ouvrant un sillon, laissant derrière elle la trouée d'un faucheur. Elle se débattait, elle ne voulait pas qu'on l'arrachât de là.

« Tant pis ! je m'en vais ! s'écria M. Chabre, qui avait des larmes dans la voix. Il n'y a pas de bon sens, nous allons tous y rester. »

Il partit le premier, sondant avec désespoir la profondeur des trous, à l'aide du manche de son filet. Quand il fut à deux ou trois cents pas, Hector décida enfin Estelle à le suivre.

1. Diable de mer : nom donné à des poissons dont la forme impressionne (raies, baudroies...).

« Nous allons avoir de l'eau jusqu'aux épaules, disait-il en souriant. Un vrai bain pour M. Chabre... Voyez déjà comme il enfonce ! »

Depuis le départ, le jeune homme avait la mine sournoise et préoccupée d'un amoureux qui s'est promis de lâcher une déclaration et qui n'en trouve pas le courage. En mettant des crevettes dans le panier d'Estelle, il avait bien tâché de rencontrer ses doigts. Mais, évidemment, il était furieux de son peu d'audace. Et M. Chabre se serait noyé, qu'il aurait trouvé cela charmant, car pour la première fois M. Chabre le gênait.

« Vous ne savez pas ? dit-il tout d'un coup, vous devriez monter sur mon dos, et je vous porterai... Autrement, vous allez être trempée... Hein ? montez donc ! »

Il lui tendait l'échine. Elle refusait, gênée et rougissante. Mais il la bouscula, en criant qu'il était responsable de sa santé. Et elle monta, elle posa les deux mains sur les épaules du jeune homme. Lui, solide comme un roc, redressant l'échine, semblait avoir un oiseau sur son cou. Il lui dit de bien se tenir, et s'avança à grandes enjambées dans l'eau.

« C'est à droite, n'est-ce pas ? monsieur Hector, criait la voix lamentable de M. Chabre, dont le flot battait déjà les reins.

– Oui, à droite, toujours à droite. »

Alors, comme le mari tournait le dos, grelottant de peur en sentant la mer lui monter aux aisselles, Hector se risqua, baisa une des petites mains qu'il avait sur les épaules. Estelle voulut les retirer, mais il lui dit de ne pas bouger, ou qu'il ne répondait de rien. Et il se remit à couvrir les mains de baisers. Elles étaient fraîches et salées, il buvait sur elles les voluptés amères de l'Océan.

« Je vous en prie, laissez-moi, répétait Estelle, en affectant un air courroucé. Vous abusez étrangement... Je saute dans l'eau, si vous recommencez. »

Il recommençait, et elle ne sautait pas. Il la serrait étroitement aux chevilles, il lui dévorait toujours les mains, sans dire une parole, guettant seulement ce qu'on voyait encore du dos de M. Chabre, un reste de dos tragique qui manquait de sombrer à chaque pas.

« Vous dites à droite ? implora le mari.

– À gauche, si vous voulez ! »

M. Chabre fit un pas à gauche et poussa un cri. Il venait de s'enfoncer jusqu'au cou, son nœud de cravate se noyait. Hector, tout à l'aise, lâcha son aveu.

« Je vous aime, madame…

– Taisez-vous, monsieur, je vous l'ordonne.

– Je vous aime, je vous adore… Jusqu'à présent, le respect m'a fermé la bouche… »

Il ne la regardait pas, il continuait ses longues enjambées, avec de l'eau jusqu'à la poitrine. Elle ne put retenir un grand rire, tant la situation lui sembla drôle.

« Allons, taisez-vous, reprit-elle maternellement, en lui donnant une claque sur l'épaule. Soyez sage et ne versez pas surtout ! »

Cette claque remplit Hector d'enchantement : c'était signé. Et, comme le mari restait en détresse :

« Tout droit maintenant ! » lui cria gaiement le jeune homme.

Quand ils furent arrivés sur la plage, M. Chabre voulut commencer une explication.

« J'ai failli y rester, ma parole d'honneur ! bégaya-t-il. Ce sont mes bottes… »

Mais Estelle ouvrit son panier et le lui montra plein de crevettes.

« Comment ? tu as pêché tout ça ! s'écria-t-il stupéfait. Tu pêches joliment !

– Oh ! dit-elle, souriante, en regardant Hector, monsieur m'a montré. »

V

Les Chabre ne devaient plus passer que deux jours à Piriac. Hector semblait consterné, furieux et humble pourtant. Quant à M. Chabre, il interrogeait sa santé chaque matin et se montrait perplexe.

« Vous ne pouvez pas quitter la côte sans avoir vu les rochers du Castelli, dit un soir Hector. Il faudrait organiser pour demain une promenade. »

Et il donna des explications. Les rochers se trouvaient à un kilomètre seulement. Ils longeaient la mer sur une demi-lieue d'étendue, creusés de grottes, effondrés par les vagues. À l'entendre, rien n'était plus sauvage.

« Eh bien ! nous irons demain, finit par dire Estelle. La route est-elle difficile ?

– Non, il y a deux ou trois passages où l'on se mouille les pieds, voilà tout. »

Mais M. Chabre ne voulait plus même se mouiller les pieds. Depuis son bain de la pêche aux crevettes, il nourrissait contre la mer une rancune. Aussi se montra-t-il très hostile à ce projet de promenade. C'était ridicule d'aller se risquer ainsi ; lui, d'abord, ne descendrait pas au milieu de ces rochers, car il n'avait point envie de se casser les jambes, en sautant comme une chèvre ; il les accompagnerait par le haut de la falaise, s'il le fallait absolument ; et encore faisait-il là une grande concession !

Hector, pour le calmer, eut une inspiration soudaine.

« Écoutez, dit-il, vous passerez devant le sémaphore du Castelli. Eh bien ! vous pourrez entrer et acheter des coquillages aux hommes du télégraphe... Ils en ont toujours de superbes, qu'ils donnent presque pour rien.

– Ça, c'est une idée, reprit l'ancien marchand de grains, remis en belle humeur... J'emporterai un petit panier, je m'en bourrerai encore une fois... »

Et, se tournant vers sa femme, avec une intention gaillarde :

« Dis, ce sera peut-être la bonne ! »

Le lendemain, il fallut attendre la marée basse pour se mettre en marche. Puis, comme Estelle n'était pas prête, on s'attarda, on ne partit qu'à cinq heures du soir. Hector affirmait pourtant qu'on ne serait pas gagné par la haute mer. La jeune femme avait ses pieds nus dans des bottines de coutil [1]. Elle portait gaillardement une robe de toile grise, très courte, qu'elle relevait et qui découvrait ses fines chevilles. Quant à M. Chabre, il était correctement en pantalon blanc et en paletot d'alpaga. Il avait pris son ombrelle et il tenait un petit panier, de l'air convaincu d'un bourgeois parisien allant faire lui-même son marché.

La route fut pénible pour arriver aux premières roches. On marchait sur une plage de sable mouvant, dans laquelle les pieds entraient. L'ancien marchand de grains soufflait comme un bœuf.

« Eh bien ! je vous laisse, je monte là-haut, dit-il enfin.

– C'est cela, prenez ce sentier, répondit Hector. Plus loin, vous seriez bloqué… Vous ne voulez pas qu'on vous aide ? »

Et ils le regardèrent gagner le sommet de la falaise. Lorsqu'il y fut, il ouvrit son ombrelle et balança son panier, en criant :

« J'y suis, on est mieux là !… Et pas d'imprudence, n'est-ce pas ? D'ailleurs, je vous surveille. »

Hector et Estelle s'engagèrent au milieu des roches. Le jeune homme, chaussé de hautes bottines, marchait le premier, sautait de pierre en pierre avec la grâce forte et l'adresse d'un chasseur de montagnes. Estelle, très hardie, choisissait les mêmes pierres ; et lorsqu'il se retournait, pour lui demander :

« Voulez-vous que je vous donne la main ?

1. Coutil : forte toile serrée dont on se sert pour faire des matelas et des vêtements résistants.

– Mais non, répondait-elle. Vous me croyez donc une grand-mère ! »

Ils étaient alors sur un vaste parquet de granit, que la mer avait usé, en le creusant de sillons profonds. On aurait dit les arêtes de quelque monstre perçant le sable, mettant au ras du sol la carcasse de ses vertèbres disloquées. Dans les creux, des filets d'eau coulaient, des algues noires retombaient comme des chevelures. Tous deux continuaient à sauter, restant en équilibre par instants, éclatant de rire quand un caillou roulait.

« On est comme chez soi, répétait gaiement Estelle. On les mettrait dans son salon, vos rochers !

– Attendez, attendez ! disait Hector. Vous allez voir. »

Ils arrivaient à un étroit passage, à une sorte de fente, qui bâillait entre deux énormes blocs. Là, dans une cuvette, il y avait une mare, un trou d'eau qui bouchait le chemin.

« Mais jamais je ne passerai ! » s'écria la jeune femme.

Lui, proposa de la porter. Elle refusa d'un long signe de tête : elle ne voulait plus être portée. Alors, il chercha partout de grosses pierres, il essaya d'établir un pont. Les pierres glissaient, tombaient au fond de l'eau.

« Donnez-moi la main, je vais sauter », finit-elle par dire, prise d'impatience.

Et elle sauta trop court, un de ses pieds resta dans la mare. Cela les fit rire. Puis, comme ils sortaient de l'étroit passage, elle laissa échapper un cri d'admiration.

Une crique se creusait, emplie d'un écroulement gigantesque de roches. Des blocs énormes se tenaient debout, comme des sentinelles avancées, portées au milieu des vagues. Le long des falaises, les gros temps avaient mangé la terre, ne laissant que les masses dénudées du granit ; et c'étaient des baies enfoncées entre des promontoires, des détours brusques déroulant des salles intérieures, des bancs de marbre noirâtre allongés sur le sable, pareils à de grands poissons échoués. On aurait dit une ville cyclopéenne prise d'assaut et dévastée par la mer, avec ses remparts renversés, ses tours à demi démolies, ses édifices culbutés les uns sur les autres. Hector fit visiter à la jeune femme les moindres recoins de cette ruine des tempêtes. Elle marchait sur des sables fins et jaunes comme une poudre d'or, sur des galets que des paillettes de mica allumaient au soleil, sur des éboulements de rocs où elle devait par moments s'aider de ses deux mains, pour ne pas rouler dans les trous. Elle passait sous des portiques naturels, sous des arcs de triomphe qui affectaient le plein cintre de l'art roman et l'ogive élancée de l'art gothique. Elle descendait dans des creux pleins de fraîcheur, au fond de déserts de dix mètres carrés, amusée par les chardons bleuâtres et les plantes grasses d'un vert sombre qui tachaient les murailles grises des falaises, intéressée par des oiseaux de mer familiers, de petits oiseaux bruns, volant à la portée de sa main, avec un léger cri cadencé et continu. Et ce qui l'émerveillait surtout, c'était, du milieu des roches, de se retourner et de retrouver toujours la mer, dont la ligne bleue reparaissait et s'élargissait entre chaque bloc, dans sa grandeur tranquille.

« Ah ! vous voilà ! cria M. Chabre du haut de la falaise. J'étais inquiet, je vous avais perdus… Dites donc, c'est effrayant, ces gouffres ! »

Il était à six pas du bord, prudemment, abrité par son ombrelle, son panier passé au bras. Il ajouta :

« Elle monte joliment vite, prenez garde !

– Nous avons le temps, n'ayez pas peur », répondit Hector.

Estelle, qui s'était assise, restait sans paroles devant l'immense horizon. En face d'elle, trois piliers de granit, arrondis par le flot, se dressaient, pareils aux colonnes géantes d'un temple détruit. Et, derrière, la haute mer s'étendait sous la lumière dorée de six heures, d'un bleu de roi pailleté d'or. Une petite voile, très loin, entre deux des piliers, mettait une tache d'un blanc éclatant, comme une aile de mouette rasant l'eau. Du ciel pâle, la sérénité prochaine du crépuscule tombait déjà. Jamais Estelle ne s'était sentie pénétrée d'une volupté si vaste et si tendre.

« Venez », lui dit doucement Hector, en la touchant de la main.

Elle tressaillit, elle se leva, prise de langueur et d'abandon.

« C'est le sémaphore, n'est-ce pas, cette maisonnette avec ce mât ? cria M. Chabre. Je vais chercher des coquillages, je vous rattraperai. »

Alors, Estelle, pour secouer la paresse molle dont elle était envahie, se mit à courir comme une enfant. Elle enjambait les flaques, elle s'avançait vers la mer, saisie du caprice de monter au sommet d'un entassement de rocs, qui devait former une île, à marée haute. Et, lorsque, après une ascension laborieuse au milieu des crevasses, elle atteignit le sommet, elle se hissa sur la pierre la plus élevée, elle fut heureuse de dominer la dévastation tragique de la côte. Son mince profil se détachait dans l'air pur, sa jupe claquait au vent ainsi qu'un drapeau.

Et, en redescendant, elle se pencha sur tous les trous qu'elle rencontra. C'étaient, dans les moindres cavités, de petits lacs tranquilles et dormants, des eaux d'une limpidité parfaite, dont les clairs miroirs réfléchissaient le ciel. Au fond, des herbes d'un vert d'émeraude plantaient des forêts romantiques. Seuls, de gros crabes noirs sautaient, pareils à des grenouilles, et disparaissaient, sans même troubler l'eau. La jeune femme restait rêveuse, comme si elle eût fouillé du regard des pays mystérieux, de vastes contrées inconnues et heureuses.

Quand ils furent revenus au pied des falaises, elle s'aperçut que son compagnon avait empli son mouchoir d'arapèdes.

« C'est pour M. Chabre, dit-il. Je vais les lui monter. »

Justement, M. Chabre arrivait désolé.

« Ils n'ont pas seulement une moule au sémaphore, cria-t-il. Je ne voulais pas venir, j'avais raison. »

Mais, lorsque le jeune homme lui eut montré de loin les arapèdes, il se calma. Et il resta stupéfié de l'agilité avec laquelle celui-ci grimpait, par un chemin connu de lui seul, le long d'une roche qui semblait lisse comme une muraille. La descente fut plus audacieuse encore.

« Ce n'est rien, disait Hector, un vrai escalier ; seulement, il faut savoir où sont les marches. »

M. Chabre voulait qu'on retournât en arrière, la mer devenait inquiétante. Et il suppliait sa femme de remonter au moins, de chercher un petit chemin commode. Le jeune homme riait, en répondant qu'il n'y avait point de chemin pour les dames, qu'il fallait maintenant aller jusqu'au bout. D'ailleurs, ils n'avaient pas vu les grottes. Alors, M. Chabre dut se remettre à suivre la crête des falaises. Comme le soleil se couchait, il ferma son ombrelle et s'en servit en guise de canne. De l'autre main, il portait son panier d'arapèdes.

« Vous êtes lasse ? demanda doucement Hector.

– Oui, un peu », répondit Estelle.

Elle accepta son bras. Elle n'était point lasse, mais un abandon délicieux l'envahissait de plus en plus. L'émotion qu'elle venait d'éprouver, en voyant le jeune homme suspendu au flanc des roches, lui avait laissé un tremblement intérieur. Ils s'avancèrent avec lenteur sur une grève ; sous leurs pieds, le gravier, fait de débris de coquillages, criait comme dans les allées d'un jardin ; et ils ne parlaient plus. Il lui montra deux larges fissures, le *Trou du Moine Fou* et la *Grotte du Chat*. Elle entra, leva les yeux, eut seulement un petit frisson. Quand ils reprirent leur marche, le long d'un beau sable fin, ils se regardèrent, ils restèrent encore muets et souriants. La mer montait, par courtes lames bruissantes, et ils ne l'entendaient pas. M. Chabre, au-dessus d'eux, se mit à crier, et ils ne l'entendirent pas davantage.

« Mais c'est fou ! répétait l'ancien marchand de grains, en agitant son ombrelle et son panier d'arapèdes. Estelle !... monsieur Hector !... Écoutez donc ! Vous allez être gagnés ! Vous avez déjà les pieds dans l'eau ! »

Eux ne sentaient point la fraîcheur des petites vagues.

« Hein ? qu'y a-t-il ? finit par murmurer la jeune femme.

– Ah ! c'est vous, monsieur Chabre ! dit le jeune homme. Ça ne fait rien, n'ayez pas peur... Nous n'avons plus à voir que la *Grotte à Madame.* »

M. Chabre eut un geste de désespoir, en ajoutant :

« C'est de la démence ! Vous allez vous noyer. »

Ils ne l'écoutaient déjà plus. Pour échapper à la marée croissante, ils s'avancèrent le long des rochers, et arrivèrent enfin à la *Grotte à Madame.* C'était une excavation creusée dans un bloc de granit, qui formait promontoire. La voûte, très élevée, s'arrondissait en large dôme. Pendant les tempêtes, le travail des eaux avait donné aux murs un poli et un luisant d'agate. Des veines roses et bleues, dans la pâte sombre du roc, dessinaient des arabesques d'un goût magnifique et barbare, comme si des artistes sauvages eussent décoré cette salle de bains des reines de la mer. Les graviers du sol, mouillés encore, gardaient une transparence qui les faisait ressembler à un lit de pierres précieuses. Au fond, il y avait un banc de sable, doux et sec, d'un jaune pâle, presque blanc.

Estelle s'était assise sur le sable. Elle examinait la grotte.

« On vivrait là », murmura-t-elle.

Mais Hector, qui paraissait guetter la mer depuis un instant, affecta brusquement une consternation.

« Ah ! mon Dieu ! nous sommes pris ! Voilà le flot qui nous a coupé le chemin... Nous en avons pour deux heures à attendre. »

Il sortit, chercha M. Chabre, en levant la tête. M. Chabre était sur la falaise, juste au-dessus de la grotte, et quand le jeune homme lui eut annoncé qu'ils étaient bloqués :

« Qu'est-ce que je vous disais ? cria-t-il triomphalement, mais vous ne voulez jamais m'écouter… Y a-t-il quelque danger ?

– Aucun, répondit Hector. La mer n'entre que de cinq ou six mètres dans la grotte. Seulement, ne vous inquiétez pas, nous ne pourrons en sortir avant deux heures. »

M. Chabre se fâcha. Alors, on ne dînerait pas ? Il avait déjà faim, lui ! c'était une drôle de partie tout de même ! Puis, en grognant, il s'assit sur l'herbe courte, il mit son ombrelle à sa gauche et son panier d'arapèdes à sa droite.

« J'attendrai, il le faut bien ! cria-t-il. Retournez auprès de ma femme, et tâchez qu'elle ne prenne pas froid. »

Dans la grotte, Hector s'assit près d'Estelle. Au bout d'un silence, il osa s'emparer d'une main qu'elle ne retira pas. Elle regardait au loin. Le crépuscule tombait, une poussière d'ombre pâlissait peu à peu le soleil mourant. À l'horizon, le ciel prenait une teinte délicate, d'un violet tendre, et la mer s'étendait, lentement assombrie, sans une voile. Peu à peu, l'eau entrait dans la grotte, roulant avec un bruit doux les graviers transparents. Elle y apportait les voluptés du large, une voix caressante, une odeur irritante, chargée de désirs.

« Estelle, je vous aime », répétait Hector, en lui couvrant les mains de baisers.

Elle ne répondait pas, étouffée, comme soulevée par cette mer qui montait. Sur le sable fin, à demi couchée maintenant, elle ressemblait à une fille des eaux, surprise et déjà sans défense.

Et, brusquement, la voix de M. Chabre leur arriva, légère, aérienne.

« Vous n'avez pas faim ? Je crève, moi !… Heureusement que j'ai mon couteau. Je prends un acompte, vous savez, je mange les arapèdes. »

« Je vous aime, Estelle », répétait toujours Hector, qui la tenait à pleins bras.

La nuit était noire, la mer blanche éclairait le ciel. À l'entrée de la grotte, l'eau avait une longue plainte, tandis que, sous la voûte, un dernier reste de jour venait de s'éteindre. Une odeur de fécondité montait des vagues vivantes. Alors, Estelle laissa lentement tomber sa tête sur l'épaule d'Hector. Et le vent du soir emporta des soupirs.

En haut, à la clarté des étoiles, M. Chabre mangeait ses coquillages, méthodiquement. Il s'en donnait une indigestion, sans pain, avalant tout.

VI

Neuf mois après son retour à Paris, la belle Mme Chabre accouchait d'un garçon. M. Chabre, enchanté, prenait à part le docteur Guiraud, et lui répétait avec orgueil :

« Ce sont les arapèdes, j'en mettrais la main au feu !… Oui, tout un panier d'arapèdes que j'ai mangés un soir, oh ! dans une circonstance bien curieuse… N'importe, docteur, jamais je n'aurais pensé que les coquillages eussent une pareille vertu. »

L'ATTAQUE DU MOULIN[1]

I[2]

Le moulin du père Merlier, par cette belle soirée d'été, était en grande fête. Dans la cour, on avait mis trois tables, placées bout à bout, et qui attendaient les convives. Tout le pays savait qu'on devait fiancer, ce jour-là, la fille Merlier, Françoise, avec Dominique, un garçon qu'on accusait de fainéantise, mais que les femmes, à trois lieues à la ronde, regardaient avec des yeux luisants, tant il avait bon air.

Ce moulin du père Merlier était une vraie gaieté. Il se trouvait juste au milieu de Rocreuse[3], à

---

1. Cette nouvelle a d'abord été écrite pour *Le Messager de l'Europe* et publiée en russe en juillet 1877, sous le titre *Un épisode de l'invasion de 1870*. Un an après, le 15 août 1878, elle parut dans *La Réforme*. *L'Attaque du moulin* est surtout connue pour avoir figuré en tête du recueil collectif des *Soirées de Médan*, qui parut le 14 avril 1880 chez l'éditeur des naturalistes, Georges Charpentier (voir Présentation, p. 30). Le texte fut publié de nouveau le 25 avril 1880 dans *Le Figaro* et, les 25 avril et 2 mai de la même année, dans *La Vie populaire*. Eugène Fasquelle le recueillit dans *Madame Sourdis* en 1929. Il figurait également dans les *Contes et nouvelles*, édités chez F. Bernouard en 1928. Le texte reproduit ici est celui des *Soirées de Médan*.

2. Dans *Le Messager de l'Europe*, la nouvelle était précédée de cette introduction : « Cette fois-ci, je vous raconterai une histoire vécue, une véridique histoire vécue que j'ai entendue d'un témoin. Il s'agit d'un épisode de l'invasion de 1870. À l'heure actuelle la voix de la guerre couvre tout en Europe, c'est pourquoi je vais parler de la guerre, afin qu'on consente à m'écouter. Une étude littéraire, une chronique de la vie parisienne, tout ceci paraîtrait, c'est vrai, bien fade à la minute où les canons tonnent. »

3. Commune imaginaire.

l'endroit où la grand-route fait un coude. Le village n'a qu'une rue, deux files de masures, une file à chaque bord de la route ; mais là, au coude, des prés s'élargissent, de grands arbres, qui suivent le cours de la Morelle, couvrent le fond de la vallée d'ombrages magnifiques. Il n'y a pas, dans toute la Lorraine, un coin de nature plus adorable. À droite et à gauche, des bois épais, des futaies séculaires montent des pentes douces, emplissent l'horizon d'une mer de verdure ; tandis que, vers le midi, la plaine s'étend, d'une fertilité merveilleuse, déroulant à l'infini des pièces de terre coupées de haies vives. Mais ce qui fait surtout le charme de Rocreuse, c'est la fraîcheur de ce trou de verdure, aux journées les plus chaudes de juillet et d'août. La Morelle descend des bois de Gagny [1], et il semble qu'elle prenne le froid des feuillages sous lesquels elle coule pendant des lieues ; elle apporte les bruits murmurants, l'ombre glacée et recueillie des forêts. Et elle n'est point la seule fraîcheur : toutes sortes d'eaux courantes chantent sous les bois ; à chaque pas, des sources jaillissent ; on sent, lorsqu'on suit les étroits sentiers, comme des lacs souterrains qui percent sous la mousse et profitent des moindres fentes, au pied des arbres, entre les roches, pour s'épancher en fontaines cristallines. Les voix chuchotantes de ces ruisseaux s'élèvent si nombreuses et si hautes, qu'elles couvrent le chant des bouvreuils. On se croirait dans quelque parc enchanté, avec des cascades tombant de toutes parts.

En bas, les prairies sont trempées. Des marronniers gigantesques font des ombres noires. Au bord des prés, de longs rideaux de peupliers alignent leurs tentures bruissantes. Il y a deux avenues d'énormes platanes qui montent, à travers champs, vers l'ancien

1. Gagny est le nom d'une ville d'Île-de-France, située à l'est de Paris. Zola, qui se lance dans un récit fictif, mêle, pour les localités, des noms réels et imaginaires, toponymes et anthroponymes. La logique est souvent celle de la pure suggestion onomastique.

château de Gagny, aujourd'hui en ruines. Dans cette terre continuellement arrosée, les herbes grandissent démesurément. C'est comme un fond de parterre entre les deux coteaux boisés, mais de parterre naturel, dont les prairies sont les pelouses, et dont les arbres géants dessinent les colossales corbeilles. Quand le soleil, à midi, tombe d'aplomb, les ombres bleuissent, les herbes allumées dorment dans la chaleur, tandis qu'un frisson glacé passe sous les feuillages.

Et c'était là que le moulin du père Merlier égayait de son tic-tac un coin de verdures folles. La bâtisse, faite de plâtre et de planches, semblait vieille comme le monde. Elle trempait à moitié dans la Morelle, qui arrondit à cet endroit un clair bassin. Une écluse était ménagée, la chute tombait de quelques mètres sur la roue du moulin, qui craquait en tournant, avec la toux asthmatique d'une fidèle servante vieillie dans la maison. Quand on conseillait au père Merlier de la changer, il hochait la tête en disant qu'une jeune roue serait plus paresseuse et ne connaîtrait pas si bien le travail ; et il raccommodait l'ancienne avec tout ce qui lui tombait sous la main, des douves de tonneau, des ferrures rouillées, du zinc, du plomb. La roue en paraissait plus gaie, avec son profil devenu étrange, tout empanachée d'herbes et de mousses. Lorsque l'eau la battait de son flot d'argent, elle se couvrait de perles, on voyait passer son étrange carcasse sous une parure éclatante de colliers de nacre.

La partie du moulin qui trempait ainsi dans la Morelle avait l'air d'une arche barbare, échouée là. Une bonne moitié du logis était bâtie sur des pieux. L'eau entrait sous le plancher, il y avait des trous, bien connus dans le pays pour les anguilles et les écrevisses énormes qu'on y prenait. En dessous de la chute, le bassin était limpide comme un miroir, et lorsque la roue ne le troublait pas de son écume, on apercevait des bandes de gros poissons qui nageaient avec des lenteurs d'escadre. Un escalier rompu descendait à la rivière, près d'un pieu où était amarrée une barque. Une galerie de bois passait au-dessus de la roue. Des fenêtres s'ouvraient, percées irrégulièrement. C'était un pêle-mêle d'encoignures, de petites murailles, de constructions ajoutées après coup, de poutres et de toitures qui donnaient au moulin un aspect d'ancienne citadelle démantelée. Mais des lierres avaient poussé, toutes sortes de plantes grimpantes bouchaient les crevasses trop grandes et mettaient un manteau vert à la vieille demeure. Les demoiselles qui passaient dessinaient sur leurs albums le moulin du père Merlier.

Du côté de la route, la maison était plus solide. Un portail en pierre s'ouvrait sur la grande cour, que bordaient à droite et à gauche des hangars et des écuries. Près d'un puits, un orme immense couvrait de son ombre la moitié de la cour. Au fond, la maison alignait les quatre fenêtres de son premier étage, surmonté d'un colombier. La seule coquetterie du père Merlier était de faire badigeonner cette façade tous les dix ans. Elle venait justement d'être blanchie, et elle éblouissait le village, lorsque le soleil l'allumait, au milieu du jour.

Depuis vingt ans, le père Merlier était maire de Rocreuse. On l'estimait pour la fortune qu'il avait su faire. On lui donnait quelque chose comme quatre-vingt mille francs, amassés sou à sou. Quand il avait épousé Madeleine Guillard, qui lui apportait en dot le moulin, il ne possédait guère que ses deux bras. Mais Madeleine ne s'était jamais repentie de son choix, tant il avait su mener gaillardement les affaires du ménage. Aujourd'hui, la femme était défunte, il restait veuf avec sa fille Françoise. Sans doute, il aurait pu se reposer, laisser la roue du moulin dormir dans la mousse ; mais il se serait trop ennuyé, et la maison lui aurait semblé morte. Il travaillait toujours, pour le plaisir. Le père Merlier était alors un grand vieillard, à longue figure silencieuse, qui ne riait jamais, mais qui était tout de même très gai en dedans. On l'avait choisi pour maire, à cause de son argent, et aussi pour le bel air qu'il savait prendre, lorsqu'il faisait un mariage.

Françoise Merlier venait d'avoir dix-huit ans. Elle ne passait pas pour une des belles filles du pays, parce qu'elle était chétive. Jusqu'à quinze ans, elle avait même été laide. On ne pouvait pas comprendre, à Rocreuse, comment la fille du père et de la mère Merlier, tous deux si bien plantés, poussait mal et d'un air de regret. Mais à quinze ans, tout en restant délicate, elle prit une petite figure, la plus jolie du monde. Elle avait des cheveux noirs, des yeux noirs, et elle était toute rose avec ça ; une bouche qui riait toujours, des trous dans les joues, un front clair où il y avait comme une couronne de soleil. Quoique chétive pour le pays, elle n'était pas maigre, loin de là ; on voulait dire simplement qu'elle n'aurait pas pu lever un sac de blé ; mais elle devenait toute potelée avec l'âge, elle devait finir par être ronde et friande comme une caille. Seulement, les longs silences de son père l'avaient rendue raisonnable très jeune. Si elle riait toujours, c'était pour faire plaisir aux autres. Au fond, elle était sérieuse.

Naturellement, tout le pays la courtisait, plus encore pour ses écus que pour sa gentillesse. Et elle avait fini par faire un choix, qui venait de scandaliser la contrée. De l'autre côté de la Morelle, vivait un grand garçon, que l'on nommait Dominique Penquer. Il n'était pas de Rocreuse. Dix ans auparavant, il était arrivé de Belgique, pour hériter d'un oncle, qui possédait un petit bien, sur la lisière même de la forêt de Gagny, juste en face du moulin, à quelques portées de fusil. Il venait pour vendre ce bien, disait-il, et retourner chez lui. Mais le pays le charma, paraît-il, car il n'en bougea plus. On le vit cultiver son bout de champ, récolter quelques légumes dont il vivait. Il pêchait, il chassait ; plusieurs fois, les gardes faillirent le prendre et lui dresser des procès-verbaux. Cette existence libre, dont les paysans ne s'expliquaient pas bien les ressources, avait fini par lui donner un mauvais renom. On le traitait vaguement de braconnier. En tout cas, il était paresseux, car on le trouvait souvent endormi dans l'herbe, à des heures où il aurait dû travailler. La masure qu'il habitait, sous les derniers arbres de la forêt, ne semblait pas non plus la demeure d'un honnête garçon. Il aurait eu un commerce avec les loups des ruines de Gagny, que cela n'aurait point surpris les vieilles femmes. Pourtant, les jeunes filles, parfois, se hasardaient à le défendre, car il était superbe, cet homme louche, souple et grand comme un peuplier, très blanc de peau, avec une barbe et des cheveux blonds qui semblaient de l'or au soleil. Or, un beau matin, Françoise avait déclaré au père Merlier qu'elle aimait Dominique et que jamais elle ne consentirait à épouser un autre garçon.

On pense quel coup de massue le père Merlier reçut ce jour-là ! Il ne dit rien, selon son habitude. Il avait son visage réfléchi ; seulement, sa gaieté intérieure ne luisait plus dans ses yeux. On se bouda pendant une semaine. Françoise, elle aussi, était toute grave. Ce qui tourmentait le père Merlier, c'était de savoir comment ce gredin de braconnier avait bien pu ensorceler sa fille. Jamais Dominique n'était venu au moulin. Le meunier guetta et il aperçut le galant, de l'autre côté de la Morelle, couché dans l'herbe et feignant de dormir. Françoise, de sa chambre, pouvait le voir. La chose était claire, ils avaient dû s'aimer, en se faisant les doux yeux pardessus la roue du moulin.

Cependant, huit autres jours s'écoulèrent, Françoise devenait de plus en plus grave. Le père Merlier ne disait toujours rien. Puis, un soir, silencieusement, il amena lui-même Dominique. Françoise, justement, mettait la table. Elle ne parut pas étonnée, elle se contenta d'ajouter un couvert ; seulement les petits trous de ses joues venaient de se creuser de nouveau, et son rire avait reparu. Le matin, le père Merlier était allé trouver Dominique dans sa masure, sur la lisière du bois. Là, les deux hommes avaient causé pendant trois heures, les portes et les fenêtres fermées. Jamais personne n'a su ce qu'ils avaient pu se dire. Ce qu'il y a de certain, c'est que le père Merlier en sortant traitait déjà Dominique comme son fils. Sans doute, le vieillard avait trouvé le garçon qu'il était allé chercher, un brave garçon, dans ce paresseux qui se couchait sur l'herbe pour se faire aimer des filles.

Tout Rocreuse clabauda. Les femmes, sur les portes, ne tarissaient pas au sujet de la folie du père Merlier, qui introduisait ainsi chez lui un garnement. Il laissa dire. Peut-être s'était-il souvenu de son propre mariage. Lui non plus ne possédait pas un sou vaillant, lorsqu'il avait épousé Madeleine et son moulin ; cela pourtant ne l'avait point empêché de faire un bon mari. D'ailleurs, Dominique coupa court aux cancans, en se mettant si rudement à la besogne, que le pays en fut émerveillé. Justement le garçon du moulin était tombé au sort [1], et jamais Dominique ne voulut qu'on en engageât un autre. Il porta les sacs, conduisit la charrette, se battit avec la vieille roue, quand elle se faisait prier pour tourner, tout cela d'un tel cœur, qu'on venait le voir par plaisir. Le père Merlier avait son rire silencieux. Il était très fier d'avoir deviné ce garçon. Il n'y a rien comme l'amour pour donner du courage aux jeunes gens.

Au milieu de toute cette grosse besogne, Françoise et Dominique s'adoraient. Ils ne se parlaient guère, mais ils se regardaient avec une douceur souriante. Jusque-là, le père Merlier n'avait pas dit un seul mot au sujet du mariage ; et tous deux respectaient ce silence, attendant la volonté du vieillard. Enfin, un jour, vers le milieu de juillet, il avait fait mettre trois tables dans la cour, sous le grand orme, en invitant ses amis de Rocreuse à venir le soir boire un coup avec lui. Quand la cour fut pleine et que

1. Un tirage au sort désignait les appelés au service militaire.

tout le monde eut le verre en main, le père Merlier leva le sien très haut en disant :

« C'est pour avoir le plaisir de vous annoncer que Françoise épousera ce gaillard-là dans un mois, le jour de la Saint-Louis. »

Alors, on trinqua bruyamment. Tout le monde riait. Mais le père Merlier, haussant la voix, dit encore :

« Dominique, embrasse ta promise. Ça se doit. »

Et ils s'embrassèrent, très rouges, pendant que l'assistance riait plus fort. Ce fut une vraie fête. On vida un petit tonneau. Puis, quand il n'y eut là que les amis intimes, on causa d'une façon calme. La nuit était tombée, une nuit étoilée et très claire. Dominique et Françoise, assis sur un banc, l'un près de l'autre, ne disaient rien. Un vieux paysan parlait de la guerre que l'empereur avait déclarée à la Prusse. Tous les gars du village étaient déjà partis. La veille, des troupes avaient encore passé. On allait se cogner dur.

« Bah ! dit le père Merlier avec l'égoïsme d'un homme heureux. Dominique est étranger, il ne partira pas... Et si les Prussiens venaient, il serait là pour défendre sa femme. »

Cette idée que les Prussiens pouvaient venir parut une bonne plaisanterie. On allait leur flanquer une raclée soignée, et ce serait vite fini.

« Je les ai déjà vus, je les ai déjà vus », répéta d'une voix sourde le vieux paysan.

Il y eut un silence. Puis, on trinqua une fois encore. Françoise et Dominique n'avaient rien entendu ; ils s'étaient pris doucement la main, derrière le banc, sans qu'on pût les voir, et cela leur semblait si bon, qu'ils restaient là, les yeux perdus au fond des ténèbres.

Quelle nuit tiède et superbe ! Le village s'endormait aux deux bords de la route blanche, dans une tranquillité d'enfant. On n'entendait plus, de loin en loin, que le chant de quelque coq éveillé trop tôt. Des grands bois voisins, descendaient de longues haleines qui passaient sur les toitures comme des caresses. Les prairies, avec leurs ombrages noirs, prenaient une majesté mystérieuse et recueillie, tandis que toutes les sources, toutes les eaux courantes qui jaillissaient dans l'ombre, semblaient être la respiration fraîche et rythmée de la campagne endormie. Par instants, la vieille roue du moulin, ensommeillée, paraissait rêver comme ces vieux chiens de garde qui aboient en ronflant ; elle avait des craquements, elle causait toute seule, bercée par la chute de la Morelle, dont la nappe rendait le son musical et continu d'un tuyau d'orgues. Jamais une paix plus large n'était descendue sur un coin plus heureux de nature [1].

II

Un mois plus tard, jour pour jour, juste la veille de la Saint-Louis, Rocreuse était dans l'épouvante. Les Prussiens avaient battu l'empereur et s'avançaient à marches forcées vers le village. Depuis une semaine, des gens qui passaient sur la route annonçaient les Prussiens : « Ils sont à Lormière, ils sont à Novelles » ; et, à entendre dire qu'ils se rapprochaient si vite, Rocreuse, chaque matin, croyait les voir descendre par les bois de Gagny. Ils ne venaient point cependant, cela effrayait davantage. Bien sûr qu'ils tomberaient sur le village pendant la nuit et qu'ils égorgeraient tout le monde.

La nuit précédente, un peu avant le jour, il y avait eu une alerte. Les habitants s'étaient réveillés, en entendant un grand bruit d'hommes sur la route. Les femmes déjà se jetaient à genoux et faisaient des signes de croix, lorsqu'on avait reconnu des pantalons rouges, en entrouvrant prudemment les

1. La situation initiale de *L'Attaque du moulin* peut être rapprochée de celle de *L'Inondation* (voir ci-dessus, p. 114) : c'est celle d'un équilibre naturel et humain, d'une opulente plénitude, qui font mieux saillir le drame de la catastrophe.

fenêtres. C'était un détachement français. Le capitaine avait tout de suite demandé le maire du pays, et il était resté au moulin, après avoir causé avec le père Merlier.

Le soleil se levait gaiement, ce jour-là. Il ferait chaud, à midi. Sur les bois, une clarté blonde flottait, tandis que dans les fonds, au-dessus des prairies, montaient des vapeurs blanches. Le village, propre et joli, s'éveillait dans la fraîcheur, et la campagne, avec sa rivière et ses fontaines, avait des grâces mouillées de bouquet. Mais cette belle journée ne faisait rire personne. On venait de voir le capitaine tourner autour du moulin, regarder les maisons voisines, passer de l'autre côté de la Morelle, et de là, étudier le pays avec une lorgnette ; le père Merlier, qui l'accompagnait, semblait donner des explications. Puis, le capitaine avait posté des soldats derrière des murs, derrière des arbres, dans des trous. Le gros du détachement campait dans la cour du moulin. On allait donc se battre ? Et quand le père Merlier revint, on l'interrogea. Il fit un long signe de tête, sans parler. Oui, on allait se battre.

Françoise et Dominique étaient là, dans la cour, qui le regardaient. Il finit par ôter sa pipe de la bouche, et dit cette simple phrase :

« Ah ! mes pauvres petits, ce n'est pas demain que je vous marierai ! »

Dominique, les lèvres serrées, avec un pli de colère au front, se haussait parfois, restait les yeux fixés sur les bois de Gagny, comme s'il eût voulu voir arriver les Prussiens. Françoise, très pâle, sérieuse, allait et venait, fournissant aux soldats ce dont ils avaient besoin. Ils faisaient la soupe dans un coin de la cour, et plaisantaient, en attendant de manger.

Cependant, le capitaine paraissait ravi. Il avait visité les chambres et la grande salle du moulin donnant sur la rivière. Maintenant, assis près du puits, il causait avec le père Merlier.

« Vous avez là une vraie forteresse, disait-il. Nous tiendrons bien jusqu'à ce soir... Les bandits sont en retard. Ils devraient être ici. »

Le meunier restait grave. Il voyait son moulin flamber comme une torche. Mais il ne se plaignait pas, jugeant cela inutile. Il ouvrit seulement la bouche, pour dire :

« Vous devriez faire cacher la barque derrière la roue. Il y a là un trou où elle tient... Peut-être qu'elle pourra servir. »

Le capitaine donna un ordre. Ce capitaine était un bel homme d'une quarantaine d'années, grand et de figure aimable. La vue de Françoise et de Dominique semblait le réjouir. Il s'occupait d'eux, comme s'il avait oublié la lutte prochaine. Il suivait Françoise des yeux, et son air disait clairement qu'il la trouvait charmante. Puis, se tournant vers Dominique :

« Vous n'êtes donc pas à l'armée, mon garçon ? lui demanda-t-il brusquement.

– Je suis étranger », répondit le jeune homme.

Le capitaine parut goûter médiocrement cette raison. Il cligna les yeux et sourit. Françoise était plus agréable à fréquenter que le canon. Alors, en le voyant sourire, Dominique ajouta :

« Je suis étranger, mais je loge une balle dans une pomme à cinq cents mètres... Tenez, mon fusil de chasse est là, derrière vous.

– Il pourra vous servir », répliqua simplement le capitaine.

Françoise s'était approchée, un peu tremblante. Et, sans se soucier du monde qui était là, Dominique prit et serra dans les siennes les deux mains qu'elle lui tendait, comme pour se mettre sous sa protection. Le capitaine avait souri de nouveau, mais il n'ajouta pas une parole. Il demeurait assis, son épée entre les jambes, les yeux perdus, paraissant rêver.

Il était déjà dix heures. La chaleur devenait très forte. Un lourd silence se faisait. Dans la cour, à l'ombre des hangars, les soldats s'étaient mis à manger la soupe. Aucun bruit ne venait du village, dont les habitants avaient tous barricadé leurs maisons, portes et fenêtres. Un chien, resté seul sur la route, hurlait. Des bois et des prairies voisines, pâmés par la chaleur, sortait une voix lointaine, prolongée, faite de tous les souffles épars. Un coucou chanta. Puis, le silence s'élargit encore.

Et, dans cet air endormi, brusquement, un coup de feu éclata. Le capitaine se leva vivement, les soldats lâchèrent leurs assiettes de soupe, encore à moitié pleines. En quelques secondes, tous furent à leur poste de combat ; de bas en haut, le moulin se trouvait occupé. Cependant, le capitaine, qui s'était porté sur la route, n'avait rien vu ; à droite, à gauche, la route s'étendait, vide et toute blanche. Un deuxième coup de feu se fit entendre, et toujours rien, pas une ombre. Mais, en se retournant, il aperçut du côté de Gagny, entre deux arbres, un flocon de fumée qui s'envolait, pareil à un fil de la Vierge. Le bois restait profond et doux.

« Les gredins se sont jetés dans la forêt, murmura-t-il. Ils nous savent ici. »

Alors, la fusillade continua, de plus en plus nourrie, entre les soldats français, postés autour du moulin, et les Prussiens, cachés derrière les arbres. Les balles sifflaient au-dessus de la Morelle, sans causer de pertes ni d'un côté ni de l'autre. Les coups étaient irréguliers, partaient de chaque buisson ; et l'on n'apercevait toujours que les petites fumées, balancées mollement par le vent. Cela dura près de deux heures. L'officier chantonnait d'un air indifférent. Françoise et Dominique, qui étaient restés dans la cour, se haussaient et regardaient par-dessus une muraille basse. Ils s'intéressaient surtout à un petit soldat, posté au bord de la Morelle, derrière la carcasse d'un vieux bateau ; il était à plat ventre, guettait, lâchait son coup de feu, puis se laissait glisser dans un fossé, un peu en arrière, pour recharger son fusil ; et ses mouvements étaient si drôles, si rusés, si souples, qu'on se laissait aller à sourire en le voyant. Il dut apercevoir quelque tête de Prussien, car il se leva vivement et épaula ; mais, avant qu'il eût tiré, il jeta un cri, tourna sur lui-même et roula dans le fossé, où ses jambes eurent un instant le roidissement convulsif des pattes d'un poulet qu'on égorge. Le petit soldat venait de recevoir une balle en pleine poitrine. C'était le premier mort. Instinctivement, Françoise avait saisi la main de Dominique et la lui serrait, dans une crispation nerveuse.

« Ne restez pas là, dit le capitaine. Les balles viennent jusqu'ici. »

En effet, un petit coup sec s'était fait entendre dans le vieil orme, et un bout de branche tombait en se balançant. Mais les deux jeunes gens ne bougèrent pas, cloués par l'anxiété du spectacle. À la lisière du bois, un Prussien était brusquement sorti de derrière un arbre comme d'une coulisse, battant l'air de ses bras et tombant à la renverse. Et rien ne bougea plus, les deux morts semblaient dormir au grand soleil, on ne voyait toujours personne dans la campagne alourdie. Le pétillement de la fusillade lui-même cessa. Seule, la Morelle chuchotait avec son bruit clair.

Le père Merlier regarda le capitaine d'un air de surprise, comme pour lui demander si c'était fini.

« Voilà le grand coup, murmura celui-ci. Méfiez-vous. Ne restez pas là. »

Il n'avait pas achevé qu'une décharge effroyable eut lieu. Le grand orme fut comme fauché, une volée de feuilles tournoya. Les Prussiens avaient heureusement tiré trop haut. Dominique entraîna, emporta presque Françoise, tandis que le père Merlier les suivait, en criant :

« Mettez-vous dans le petit caveau, les murs sont solides. »

Mais ils ne l'écoutèrent pas, ils entrèrent dans la grande salle, où une dizaine de soldats attendaient en silence, les volets fermés, guettant par des fentes. Le capitaine était resté seul dans la cour, accroupi derrière la petite muraille, pendant que des décharges furieuses continuaient. Au-dehors, les soldats qu'il avait postés ne cédaient le terrain que pied à pied. Pourtant, ils rentraient un à un en rampant, quand l'ennemi les avait délogés de leurs cachettes. Leur consigne était de gagner du temps, de ne point se montrer, pour que les Prussiens ne pussent savoir quelles forces ils avaient devant eux. Une heure encore s'écoula. Et, comme un sergent arrivait, disant qu'il n'y avait plus dehors que deux ou trois hommes, l'officier tira sa montre, en murmurant :

« Deux heures et demie... Allons, il faut tenir quatre heures. »

Il fit fermer le grand portail de la cour, et tout fut préparé pour une résistance énergique. Comme les Prussiens se trouvaient de l'autre côté de la Morelle, un assaut immédiat n'était pas à craindre. Il y avait bien un pont à deux kilomètres, mais ils ignoraient sans doute son existence, et il était peu croyable qu'ils tenteraient de passer à gué la rivière. L'officier fit donc simplement surveiller la route. Tout l'effort allait porter du côté de la campagne.

La fusillade de nouveau avait cessé. Le moulin semblait mort sous le grand soleil. Pas un volet n'était ouvert, aucun bruit ne sortait de l'intérieur. Peu à peu, cependant, les Prussiens se montraient à la lisière du bois de Gagny. Ils allongeaient la tête, s'enhardissaient. Dans le moulin, plusieurs soldats épaulaient déjà ; mais le capitaine cria :

« Non, non, attendez... Laissez-les s'approcher. »

Ils y mirent beaucoup de prudence, regardant le moulin d'un air méfiant. Cette vieille demeure, silencieuse et morne, avec ses rideaux de lierre, les inquiétait. Pourtant, ils avançaient. Quand ils furent une cinquantaine dans la prairie, en face, l'officier dit un seul mot :

« Allez ! »

Un déchirement se fit entendre, des coups isolés suivirent. Françoise, agitée d'un tremblement, avait porté malgré elle les mains à ses oreilles. Dominique, derrière les soldats, regardait ; et, quand la fumée se fut un peu dissipée, il aperçut trois Prussiens étendus sur le dos au milieu du pré. Les autres s'étaient jetés derrière les saules et les peupliers. Et le siège commença.

Pendant plus d'une heure, le moulin fut criblé de balles. Elles en fouettaient les vieux murs comme une grêle. Lorsqu'elles frappaient sur de la pierre, on les entendait s'écraser et retomber à l'eau. Dans le bois, elles s'enfonçaient avec un bruit sourd. Parfois, un craquement annonçait que la roue venait d'être touchée. Les soldats, à l'intérieur, ménageaient leurs coups, ne tiraient que lorsqu'ils pouvaient viser. De temps à autre, le capitaine consultait sa montre. Et, comme une balle fendait un volet et allait se loger dans le plafond :

« Quatre heures, murmura-t-il. Nous ne tiendrons jamais. »

Peu à peu, en effet, cette fusillade terrible ébranlait le vieux moulin. Un volet tomba à l'eau, troué comme une dentelle, et il fallut le remplacer par un matelas. Le père Merlier, à chaque instant, s'exposait pour constater les avaries de sa pauvre roue, dont les craquements lui allaient au cœur. Elle était bien finie cette fois ; jamais il ne pourrait la raccommoder. Dominique avait supplié Françoise de se retirer, mais elle voulait rester avec lui ; elle s'était assise derrière une grande armoire de chêne, qui la protégeait. Une balle pourtant arriva dans l'armoire, dont les flancs rendirent un son grave. Alors, Dominique se plaça devant Françoise. Il n'avait pas encore tiré, il tenait son fusil à la main, ne pouvant approcher des fenêtres dont les soldats tenaient toute la largeur. À chaque décharge, le plancher tressaillait.

« Attention ! Attention ! » cria tout d'un coup le capitaine.

Il venait de voir sortir du bois toute une masse sombre. Aussitôt s'ouvrit un formidable feu de peloton. Ce fut comme une trombe qui passa sur le moulin. Un autre volet partit, et par l'ouverture béante de la fenêtre, les balles entrèrent. Deux soldats roulèrent sur le carreau. L'un ne remua plus ; on le poussa contre le mur, parce qu'il encombrait. L'autre se tordit en demandant qu'on l'achevât ; mais on ne l'écoutait point, les balles entraient toujours, chacun se garait et tâchait de trouver une meurtrière pour riposter. Un troisième soldat fut blessé ; celui-là ne dit pas une parole, il se laissa couler au bord d'une table, avec des yeux fixes et hagards. En face de ces morts, Françoise, prise d'horreur, avait repoussé machinalement sa chaise, pour s'asseoir à terre, contre le mur ; elle se croyait la plus petite et moins en danger. Cependant, on était allé prendre tous les matelas de la maison, on avait rebouché à moitié la fenêtre. La salle s'emplissait de débris, d'armes rompues, de meubles éventrés.

« Cinq heures, dit le capitaine. Tenez bon... Ils vont chercher à passer l'eau. »

À ce moment, Françoise poussa un cri. Une balle, qui avait ricoché, venait de lui effleurer le front. Quelques gouttes de sang parurent. Dominique la regarda ; puis, s'approchant de la fenêtre, il lâcha son premier coup de feu, et il ne s'arrêta plus. Il chargeait, tirait, sans s'occuper de ce qui se passait près de lui ; de temps à autre seulement, il jetait un coup d'œil sur Françoise. D'ailleurs, il ne se pressait pas, visait avec soin. Les Prussiens, longeant les peupliers, tentaient le passage de la Morelle, comme le capitaine l'avait prévu ; mais, dès qu'un d'entre eux se hasardait, il tombait frappé à la tête par une balle de Dominique. Le capitaine, qui suivait ce jeu, était émerveillé. Il complimenta le jeune homme, en lui disant qu'il serait heureux d'avoir beaucoup de tireurs de sa force. Dominique ne l'entendait pas. Une balle lui entama l'épaule, une autre lui contusionna le bras. Et il tirait toujours.

Il y eut deux nouveaux morts. Les matelas, déchiquetés, ne bouchaient plus les fenêtres. Une dernière décharge semblait devoir emporter le moulin. La

Scène de bataille en 1870, gravure d'Andrieux (1870)

position n'était plus tenable. Cependant, l'officier répétait :

« Tenez bon... Encore une demi-heure. »

Maintenant, il comptait les minutes. Il avait promis à ses chefs d'arrêter l'ennemi là jusqu'au soir, et il n'aurait pas reculé d'une semelle avant l'heure qu'il avait fixée pour la retraite. Il gardait son air aimable, souriait à Françoise, afin de la rassurer. Lui-même venait de ramasser le fusil d'un soldat mort et faisait le coup de feu.

Il n'y avait plus que quatre soldats dans la salle. Les Prussiens se montraient en masse sur l'autre bord de la Morelle, et il était évident qu'ils allaient passer la rivière d'un moment à l'autre. Quelques minutes s'écoulèrent encore. Le capitaine s'entêtait, ne voulait pas donner l'ordre de la retraite, lorsqu'un sergent accourut, en disant :

« Ils sont sur la route, ils vont nous prendre par-derrière. »

Les Prussiens devaient avoir trouvé le pont. Le capitaine tira sa montre.

« Encore cinq minutes, dit-il. Ils ne seront pas ici avant cinq minutes. »

Puis, à six heures précises, il consentit enfin à faire sortir ses hommes par une petite porte qui donnait sur une ruelle. De là, ils se jetèrent dans un fossé, ils gagnèrent la forêt de Sauval. Le capitaine avait, avant de partir, salué très poliment le père Merlier, en s'excusant. Et il avait même ajouté :

« Amusez-les... Nous reviendrons. »

Cependant, Dominique était resté seul dans la salle. Il tirait toujours, n'entendant rien, ne comprenant rien. Il n'éprouvait que le besoin de défendre Françoise. Les soldats étaient partis, sans qu'il s'en doutât le moins du monde. Il visait et tuait son homme à chaque coup. Brusquement, il y eut un grand bruit. Les Prussiens, par-derrière, venaient d'envahir la cour. Il lâcha un dernier coup, et ils tombèrent sur lui, comme son fusil fumait encore.

Quatre hommes le tenaient. D'autres vociféraient autour de lui, dans une langue effroyable. Ils faillirent l'égorger tout de suite. Françoise s'était jetée en avant, suppliante. Mais un officier entra et se fit remettre le prisonnier. Après quelques phrases qu'il échangea en allemand avec les soldats, il se tourna vers Dominique et lui dit rudement, en très bon français :

« Vous serez fusillé dans deux heures [1]. »

III

C'était une règle posée par l'état-major allemand : tout Français n'appartenant pas à l'armée régulière et pris les armes à la main devait être fusillé. Les compagnies franches elles-mêmes n'étaient pas reconnues comme belligérantes. En faisant ainsi de terribles exemples sur les paysans qui défendaient leurs foyers, les Allemands voulaient empêcher la levée en masse, qu'ils redoutaient.

L'officier, un homme grand et sec, d'une cinquantaine d'années, fit subir à Dominique un bref interrogatoire. Bien qu'il parlât le français très purement, il avait une raideur toute prussienne [2].

« Vous êtes de ce pays ?

– Non, je suis Belge.

– Pourquoi avez-vous pris les armes ?... Tout ceci ne doit pas vous regarder. »

Dominique ne répondit pas. À ce moment, l'officier aperçut Françoise debout et très pâle, qui écou-

---

1. Pour décrire le combat, Zola, qui n'a jamais été soldat, s'est inspiré des récits de guerre, très nombreux après 1870. Roger Ripoll signale que les auteurs s'intéressent en général aux escarmouches, aux anecdotes et aux faits héroïques. Ils méconnaissent la mutation vers la guerre moderne, menée à plus grande échelle, et que Zola enregistrera cette fois plus précisément dans son grand roman *La Débâcle* (1892).

2. On remarquera au passage les stéréotypes : à la raideur de l'officier prussien s'oppose la « galanterie » du capitaine français.

tait ; sur son front blanc, sa légère blessure mettait une barre rouge. Il regarda les jeunes gens l'un après l'autre, parut comprendre, et se contenta d'ajouter :

« Vous ne niez pas avoir tiré ?

– J'ai tiré tant que j'ai pu », répondit tranquillement Dominique.

Cet aveu était inutile, car il était noir de poudre, couvert de sueur, taché de quelques gouttes de sang qui avaient coulé de l'éraflure de son épaule.

« C'est bien, répéta l'officier. Vous serez fusillé dans deux heures. »

Françoise ne cria pas. Elle joignit les mains et les éleva dans un geste de muet désespoir. L'officier remarqua ce geste. Deux soldats avaient emmené Dominique dans une pièce voisine, où ils devaient le garder à vue. La jeune fille était tombée sur une chaise, les jambes brisées ; elle ne pouvait pleurer, elle étouffait. Cependant, l'officier l'examinait toujours. Il finit par lui adresser la parole :

« Ce garçon est votre frère ? » demanda-t-il.

Elle dit non de la tête. Il resta raide, sans un sourire. Puis, au bout d'un silence :

« Il habite le pays depuis longtemps ? »

Elle dit oui, d'un nouveau signe.

« Alors il doit très bien connaître les bois voisins ? »

Cette fois, elle parla.

« Oui, monsieur », dit-elle en le regardant avec quelque surprise.

Il n'ajouta rien et tourna sur ses talons, en demandant qu'on lui amenât le maire du village. Mais Françoise s'était levée, une légère rougeur au visage, croyant avoir saisi le but de ses questions et reprise d'espoir. Ce fut elle-même qui courut pour trouver son père.

Le père Merlier, dès que les coups de feu avaient cessé, était vivement descendu par la galerie de bois, pour visiter sa roue. Il adorait sa fille, il avait une solide amitié pour Dominique, son futur gendre ; mais sa roue tenait aussi une large place dans son cœur. Puisque les deux petits, comme il les appelait, étaient sortis sains et saufs de la bagarre, il songeait à son autre tendresse, qui avait singulièrement souffert, celle-là. Et, penché sur la grande carcasse de bois, il en étudiait les blessures d'un air navré. Cinq palettes étaient en miettes, la charpente centrale était criblée. Il fourrait les doigts dans les trous des balles, pour en mesurer la profondeur ; il réfléchissait à la façon dont il pourrait réparer toutes ces avaries. Françoise le trouva qui bouchait déjà des fentes avec des débris et de la mousse.

« Père, dit-elle, ils vous demandent. »

Et elle pleura enfin, en lui contant ce qu'elle venait d'entendre. Le père Merlier hocha la tête. On ne fusillait pas les gens comme ça. Il fallait voir. Et il rentra dans le moulin, de son air silencieux et paisible. Quand l'officier lui eut demandé des vivres pour ses hommes, il répondit que les gens de Rocreuse n'étaient pas habitués à être brutalisés, et qu'on n'obtiendrait rien d'eux si l'on employait la violence. Il se chargeait de tout, mais à la condition qu'on le laissât agir seul. L'officier parut se fâcher d'abord de ce ton tranquille ; puis, il céda, devant les paroles brèves et nettes du vieillard. Même il le rappela, pour lui demander :

« Ces bois-là, en face, comment les nommez-vous ?

– Les bois de Sauval.

– Et quelle est leur étendue ? »

Le meunier le regarda fixement.

« Je ne sais pas », répondit-il.

Et il s'éloigna. Une heure plus tard, la contribution de guerre en vivres et en argent, réclamée par l'officier, était dans la cour du moulin. La nuit venait, Françoise suivait avec anxiété les mouvements des soldats. Elle ne s'éloignait pas de la pièce dans laquelle était enfermé Dominique. Vers sept heures, elle eut une émotion poignante ; elle vit l'officier entrer chez le prisonnier, et, pendant un quart d'heure, elle entendit leurs voix qui s'élevaient. Un instant, l'officier reparut sur le seuil pour donner un ordre en allemand, qu'elle ne comprit pas ; mais, lorsque douze hommes furent venus se ranger dans la cour, le fusil au bras, un tremblement la saisit, elle se sentit mourir. C'en était donc fait ; l'exécution allait avoir lieu. Les douze hommes restèrent là dix minutes, la voix de Dominique continuait à s'élever sur un ton de refus violent. Enfin, l'officier sortit, en fermant brutalement la porte et en disant :

« C'est bien, réfléchissez... Je vous donne jusqu'à demain matin. »

Et, d'un geste, il fit rompre les rangs aux douze hommes. Françoise restait hébétée. Le père Merlier, qui avait continué de fumer sa pipe, en regardant le peloton d'un air simplement curieux, vint la prendre par le bras, avec une douceur paternelle. Il l'emmena dans sa chambre.

« Tiens-toi tranquille, lui dit-il, tâche de dormir... Demain, il fera jour, et nous verrons. »

En se retirant, il l'enferma par prudence. Il avait pour principe que les femmes ne sont bonnes à rien, et qu'elles gâtent tout, lorsqu'elles s'occupent d'une affaire sérieuse. Cependant, Françoise ne se coucha pas. Elle demeura longtemps assise sur son lit, écoutant les rumeurs de la maison. Les soldats allemands, campés dans la cour, chantaient et riaient ; ils durent manger et boire jusqu'à onze heures, car le tapage ne cessa pas un instant. Dans le moulin même, des pas lourds résonnaient de temps à autre, sans doute des sentinelles qu'on relevait. Mais, ce qui l'intéressait surtout, c'étaient les bruits qu'elle pouvait saisir dans la pièce qui se trouvait sous sa chambre. Plusieurs fois elle se coucha par terre, elle appliqua son oreille contre le plancher. Cette pièce était justement celle où l'on avait enfermé Dominique. Il devait marcher du mur à la fenêtre, car elle entendit longtemps la cadence régulière de sa promenade ; puis, il se fit un grand silence, il s'était sans doute assis. D'ailleurs, les rumeurs cessaient, tout s'endormait. Quand la maison lui parut s'assoupir, elle ouvrit sa fenêtre le plus doucement possible, elle s'accouda.

Au-dehors, la nuit avait une sérénité tiède. Le mince croissant de la lune, qui se couchait derrière les bois de Sauval, éclairait la campagne d'une lueur de veilleuse. L'ombre allongée des grands arbres barrait de noir les prairies, tandis que l'herbe, aux endroits découverts, prenait une douceur de velours verdâtre. Mais Françoise ne s'arrêtait guère au charme mystérieux de la nuit. Elle étudiait la campagne, cherchant les sentinelles que les Allemands avaient dû poster de ce côté. Elle voyait parfaitement leurs ombres s'échelonner le long de la Morelle. Une seule se trouvait devant le moulin, de l'autre côté de la rivière, près d'un saule dont les branches trempaient dans l'eau. Françoise la distinguait parfaitement. C'était un grand garçon qui se tenait immobile, la face tournée vers le ciel, de l'air rêveur d'un berger.

Alors, quand elle eut ainsi inspecté les lieux avec soin, elle revint s'asseoir sur son lit. Elle y resta une heure, profondément absorbée. Puis elle écouta de nouveau : la maison n'avait plus un souffle. Elle retourna à la fenêtre, jeta un coup d'œil ; mais sans doute une des cornes de la lune qui apparaissait encore derrière les arbres lui parut gênante, car elle se remit à attendre. Enfin, l'heure lui sembla venue. La nuit était toute noire, elle n'apercevait plus la sentinelle en face, la campagne s'étalait comme une mare d'encre. Elle tendit l'oreille un instant et se décida. Il y avait là, passant près de la fenêtre, une échelle de fer, des barres scellées dans le mur, qui montait de la roue au grenier, et qui servait autrefois aux meuniers pour visiter certains rouages ; puis, le mécanisme avait été modifié, depuis longtemps l'échelle disparaissait sous les lierres épais qui couvraient ce côté du moulin.

Françoise, bravement, enjamba la balustrade de sa fenêtre, saisit une des barres de fer et se trouva dans le vide. Elle commença à descendre. Ses jupons l'embarrassaient beaucoup. Brusquement, une pierre se détacha de la muraille et tomba dans la Morelle avec un rejaillissement sonore. Elle s'était arrêtée, glacée d'un frisson. Mais elle comprit que la chute d'eau, de son ronflement continu, couvrait à distance tous les bruits qu'elle pouvait faire, et elle descendit alors plus hardiment, tâtant le lierre du pied, s'assurant des échelons. Lorsqu'elle fut à la hauteur de la chambre qui servait de prison à Dominique, elle s'arrêta. Une difficulté imprévue faillit lui faire perdre tout son courage : la fenêtre de la pièce du bas n'était pas régulièrement percée au-dessous de la fenêtre de sa chambre, elle s'écartait de l'échelle, et lorsqu'elle allongea la main, elle ne rencontra que la muraille. Lui faudrait-il donc remonter, sans pousser son projet jusqu'au bout ? Ses bras se lassaient, le murmure de la Morelle, au-dessous d'elle, commençait à lui donner des vertiges. Alors, elle arracha du mur de petits fragments de plâtre et les lança dans la fenêtre de Dominique. Il n'entendait pas, peut-être dormait-il. Elle émietta encore la muraille, elle s'écorchait les doigts. Et elle était à bout de force, elle se sentait tomber à la renverse, lorsque Dominique ouvrit enfin doucement.

« C'est moi, murmura-t-elle. Prends-moi vite, je tombe. »

C'était la première fois qu'elle le tutoyait. Il la saisit, en se penchant, et l'apporta dans la chambre. Là, elle eut une crise de larmes, étouffant ses sanglots, pour qu'on ne l'entendît pas. Puis, par un effort suprême, elle se calma.

« Vous êtes gardé ? » demanda-t-elle à voix basse.

Dominique, encore stupéfait de la voir ainsi, fit un simple signe, en montrant sa porte. De l'autre côté, on entendait un ronflement ; la sentinelle, cédant au sommeil, avait dû se coucher par terre, contre la porte, en se disant que, de cette façon, le prisonnier ne pouvait bouger.

« Il faut fuir, reprit-elle vivement. Je suis venue pour vous supplier de fuir et pour vous dire adieu. »

Mais lui ne paraissait pas l'entendre. Il répétait :

« Comment, c'est vous, c'est vous… Oh ! que vous m'avez fait peur ! Vous pouviez vous tuer. »

Il lui prit les mains, il les baisa.

« Que je vous aime, Françoise !… Vous êtes aussi courageuse que bonne. Je n'avais qu'une crainte, c'était de mourir sans vous avoir revue… Mais vous êtes là, et maintenant ils peuvent me fusiller. Quand j'aurai passé un quart d'heure avec vous, je serai prêt. »

Peu à peu, il l'avait attirée à lui, et elle appuyait sa tête sur son épaule. Le danger les rapprochait. Ils oubliaient tout dans cette étreinte.

« Ah ! Françoise, reprit Dominique d'une voix caressante, c'est aujourd'hui la Saint-Louis, le jour si longtemps attendu de notre mariage. Rien n'a pu nous séparer, puisque nous voilà tous les deux seuls, fidèles au rendez-vous… N'est-ce pas ? c'est à cette heure le matin des noces.

– Oui, oui, répéta-t-elle, le matin des noces. »

Ils échangèrent un baiser en frissonnant. Mais, tout d'un coup, elle se dégagea, la terrible réalité se dressait devant elle.

« Il faut fuir, il faut fuir, bégaya-t-elle. Ne perdons pas une minute. »

Et comme il tendait les bras dans l'ombre pour la reprendre, elle le tutoya de nouveau :

« Oh ! je t'en prie, écoute-moi… Si tu meurs, je mourrai. Dans une heure, il fera jour. Je veux que tu partes tout de suite. »

Alors, rapidement, elle expliqua son plan. L'échelle de fer descendait jusqu'à la roue ; là, il pourrait s'aider des palettes et entrer dans la barque qui se trouvait dans un enfoncement. Il lui serait facile ensuite de gagner l'autre bord de la rivière et de s'échapper.

« Mais il doit y avoir des sentinelles ? dit-il.

– Une seule, en face, au pied du premier saule.

– Et si elle m'aperçoit, si elle veut crier ? »

Françoise frissonna. Elle lui mit dans la main un couteau qu'elle avait descendu. Il y eut un silence.

« Et votre père, et vous ? reprit Dominique. Mais non, je ne puis fuir... Quand je ne serai plus là, ces soldats vous massacreront peut-être... Vous ne les connaissez pas. Ils m'ont proposé de me faire grâce, si je consentais à les guider dans la forêt de Sauval. Lorsqu'ils ne me trouveront plus, ils sont capables de tout. »

La jeune fille ne s'arrêta pas à discuter. Elle répondit simplement à toutes les raisons qu'il donnait :

« Par amour pour moi, fuyez... Si vous m'aimez, Dominique, ne restez pas ici une minute de plus. »

Puis, elle promit de remonter dans sa chambre. On ne saurait pas qu'elle l'avait aidé. Elle finit par le prendre dans ses bras, par l'embrasser, pour le convaincre, avec un élan de passion extraordinaire. Lui, était vaincu. Il ne posa plus qu'une question.

« Jurez-moi que votre père connaît votre démarche et qu'il me conseille la fuite ?

– C'est mon père qui m'a envoyée », répondit hardiment Françoise.

Elle mentait. Dans ce moment, elle n'avait qu'un besoin immense, le savoir en sûreté, échapper à cette abominable pensée que le soleil allait être le signal de sa mort. Quand il serait loin, tous les malheurs pouvaient fondre sur elle ; cela lui paraîtrait doux, du moment où il vivrait. L'égoïsme de sa tendresse le voulait vivant, avant toutes choses.

« C'est bien, dit Dominique, je ferai comme il vous plaira. »

Alors, ils ne parlèrent plus. Dominique alla rouvrir la fenêtre. Mais, brusquement, un bruit les glaça. La porte fut ébranlée, et ils crurent qu'on l'ouvrait. Évidemment, une ronde avait entendu leurs voix. Et tous deux debout, serrés l'un contre l'autre, attendaient dans une angoisse indicible. La porte fut de nouveau secouée ; mais elle ne s'ouvrit pas. Ils eurent chacun un soupir étouffé ; ils venaient de comprendre, ce devait être le soldat couché en travers du seuil, qui s'était retourné. En effet, le silence se fit, les ronflements recommencèrent.

Dominique voulut absolument que Françoise remontât d'abord chez elle. Il la prit dans ses bras, il lui dit un muet adieu. Puis, il l'aida à saisir l'échelle et se cramponna à son tour. Mais il refusa de descendre un seul échelon avant de la savoir dans sa chambre. Quand Françoise fut rentrée, elle laissa tomber d'une voix légère comme un souffle :

« Au revoir, je t'aime ! »

Elle resta accoudée, elle tâcha de suivre Dominique. La nuit était toujours très noire. Elle chercha la sentinelle et ne l'aperçut pas ; seul, le saule faisait une tache pâle, au milieu des ténèbres. Pendant un instant, elle entendit le frôlement du corps de Dominique le long du lierre. Ensuite la roue craqua, et il y eut un léger clapotement qui lui annonça que le jeune homme venait de trouver la barque. Une minute plus tard, en effet, elle distingua la silhouette sombre de la barque sur la nappe grise de la Morelle. Alors, une angoisse terrible la reprit à la gorge. À chaque instant, elle croyait entendre le cri d'alarme de la sentinelle ; les moindres bruits, épars dans l'ombre, lui semblaient des pas précipités de soldats, des froissements d'armes, des bruits de fusils qu'on armait. Pourtant, les secondes s'écoulaient, la campagne gardait sa paix souveraine. Dominique devait aborder à l'autre rive. Françoise ne voyait plus rien. Le silence était majestueux. Et elle entendit un piétinement, un cri rauque, la chute sourde d'un corps. Puis, le silence se fit plus profond. Alors, comme si elle eût senti la mort passer, elle resta toute froide, en face de l'épaisse nuit.

IV

Dès le petit jour, des éclats de voix ébranlèrent le moulin. Le père Merlier était venu ouvrir la porte de Françoise. Elle descendit dans la cour, pâle et très calme. Mais là, elle ne put réprimer un frisson, en face du cadavre d'un soldat prussien, qui était allongé près du puits, sur un manteau étalé.

Autour du corps, des soldats gesticulaient, criaient sur un ton de fureur. Plusieurs d'entre eux montraient les poings au village. Cependant, l'officier venait de faire appeler le père Merlier, comme maire de la commune.

« Voici, lui dit-il d'une voix étranglée par la colère, un de nos hommes que l'on a trouvé assassiné sur le bord de la rivière... Il nous faut un exemple éclatant, et je compte que vous allez nous aider à découvrir le meurtrier.

– Tout ce que vous voudrez, répondit le meunier avec son flegme. Seulement, ce ne sera pas commode. »

L'officier s'était baissé pour écarter un pan du manteau, qui cachait la figure du mort. Alors apparut une horrible blessure. La sentinelle avait été frappée à la gorge, et l'arme était restée dans la plaie. C'était un couteau de cuisine à manche noir.

« Regardez ce couteau, dit l'officier au père Merlier, peut-être nous aidera-t-il dans nos recherches. »

Le vieillard avait eu un tressaillement. Mais il se remit aussitôt, il répondit, sans qu'un muscle de sa face bougeât :

« Tout le monde a des couteaux pareils, dans nos campagnes... Peut-être que votre homme s'ennuyait de se battre et qu'il se sera fait son affaire lui-même. Ça se voit.

– Taisez-vous ! cria furieusement l'officier, je ne sais ce qui me retient de mettre le feu aux quatre coins du village. »

La colère heureusement l'empêchait de remarquer la profonde altération du visage de Françoise. Elle avait dû s'asseoir sur le banc de pierre, près du puits. Malgré elle, ses regards ne quittaient plus ce cadavre, étendu à terre, presque à ses pieds. C'était un grand et beau garçon, qui ressemblait à Dominique, avec des cheveux blonds et des yeux bleus.

Cette ressemblance lui retournait le cœur. Elle pensait que le mort avait peut-être laissé là-bas, en Allemagne, quelque amoureuse qui allait pleurer. Et elle reconnaissait son couteau dans la gorge du mort. Elle l'avait tué.

Cependant, l'officier parlait de frapper Rocreuse de mesures terribles, lorsque des soldats accoururent. On venait de s'apercevoir seulement de l'évasion de Dominique. Cela causa une agitation extrême. L'officier se rendit sur les lieux, regarda par la fenêtre laissée ouverte, comprit tout, et revint exaspéré.

Le père Merlier parut très contrarié de la fuite de Dominique.

« L'imbécile ! murmura-t-il, il gâte tout. »

Françoise, qui l'entendit, fut prise d'angoisse. Son père, d'ailleurs, ne soupçonnait pas sa complicité. Il hocha la tête, en lui disant à demi-voix :

« À présent, nous voilà propres !

– C'est ce gredin ! c'est ce gredin ! criait l'officier. Il aura gagné les bois... Mais il faut qu'on nous le retrouve, ou le village paiera pour lui. »

Et, s'adressant au meunier :

« Voyons, vous devez savoir où il se cache ? »

Le père Merlier eut son rire silencieux, en montrant la large étendue des coteaux boisés.

« Comment voulez-vous trouver un homme là-dedans ? dit-il.

– Oh ! il doit y avoir des trous que vous connaissez. Je vais vous donner dix hommes. Vous les guiderez.

– Je veux bien. Seulement, il nous faudra huit jours pour battre tous les bois des environs. »

La tranquillité du vieillard enrageait l'officier. Il comprenait en effet le ridicule de cette battue. Ce fut alors qu'il aperçut sur le banc Françoise pâle et tremblante. L'attitude anxieuse de la jeune fille le frappa. Il se tut un instant, examinant tour à tour le meunier et Françoise.

« Est-ce que cet homme, finit-il par demander brutalement au vieillard, n'est pas l'amant de votre fille ? »

Le père Merlier devint livide, et l'on put croire qu'il allait se jeter sur l'officier pour l'étrangler. Il se raidit, il ne répondit pas. Françoise avait mis son visage entre ses mains.

« Oui, c'est cela, continua le Prussien, vous ou votre fille l'avez aidé à fuir. Vous êtes son complice... Une dernière fois, voulez-vous nous le livrer ? »

Le meunier ne répondit pas. Il s'était détourné, regardant au loin d'un air indifférent, comme si l'officier ne s'adressait pas à lui. Cela mit le comble à la colère de ce dernier.

« Eh bien ! déclara-t-il, vous allez être fusillé à sa place. »

Et il commanda une fois encore le peloton d'exécution. Le père Merlier garda son flegme. Il eut à peine un léger haussement d'épaules, tout ce drame lui semblait d'un goût médiocre. Sans doute il ne croyait pas qu'on fusillât un homme si aisément. Puis, quand le peloton fut là, il dit avec gravité :

« Alors, c'est sérieux ?... Je veux bien. S'il vous en faut un absolument, moi autant qu'un autre. »

Mais Françoise s'était levée, affolée, bégayant :

« Grâce, monsieur, ne faites pas du mal à mon père. Tuez-moi à sa place... C'est moi qui ai aidé Dominique à fuir. Moi seule suis coupable.

– Tais-toi, fillette, s'écria le père Merlier. Pourquoi mens-tu ?... Elle a passé la nuit enfermée dans sa chambre, monsieur. Elle ment, je vous assure.

– Non, je ne mens pas, reprit ardemment la jeune fille. Je suis descendue par la fenêtre, j'ai poussé Dominique à s'enfuir... C'est la vérité, la seule vérité... »

Le vieillard était devenu très pâle. Il voyait bien dans ses yeux qu'elle ne mentait pas, et cette histoire l'épouvantait. Ah ! ces enfants, avec leurs cœurs, comme ils gâtaient tout ! Alors, il se fâcha.

« Elle est folle, ne l'écoutez pas. Elle vous raconte des histoires stupides... Allons, finissons-en. »

Elle voulut protester encore. Elle s'agenouilla, elle joignit les mains. L'officier, tranquillement, assistait à cette lutte douloureuse.

« Mon Dieu ! finit-il par dire, je prends votre père, parce que je ne tiens plus l'autre... Tâchez de retrouver l'autre, et votre père sera libre. »

Un moment, elle le regarda, les yeux agrandis par l'atrocité de cette proposition.

« C'est horrible, murmura-t-elle. Où voulez-vous que je retrouve Dominique, à cette heure ? Il est parti, je ne sais plus.

– Enfin, choisissez. Lui ou votre père.

– Oh ! mon Dieu ! est-ce que je puis choisir ? Mais je saurais où est Dominique, que je ne pourrais pas choisir !... C'est mon cœur que vous coupez... J'aimerais mieux mourir tout de suite. Oui, ce serait plus tôt fait. Tuez-moi, je vous en prie, tuez-moi... »

Cette scène de désespoir et de larmes finissait par impatienter l'officier. Il s'écria :

« En voilà assez ! Je veux être bon, je consens à vous donner deux heures... Si, dans deux heures, votre amoureux n'est pas là, votre père paiera, pour lui. »

Et il fit conduire le père Merlier dans la chambre qui avait servi de prison à Dominique. Le vieux demanda du tabac et se mit à fumer. Sur son visage impassible on ne lisait aucune émotion. Seulement, quand il fut seul, tout en fumant, il pleura deux grosses larmes qui coulèrent lentement sur ses joues. Sa pauvre et chère enfant, comme elle souffrait !

Françoise était restée au milieu de la cour. Des soldats prussiens passaient en riant. Certains lui jetaient des mots, des plaisanteries qu'elle ne comprenait pas. Elle regardait la porte par laquelle son père venait de disparaître. Et, d'un geste lent, elle portait la main à son front, comme pour l'empêcher d'éclater.

L'officier tourna sur ses talons, en répétant :

« Vous avez deux heures. Tâchez de les utiliser. »

Elle avait deux heures. Cette phrase bourdonnait dans sa tête. Alors, machinalement, elle sortit de la cour, elle marcha devant elle. Où aller ? Que faire ? Elle n'essayait même pas de prendre un parti, parce qu'elle sentait bien l'inutilité de ses efforts. Pourtant, elle aurait voulu voir Dominique. Ils se seraient entendus tous les deux, ils auraient peut-être trouvé un expédient. Et, au milieu de la confusion de ses pensées, elle descendit au bord de la Morelle, qu'elle traversa en dessous de l'écluse, à un endroit où il y avait de grosses pierres. Ses pieds la conduisirent sous le premier saule, au coin de la prairie. Comme elle se baissait, elle aperçut une mare de sang qui la fit pâlir. C'était bien là. Et elle suivit les traces de Dominique dans l'herbe foulée ; il avait dû courir, on voyait une ligne de grands pas coupant la prairie de biais. Puis, au-delà, elle perdit ces traces. Mais, dans un pré voisin, elle crut les retrouver. Cela la conduisit à la lisière de la forêt, où toute indication s'effaçait.

Françoise s'enfonça quand même sous les arbres. Cela la soulageait d'être seule. Elle s'assit un instant. Puis, en songeant que l'heure s'écoulait, elle se remit debout. Depuis combien de temps avait-elle quitté le moulin ? Cinq minutes ? Une demi-heure ? Elle n'avait plus conscience du temps. Peut-être Dominique était-il allé se cacher dans un taillis qu'elle connaissait, et où ils avaient, une après-midi, mangé des noisettes ensemble. Elle se rendit au taillis, le visita. Un merle seul s'envola, en sifflant sa phrase douce et triste. Alors, elle pensa qu'il s'était réfugié dans un creux de roches, où il se mettait parfois à l'affût ; mais le creux de roches était vide. À quoi bon le chercher ? elle ne le trouverait pas ; et peu à peu le désir de le découvrir la passionnait, elle marchait plus vite. L'idée qu'il avait dû monter dans un arbre lui vint brusquement. Elle avança dès lors, les yeux levés, et pour qu'il la sût près de lui, elle l'appelait tous les quinze à vingt pas. Des coucous répondaient, un souffle qui passait dans les branches lui faisait croire qu'il était là et qu'il descendait. Une fois même, elle s'imagina le voir ; elle s'arrêta, étranglée, avec l'envie de fuir. Qu'allait-elle lui dire ? Venait-elle donc pour l'emmener et le faire fusiller ? Oh ! non, elle ne parlerait point de ces choses. Elle lui crierait de se sauver, de ne pas rester dans les environs. Puis, la pensée de son père qui l'attendait lui causa une douleur aiguë. Elle tomba sur le gazon, en pleurant, en répétant tout haut :

« Mon Dieu ! mon Dieu ! pourquoi suis-je là ! »

Elle était folle d'être venue. Et, comme prise de peur, elle courut, elle chercha à sortir de la forêt. Trois fois, elle se trompa, et elle croyait qu'elle ne retrouverait plus le moulin, lorsqu'elle déboucha dans une prairie, juste en face de Rocreuse. Dès qu'elle aperçut le village, elle s'arrêta. Est-ce qu'elle allait rentrer seule ?

Elle restait debout, quand une voix l'appela doucement :

« Françoise ! Françoise ! »

Et elle vit Dominique qui levait la tête, au bord d'un fossé. Juste Dieu ! elle l'avait trouvé ! Le ciel voulait donc sa mort ? Elle retint un cri, elle se laissa glisser dans le fossé.

« Tu me cherchais ? demanda-t-il.

– Oui, répondit-elle, la tête bourdonnante, ne sachant ce qu'elle disait.

– Ah ! que se passe-t-il ? »

Elle baissa les yeux, elle balbutia :

« Mais, rien, j'étais inquiète, je désirais te voir. »

Alors, tranquillisé, il lui expliqua qu'il n'avait pas voulu s'éloigner. Il craignait pour eux. Ces gredins de Prussiens étaient très capables de se venger sur les femmes et sur les vieillards. Enfin, tout allait bien, et il ajouta en riant :

« La noce sera pour dans huit jours, voilà tout. »

Puis, comme elle restait bouleversée, il redevint grave.

« Mais, qu'as-tu ? Tu me caches quelque chose.

– Non, je te jure. J'ai couru pour venir. »

Il l'embrassa, en disant que c'était imprudent pour elle et pour lui de causer davantage ; et il voulut remonter le fossé, afin de rentrer dans la forêt. Elle le retint. Elle tremblait.

« Écoute, tu ferais peut-être bien tout de même de rester là... Personne ne te cherche, tu ne crains rien.

– Françoise, tu me caches quelque chose », répéta-t-il.

De nouveau, elle jura qu'elle ne lui cachait rien. Seulement, elle aimait mieux le savoir près d'elle. Et elle bégaya encore d'autres raisons. Elle lui parut si singulière, que maintenant lui-même aurait refusé de s'éloigner. D'ailleurs, il croyait au retour des Français. On avait vu des troupes du côté de Sauval.

« Ah ! qu'ils se pressent, qu'ils soient ici le plus tôt possible ! » murmura-t-elle avec ferveur.

À ce moment, onze heures sonnèrent au clocher de Rocreuse. Les coups arrivaient, clairs et distincts. Elle se leva, effarée ; il y avait deux heures qu'elle avait quitté le moulin.

« Écoute, dit-elle rapidement, si nous avons besoin de toi, je monterai dans ma chambre et j'agiterai mon mouchoir. »

Et elle partit en courant, pendant que Dominique, très inquiet, s'allongeait au bord du fossé, pour surveiller le moulin. Comme elle allait rentrer dans Rocreuse, Françoise rencontra un vieux mendiant, le père Bontemps, qui connaissait tout le pays. Il la salua, il venait de voir le meunier au milieu des Prussiens ; puis, en faisant des signes de croix et en marmottant des mots entrecoupés, il continua sa route.

« Les deux heures sont passées », dit l'officier quand Françoise parut.

Le père Merlier était là, assis sur le banc, près du puits. Il fumait toujours. La jeune fille, de nouveau, supplia, pleura, s'agenouilla. Elle voulait gagner du temps. L'espoir de voir revenir les Français avait grandi en elle, et tandis qu'elle se lamentait, elle croyait entendre au loin les pas cadencés d'une armée. Oh ! s'ils avaient paru, s'ils les avaient tous délivrés !

« Écoutez, monsieur, une heure, encore une heure... Vous pouvez bien nous accorder une heure ! »

Mais l'officier restait inflexible. Il ordonna même à deux hommes de s'emparer d'elle et de l'emmener, pour qu'on procédât à l'exécution du vieux tranquillement. Alors, un combat affreux se passa dans le cœur de Françoise. Elle ne pouvait laisser ainsi assassiner son père. Non, non, elle mourrait plutôt avec Dominique ; et elle s'élançait vers sa chambre, lorsque Dominique lui-même entra dans la cour.

L'officier et les soldats poussèrent un cri de triomphe. Mais lui, comme s'il n'y avait eu là que Françoise, s'avança vers elle, tranquille, un peu sévère.

« C'est mal, dit-il. Pourquoi ne m'avez-vous pas ramené ? Il a fallu que le père Bontemps me contât les choses... Enfin, me voilà. »

V

Il était trois heures. De grands nuages noirs avaient lentement empli le ciel, la queue de quelque orage voisin. Ce ciel jaune, ces haillons cuivrés changeaient la vallée de Rocreuse, si gaie au soleil, en un coupe-gorge plein d'une ombre louche. L'officier prussien s'était contenté de faire enfermer Dominique, sans se prononcer sur le sort qu'il lui réservait. Depuis midi, Françoise agonisait dans une angoisse abominable. Elle ne voulait pas quitter la cour, malgré les instances de son père. Elle attendait les Français. Mais les heures s'écoulaient, la nuit allait venir, et elle souffrait d'autant plus, que tout ce temps gagné ne paraissait pas devoir changer l'affreux dénouement.

Cependant, vers trois heures, les Prussiens firent leurs préparatifs de départ. Depuis un instant, l'officier s'était, comme la veille, enfermé avec Dominique. Françoise avait compris que la vie du jeune homme se décidait. Alors, elle joignit les mains, elle pria. Le père Merlier, à côté d'elle, gardait son attitude muette et rigide de vieux paysan, qui ne lutte pas contre la fatalité des faits.

– Oh ! mon Dieu ! Oh ! mon Dieu ! balbutiait Françoise, ils vont le tuer... »

Le meunier l'attira près de lui et la prit sur ses genoux comme un enfant.

À ce moment, l'officier sortait, tandis que, derrière lui, deux hommes amenaient Dominique.

« Jamais, jamais ! criait ce dernier. Je suis prêt à mourir.

– Réfléchissez bien, reprit l'officier. Ce service que vous me refusez, un autre nous le rendra. Je vous offre la vie, je suis généreux... Il s'agit simplement de nous conduire à Montredon, à travers bois. Il doit y avoir des sentiers. »

Dominique ne répondait plus.

« Alors, vous vous entêtez ?

– Tuez-moi, et finissons-en », répondit-il.

Françoise, les mains jointes, le suppliait de loin. Elle oubliait tout, elle lui aurait conseillé une lâcheté. Mais le père Merlier lui saisit les mains, pour que les Prussiens ne vissent pas son geste de femme affolée.

« Il a raison, murmura-t-il, il vaut mieux mourir. »

Le peloton d'exécution était là. L'officier attendait une faiblesse de Dominique. Il comptait toujours le décider. Il y eut un silence. Au loin, on entendait de violents coups de tonnerre. Une chaleur lourde écrasait la campagne. Et ce fut dans ce silence qu'un cri retentit :

« Les Français ! Les Français ! »

C'étaient eux, en effet. Sur la route de Sauval, à la lisière du bois, on distinguait la ligne des pantalons rouges. Ce fut, dans le moulin, une agitation extraordinaire. Les soldats prussiens couraient, avec des exclamations gutturales. D'ailleurs, pas un coup de feu n'avait encore été tiré.

« Les Français ! Les Français ! » cria Françoise en battant des mains.

Elle était comme folle. Elle venait de s'échapper de l'étreinte de son père, et elle riait, les bras en l'air. Enfin, ils arrivaient donc, et ils arrivaient à temps, puisque Dominique était encore là, debout !

Un feu de peloton terrible, qui éclata comme un coup de foudre à ses oreilles, la fit se retourner. L'officier venait de murmurer :

« Avant tout, réglons cette affaire. »

Et, poussant lui-même Dominique contre le mur d'un hangar, il avait commandé le feu. Quand Françoise se tourna, Dominique était par terre, la poitrine trouée de douze balles.

Elle ne pleura pas, elle resta stupide. Ses yeux devinrent fixes, et elle alla s'asseoir sous le hangar, à quelques pas du corps. Elle le regardait, elle avait par moments un geste vague et enfantin de la main. Les Prussiens s'étaient emparés du père Merlier comme d'un otage.

Ce fut un beau combat. Rapidement, l'officier avait posté ses hommes, comprenant qu'il ne pouvait battre en retraite, sans se faire écraser. Autant valait-il vendre chèrement sa vie. Maintenant, c'étaient les Prussiens qui défendaient le moulin, et les Français qui l'attaquaient. La fusillade commença avec une violence inouïe. Pendant une demi-heure, elle ne cessa pas. Puis, un éclat sourd se fit entendre, et un boulet cassa une maîtresse branche de l'orme séculaire. Les Français avaient du canon [1]. Une batterie, dressée juste au-dessus du fossé, dans

1. Les artilleries française et allemande faisaient en fait déjà usage de l'obus, percutant ou fusant.

lequel s'était caché Dominique, balayait la grande rue de Rocreuse. La lutte, désormais, ne pouvait être longue.

Ah ! le pauvre moulin ! Des boulets le perçaient de part en part. Une moitié de la toiture fut enlevée. Deux murs s'écroulèrent. Mais c'était surtout du côté de la Morelle que le désastre devint lamentable. Les lierres, arrachés des murailles ébranlées, pendaient comme des guenilles ; la rivière emportait des débris de toutes sortes, et l'on voyait, par une brèche, la chambre de Françoise, avec son lit, dont les rideaux blancs étaient soigneusement tirés. Coup sur coup, la vieille roue reçut deux boulets, et elle eut un gémissement suprême : les palettes furent charriées dans le courant, la carcasse s'écrasa. C'était l'âme du gai moulin qui venait de s'exhaler.

Puis, les Français donnèrent l'assaut. Il y eut un furieux combat à l'arme blanche. Sous le ciel couleur de rouille, le coupe-gorge de la vallée s'emplissait de morts. Les larges prairies semblaient farouches, avec leurs grands arbres isolés, leurs rideaux de peupliers qui les tachaient d'ombre. À droite et à gauche, les forêts étaient comme les murailles d'un cirque qui enfermaient les combattants, tandis que les sources, les fontaines et les eaux courantes prenaient des bruits de sanglots, dans la panique de la campagne.

Sous le hangar, Françoise n'avait pas bougé, accroupie en face du corps de Dominique. Le père Merlier venait d'être tué raide par une balle perdue. Alors, comme les Prussiens étaient exterminés et que le moulin brûlait, le capitaine français entra le premier dans la cour. Depuis le commencement de la campagne, c'était l'unique succès qu'il remportait. Aussi, tout enflammé, grandissant sa haute taille, riait-il de son air aimable de beau cavalier. Et, apercevant Françoise imbécile entre les cadavres de son mari et de son père, au milieu des ruines fumantes du moulin, il la salua galamment de son épée, en criant :

« Victoire ! Victoire ! »

ANGELINE [1]

I

Il y a près de deux ans, je filais à bicyclette [2] par un chemin désert, du côté d'Orgeval, au-dessus de Poissy [3], lorsque la brusque apparition d'une propriété, au bord de la route, me surprit tellement, que je sautai de machine pour la mieux voir. C'était, sous le ciel gris de novembre, dans le vent froid qui balayait les feuilles mortes, une maison de briques, sans grand caractère, au milieu d'un vaste jardin, planté de vieux arbres. Mais ce qui la rendait extraordinaire, d'une étrangeté farouche qui serrait le cœur, c'était l'affreux abandon dans lequel elle se trouvait. Et, comme un vantail de la grille était arra-

---

1. *Angeline* est la dernière nouvelle que Zola ait écrite, en trois jours, du 17 au 19 octobre 1898, pendant son exil en Angleterre (voir la « Vie de Zola », ci-après, p. 316). Elle a été publiée, en anglais, dans le journal *The Star* le 16 janvier 1899. Quelques semaines plus tard, le 4 février, elle paraît de nouveau, mais traduite de l'anglais et avec de nombreuses modifications, dans *Le Petit Bleu de Paris*. En particulier, les personnages ne sont plus désignés par des initiales. *Angeline* a paru pour la première fois en librairie dans l'édition Bernouard des *Contes et nouvelles* (1928) d'après le texte du manuscrit (aujourd'hui perdu). C'est le texte de cette édition qui est ici reproduit.

2. Zola était un fervent adepte du cyclisme, dont il a découvert les joies en 1893. Ses promenades à vélo étaient quasi quotidiennes.

3. Zola transpose en France, en des lieux bien connus de lui, près de Médan, cette intrigue d'abord suscitée par une maison abandonnée sise près de Summerfield, où l'écrivain résidait, à Addlestone, dans le comté de Surrey et non loin de Londres.

ché, comme un immense écriteau, déteint par les pluies, annonçait que la propriété était à vendre, j'entrai dans le jardin, cédant à une curiosité mêlée d'angoisse et de malaise.

Depuis trente ou quarante ans peut-être, la maison devait être inhabitée. Les briques des corniches et des encadrements, sous les hivers, s'étaient disjointes, envahies de mousses et de lichens. Des lézardes coupaient la façade, pareilles à des rides précoces, sillonnant cette bâtisse solide encore, mais dont on ne prenait plus aucun soin. En bas, les marches du perron, fendues par la gelée, barrées par des orties et par des ronces, étaient là comme un seuil de désolation et de mort. Et, surtout, l'affreuse tristesse venait des fenêtres sans rideaux, nues et glauques, dont les gamins avaient cassé les vitres à coups de pierre, toutes laissant voir le vide morne des pièces, ainsi que des yeux éteints, restés grands ouverts sur un corps sans âme. Puis, à l'entour, le vaste jardin était une dévastation, l'ancien parterre à peine reconnaissable sous la poussée des herbes folles, les allées disparues, mangées par les plantes voraces, les bosquets transformés en forêts vierges, une végétation sauvage de cimetière abandonné, dans l'ombre humide des grands arbres séculaires, dont le vent d'automne, ce jour-là, hurlant tristement sa plainte, emportait les dernières feuilles.

Longtemps, je m'oubliai là, au milieu de cette plainte désespérée qui sortait des choses, le cœur troublé d'une peur sourde, d'une détresse grandissante, retenu pourtant par une compassion ardente, un besoin de savoir et de sympathiser avec tout ce que je sentais, autour de moi, de misère et de douleur. Et, lorsque je me fus décidé à sortir, ayant aperçu de l'autre côté de la route, à la fourche de deux chemins, une façon d'auberge, une masure où l'on donnait à boire, j'entrai, résolu à faire causer les gens du pays.

Il n'y avait là qu'une vieille femme, qui me servit en geignant un verre de bière. Elle se plaignait d'être établie sur ce chemin écarté, où il ne passait pas deux cyclistes par jour. Elle parlait indéfiniment, contait son histoire, disait qu'elle se nommait la mère Toussaint, qu'elle était venue de Vernon avec son homme pour prendre cette auberge, que d'abord les choses n'avaient pas mal marché, mais que tout allait de mal en pis, depuis qu'elle était veuve. Et, après son flot de paroles, lorsque je me mis à l'interroger sur la propriété voisine, elle devint tout d'un coup circonspecte, me regardant d'un air méfiant, comme si je voulais lui arracher des secrets redoutables.

« Ah ! oui, la Sauvagière, la maison hantée, comme on dit dans le pays… Moi, je ne sais rien, monsieur. Ce n'est pas de mon temps, il n'y aura que trente ans à Pâques que je suis ici, et ces choses-là remontent à quarante ans bientôt. Quand nous sommes venus, la maison était à peu près dans l'état où vous la voyez… Les étés passent, les hivers passent, et rien ne bouge, si ce n'est les pierres qui tombent.

– Mais enfin, demandai-je, pourquoi ne la vend-on pas, puisqu'elle est à vendre ?

– Ah ! pourquoi ? pourquoi ? Est-ce que je sais ?… On dit tant de choses… »

Sans doute, je finissais par lui inspirer confiance. Puis, elle brûlait de me les répéter ces choses qu'on disait. Elle me conta, pour commencer, que pas une des filles du village voisin n'aurait osé entrer à la Sauvagière, après le crépuscule, parce que le bruit courait qu'une pauvre âme y revenait la nuit. Et, comme je m'étonnais que, si près de Paris, une pareille histoire pût encore trouver quelque créance, elle haussa les épaules, voulut d'abord faire l'âme forte, laissa voir ensuite sa terreur inavouée.

« Il y a pourtant des faits, monsieur. Pourquoi ne vend-on pas ? J'en ai vu venir, des acquéreurs, et tous s'en sont allés plus vite qu'ils ne sont venus, jamais on n'en a vu reparaître un seul. Eh bien ! ce qui est certain, c'est que, dès qu'un visiteur ose se risquer dans la maison, il s'y passe des choses extraordinaires : les portes battent, se referment toutes seules avec fracas, comme si un vent terrible soufflait ; des cris, des gémissements, des sanglots montent des caves ; et, si l'on s'entête, une voix déchirante jette ce cri continu : "Angeline ! Angeline ! Angeline !" dans un appel d'une telle douleur, qu'on en a les os glacés... Je vous répète que c'est prouvé, personne ne vous dira le contraire. »

J'avoue que je commençais à me passionner, pris moi-même d'un petit frisson froid sous la peau.

« Et cette Angeline, qui est-ce donc ?

– Ah ! monsieur, il faudrait tout vous conter. Encore un coup, moi, je ne sais rien. »

Cependant, elle finit par me tout dire. Il y avait quarante ans, vers 1858, au moment où le second Empire triomphant était en continuelle fête, M. de G*** [1], qui occupait une fonction aux Tuileries, perdit sa femme, dont il avait une fillette d'une dizaine d'années, Angeline, un miracle de beauté, vivant portrait de sa mère. Deux ans plus tard, M. de G*** se remariait, épousait une autre beauté célèbre, veuve d'un général. Et l'on prétendait que, dès ces secondes noces, une atroce jalousie était née entre Angeline et sa belle-mère : l'une frappée au cœur de voir sa mère déjà oubliée, remplacée si vite au foyer par cette étrangère ; l'autre, obsédée, affolée d'avoir toujours devant elle ce vivant portrait d'une femme qu'elle craignait de ne pouvoir faire oublier. La Sauvagière appartenait à la nouvelle Mme de G***, et là, un soir, en voyant le père embrasser passionnément sa fille, elle aurait, dans sa démence jalouse, frappé l'enfant d'un tel coup, que la pauvre petite serait tombée morte, la nuque brisée. Puis, le reste devenait effroyable : le père éperdu consentant à enterrer lui-même sa fille dans une cave de la maison, pour sauver la meurtrière ; le petit corps restant là enfoui durant des années, tandis qu'on disait la

1. M. de Gourand, dans la version du *Petit Bleu de Paris*.

fillette chez une tante ; les hurlements d'un chien, qui s'acharnait à gratter le sol, faisant enfin découvrir le crime, dont les Tuileries s'étaient empressées d'étouffer le scandale. Aujourd'hui, M. et Mme de G*** étaient morts, et Angeline revenait encore chaque nuit, aux appels de la voix lamentable qui l'appelait, de l'au-delà mystérieux des ténèbres.

« Personne ne me démentira, conclut la mère Toussaint. Tout cela est aussi vrai que deux et deux font quatre. »

Je l'avais écoutée, effaré, choqué par des invraisemblances, mais conquis cependant par l'étrangeté violente et sombre du drame. Ce M. de G***, j'en avais entendu parler, je croyais savoir qu'en effet il s'était remarié et qu'une douleur de famille avait assombri sa vie. Était-ce donc vrai ? Quelle histoire tragique et attendrissante, toutes les passions humaines remuées, exaspérées jusqu'à la démence, le crime passionnel le plus terrifiant qu'on pût voir, une fillette belle comme le jour, adorée, et tuée par la marâtre, et ensevelie par le père dans un coin de cave ! C'était trop beau d'émotion et d'horreur. J'allais questionner encore, discuter. Puis, je me demandai à quoi bon ? Pourquoi ne pas emporter, dans sa fleur d'imagination populaire, ce conte effroyable ?

Comme je remontais à bicyclette, je jetai un dernier coup d'œil sur la Sauvagière. La nuit tombait, la maison en détresse me regardait de ses fenêtres vides et troubles, pareilles à des yeux de morte, pendant que le vent d'automne se lamentait dans les vieux arbres.

II

Pourquoi cette histoire se fixa-t-elle dans mon crâne, jusqu'à devenir une obsession, un véritable tourment ? C'est là un de ces problèmes intellectuels difficiles à résoudre. J'avais beau me dire que de pareilles légendes courent la campagne, que celle-ci ne présentait en somme aucun intérêt direct pour moi. Malgré tout, l'enfant morte me hantait, cette Angeline délicieuse et tragique, qu'une voix éplorée appelait chaque nuit, depuis quarante ans, à travers les pièces vides de la maison abandonnée.

Et, pendant les deux premiers mois de l'hiver, je fis des recherches. Évidemment, si peu qu'une telle disparition, une aventure à ce point dramatique, eût transpiré au-dehors, les journaux du temps avaient dû en parler. Je fouillai les collections à la Bibliothèque nationale, sans rien découvrir, pas une ligne ayant trait à une semblable histoire. Puis, j'interrogeai les contemporains, des hommes des Tuileries : aucun ne put me répondre nettement, je n'obtins que des renseignements contradictoires, si bien que j'avais abandonné tout espoir d'arriver à la vérité, sans cesser d'être en proie au tourment du mystère, lorsqu'un hasard me mit, un matin, sur une piste nouvelle.

J'allais, toutes les deux ou trois semaines, rendre une visite de bonne confraternité, de tendresse et d'admiration, au vieux poète V*** [1], qui est mort en avril dernier, à près de soixante-dix ans. Depuis de longues années déjà, une paralysie des jambes le tenait cloué sur un fauteuil dans son petit cabinet de travail de la rue d'Assas, dont la fenêtre donnait sur le jardin du Luxembourg. Il achevait là très doucement une vie de rêve, n'ayant vécu que d'imagination, s'étant fait à lui-même l'idéal palais où il avait, loin du réel, aimé et souffert. Qui de nous ne se rappelle son fin visage aimable, ses cheveux blancs aux boucles enfantines, ses pâles yeux bleus qui avaient gardé une innocence de jeunesse ? On ne pouvait dire qu'il mentait toujours. Mais la vérité était qu'il inventait sans cesse, de sorte qu'on ne savait jamais au juste où la réalité cessait pour lui, et où commençait le songe. C'était un bien charmant vieillard,

1. Valoise, dans la version du *Petit Bleu de Paris*.

depuis longtemps hors de la vie, dont la conversation m'émotionnait souvent comme une révélation discrète et vague de l'inconnu [1].

Ce jour-là, je causais donc avec lui, près de la fenêtre, dans l'étroite pièce, que chauffait toujours un feu ardent. Dehors, la gelée était terrible, le jardin du Luxembourg s'étendait blanc de neige, déroulant un vaste horizon de candeur immaculée. Et je ne sais comment j'en vins à lui parler de la Sauvagière, de cette histoire qui me préoccupait encore : le père remarié, la marâtre jalouse de la fillette, vivant portrait de sa mère, puis l'ensevelissement au fond de la cave. Il m'avait écouté avec le tranquille sourire qu'il gardait même dans la tristesse. Un silence s'était fait, son pâle regard bleu se perdit au loin, dans l'immensité blanche du Luxembourg, tandis qu'une ombre de rêve, émanée de lui, semblait l'entourer d'un frisson léger.

« J'ai beaucoup connu M. de G***, dit-il lentement. J'ai connu sa première femme, d'une beauté surhumaine ; j'ai connu la seconde, non moins prodigieusement belle ; et je les ai même passionnément aimées toutes les deux sans jamais le dire. J'ai connu Angeline, qui était plus belle encore, que tous les hommes auraient adorée à genoux... Mais les choses ne se sont pas tout à fait passées comme vous le dites. »

Ce fut pour moi une grosse émotion. Était-ce donc la vérité inattendue, dont je désespérais ? Allais-je tout savoir ? D'abord, je ne me méfiai pas, et je lui dis :

« Ah ! mon ami, quel service vous me rendrez ! Enfin, ma pauvre tête va pouvoir se calmer. Parlez vite, dites-moi tout. »

---

1. Ce portrait du poète est un stéréotype que Zola a souvent entretenu dans sa critique littéraire, par exemple lorsqu'il évoque Théophile Gautier ou Théodore de Banville. Du premier, inclus dans sa série des *Marbres et plâtres*, il écrivait avec une ironique emphase : « dans le palais de la Chimère, j'ai trouvé le prince à demi couché sur son grand lit de pourpre. [...] ses yeux vagues

Mais il ne m'écoutait pas, ses regards restaient perdus au loin. Puis il parla d'une voix de songe, comme s'il eût créé les êtres et les choses, au fur et à mesure qu'il les évoquait.

« Angeline était, à douze ans, une âme où tout l'amour de la femme avait déjà fleuri, avec ses emportements de joie et de douleur. Ce fut elle qui tomba éperdument jalouse de l'épouse nouvelle, qu'elle voyait chaque jour aux bras de son père. Elle en souffrait comme d'une trahison affreuse, ce n'était plus sa mère seule que le nouveau couple insultait, c'était elle-même qu'il torturait, dont il déchirait le cœur. Chaque nuit, elle entendait sa mère qui l'appelait de son tombeau ; et, une nuit, pour la rejoindre, souffrant trop, mourant de trop d'amour, cette fillette de douze ans s'enfonça un couteau dans le cœur. »

Je jetai un cri.

« Grand Dieu ! est-ce possible ?

– Quelle épouvante et quelle horreur, continua-t-il sans m'entendre, lorsque, le lendemain, M. et Mme de G*** trouvèrent Angeline dans son petit lit, avec ce couteau jusqu'au manche, en pleine poitrine ! Ils étaient à la veille de partir pour l'Italie, il n'y avait même plus là qu'une vieille femme de chambre qui avait élevé l'enfant. Dans leur terreur qu'on pût les accuser d'un crime, ils se firent aider par elle, ils enterrèrent en effet le petit corps, mais en un coin de la serre qui est derrière la maison, au pied d'un oranger géant. Et on l'y trouva, le jour où, les parents morts, la vieille bonne conta cette histoire. »

Des doutes m'étaient venus, je l'examinais, pris d'inquiétude, me demandant s'il n'inventait pas.

« Mais, lui demandai-je, croyez-vous donc aussi qu'Angeline puisse revenir chaque nuit, au cri déchirant de la voix mystérieuse qui l'appelle ? »

---

avaient une extase recueillie, et ses joues affaissées gardaient une immobilité de pierre » (9 janvier 1867, *OC*, t. X, p. 226).

Cette fois il me regarda, il se remit à sourire d'un air indulgent.

« Revenir, mon ami, eh ! tout le monde revient. Pourquoi ne voulez-vous pas que l'âme de la chère petite morte habite encore les lieux où elle a aimé et souffert ? Si l'on entend une voix qui l'appelle, c'est que la vie n'a pas encore recommencé pour elle, et elle recommencera, soyez-en sûr, car tout recommence, rien ne se perd, pas plus l'amour que la beauté... Angeline ! Angeline ! Angeline ! et elle renaîtra dans le soleil et dans les fleurs. »

Décidément, ni la conviction ni le calme ne se faisaient en moi. Mon vieil ami V***, le poète enfant, ne m'avait même apporté que plus de trouble. Il inventait sûrement. Cependant, comme tous les voyants, peut-être devinait-il.

« C'est bien vrai, tout ce que vous me racontez là ? » osai-je lui demander en riant.

Il s'égaya doucement à son tour.

« Mais, certainement, c'est vrai. Est-ce que tout l'infini n'est pas vrai ? »

Ce fut la dernière fois que je le vis, ayant dû m'absenter de Paris, quelque temps après. Je le revois encore, avec son regard songeur, perdu sur les nappes blanches du Luxembourg, si tranquille dans la certitude de son rêve sans fin, tandis que moi, le besoin de fixer à jamais la vérité, toujours fuyante, me dévore.

III

Dix-huit mois se passèrent. J'avais dû voyager, de grands soucis et de grandes joies avaient passionné ma vie, dans le coup de tempête qui nous emporte tous à l'inconnu. Mais, toujours, à certaines heures, j'entendais venir de loin et passer en moi le cri désolé : « Angeline ! Angeline ! Angeline ! » Et je restais tremblant, repris de doute, torturé par le besoin de savoir. Je ne pouvais oublier, il n'est d'autre enfer pour moi que l'incertitude.

Je ne puis dire comment, par une admirable soirée de juin, je me retrouvai à bicyclette dans le chemin écarté de la Sauvagière. Avais-je formellement voulu la revoir ? Était-ce un simple instinct qui m'avait fait quitter la grand-route pour me diriger de ce côté ? Il était près de huit heures ; mais le ciel, à ces plus longs jours de l'année, rayonnait encore d'un coucher d'astre triomphal, sans un nuage, tout un infini d'or et d'azur. Et quel air léger et délicieux, quelle bonne odeur d'arbres et d'herbages, quelle tendre allégresse dans la paix immense des champs !

Comme la première fois, devant la Sauvagière, la stupeur me fit sauter de machine. J'hésitai un instant, ce n'était plus la même propriété. Une belle grille neuve luisait au soleil couchant, on avait relevé les murs de clôture, et la maison, que je voyais à peine parmi les arbres, me semblait avoir repris une gaieté riante de jeunesse. Était-ce donc la résurrection annoncée ? Angeline était-elle revenue à la vie, aux appels de la voix lointaine ?

J'étais resté sur la route, saisi, regardant, lorsqu'un pas traînard, près de moi, me fit tressaillir. C'était la mère Toussaint, qui ramenait sa vache d'une luzerne voisine.

« Ils n'ont donc pas eu peur, ceux-là ? » dis-je, en désignant la maison du geste.

Elle me reconnut, elle arrêta sa bête.

« Ah ! monsieur, il y a des gens qui marcheraient sur le bon Dieu. Voici plus d'un an déjà que la propriété a été achetée. Mais c'est un peintre qui a fait ce coup-là, le peintre B***[1], et vous savez, ces artistes, c'est capable de tout. »

Puis, elle emmena sa vache, en ajoutant, avec un hochement de tête :

---

1. Bonnat, dans la version du *Petit Bleu de Paris*. Ce peintre académique et célèbre portraitiste (1833-1922) était peu apprécié de Zola, qui avait commenté quelques-unes de ses œuvres dans ses *Lettres de Paris*, entre 1875 et 1880.

« Enfin, faudra voir comment ça tourne. »

Le peintre B***, le délicat et ingénieux artiste qui avait peint tant d'aimables Parisiennes ! Je le connaissais un peu, nous échangions des poignées de main, dans les théâtres, dans les salles d'exposition, partout où l'on se rencontre. Et, brusquement, une irrésistible envie me prit d'entrer, de me confesser à lui, de le supplier de me dire ce qu'il savait de vérité, sur cette Sauvagière dont l'inconnu m'obsédait. Et, sans raisonner, sans m'arrêter à mon costume poussiéreux de cycliste, que l'usage commence à tolérer d'ailleurs, je roulai ma bicyclette jusqu'au tronc moussu d'un vieil arbre. Au tintement clair de la sonnette, dont le ressort battait à la grille, un domestique vint, à qui je remis ma carte, et qui me laissa un instant dans le jardin.

Ma surprise grandit encore, lorsque je jetai un regard autour de moi. On avait réparé la façade, plus de lézardes, plus de briques disjointes ; le perron, garni de roses, était redevenu un seuil de bienvenue joyeuse ; et les fenêtres vivantes riaient maintenant, disaient la joie intérieure, derrière la blancheur de leurs rideaux. Puis, c'était le jardin débarrassé de ses orties et de ses ronces, le parterre reparu, comme un grand bouquet odorant, les vieux arbres rajeunis, dans leur paix séculaire, par la pluie d'or d'un soleil printanier.

Quand le domestique reparut, il m'introduisit dans un salon, en me disant que Monsieur était allé au village voisin, mais qu'il ne tarderait pas à rentrer. J'aurais attendu des heures ; je pris patience en examinant d'abord la pièce où je me trouvais, installée luxueusement avec des tapis épais, des rideaux et des portières [1] de cretonne [2], appareillés au vaste divan et aux fauteuils profonds. Ces tentures étaient même si amples, que je fus étonné de la brusque tombée

1. Portière : rideau servant à dissimuler une porte.

2. Cretonne : de Creton, nom d'un petit village de l'Eure, renommé pour ses toiles dès le début du XVIe siècle ; tissu de coton souvent imprimé de dessins variés.

du jour. Puis, la nuit se fit presque complète. Je ne sais combien de temps je dus rester là, on m'avait oublié, sans même apporter de lampe. Assis dans l'ombre, je m'étais mis à revivre toute l'histoire tragique, m'abandonnant au rêve. Angeline avait-elle été assassinée ? S'était-elle enfoncé elle-même un couteau en plein cœur ? Et, je l'avoue, dans cette maison hantée, redevenue noire, la peur me prit, une peur qui ne fut qu'un léger malaise, qu'un petit frisson à fleur de peau, puis qui s'exaspéra, qui me glaça tout entier, dans une folie d'épouvante.

D'abord il me sembla que des bruits vagues erraient quelque part. C'était dans les profondeurs des caves sans doute : des plaintes sourdes, des sanglots étouffés, des pas lourds de fantôme. Ensuite, cela monta, se rapprocha, toute la maison obscure me parut se remplir de cette détresse effroyable. Et, tout à coup, le terrible appel retentit : « Angeline ! Angeline ! Angeline ! » avec une telle force croissante, que je crus en sentir passer le souffle froid sur ma face. Une porte du salon s'ouvrit violemment, Angeline entra, traversa la pièce sans me voir. Je la reconnus, dans le coup de lumière qui était entré avec elle, du vestibule éclairé. C'était bien la petite morte de douze ans, d'une beauté miraculeuse, avec ses admirables cheveux blonds sur les épaules, vêtue de blanc, toute blanche de la terre d'où elle revenait chaque nuit. Elle passa muette, éperdue, disparut par une autre porte, tandis que de nouveau le cri reprenait, plus lointain : « Angeline ! Angeline ! Angeline ! » Et je restai debout, la sueur au front, dans une horreur qui hérissait tout le poil de mon corps, sous le vent de terreur venu du mystère.

Presque aussitôt, je crois, au moment où le domestique apportait enfin une lampe, j'eus conscience que le peintre B*** était là et qu'il me serrait la main, en s'excusant de s'être si longtemps fait attendre. Je n'eus pas de faux amour-propre, je lui contai tout de suite mon histoire, encore frémissant. Et avec quel étonnement d'abord il m'écouta, et avec quels bons rires ensuite il s'empressa de me rassurer !

« Vous ignoriez sans doute, mon cher, que je suis un cousin de la seconde Mme de G***. La pauvre femme ! l'accuser du meurtre de cette enfant, qui l'a aimée et qui l'a pleurée autant que le père ! Car la seule chose vraie, c'est en effet que la pauvre petite est morte ici, non de sa propre main, grand Dieu ! mais d'une brusque fièvre, dans un tel coup de foudre, que les parents, ayant pris cette maison en horreur, n'ont jamais voulu y revenir. Cela explique qu'elle soit restée inhabitée de leur vivant. Après leur mort, il y a eu d'interminables procès, qui en ont empêché la vente. Je la désirais, je l'ai guettée pendant de longues années, et je vous assure que nous n'y avons encore vu aucun revenant. »

Le petit frisson me reprit, je balbutiai :

« Mais Angeline, je viens de la voir, là, à l'instant… La voix terrible l'appelait, et elle a passé là, elle a traversé cette pièce. »

Il me regardait, effaré, croyant que je perdais la raison. Puis, tout à coup, il éclata de son rire sonore d'homme heureux.

« C'est ma fille que vous venez de voir. Elle a eu justement pour parrain M. de G***, qui lui a donné, par une dévotion du souvenir, ce nom d'Angeline ; et, sa mère l'ayant sans doute appelée tout à l'heure, elle aura passé par cette pièce. »

Lui-même ouvrit une porte, jeta de nouveau l'appel :

« Angeline ! Angeline ! Angeline ! »

L'enfant revint, mais vivante, mais vibrante de gaieté. C'était elle, avec sa robe blanche, avec ses admirables cheveux blonds sur les épaules, et si belle, si rayonnante d'espoir, qu'elle était comme tout un printemps qui portait en bouton la promesse d'amour, le long bonheur d'une existence.

Ah ! la chère revenante, l'enfant nouvelle qui renaissait de l'enfant morte. La mort était vaincue. Mon vieil ami, le poète V***, ne mentait pas, rien ne se perd, tout recommence, la beauté comme l'amour. La voix des mères les appelle, ces fillettes d'aujourd'hui, ces amoureuses de demain, et elles revivent sous le soleil et parmi les fleurs. C'était de ce réveil de l'enfant que la maison se trouvait hantée, la maison aujourd'hui redevenue jeune et heureuse, dans la joie enfin retrouvée de l'éternelle vie [1].

---

1. Zola exaltait au même moment le culte de la vie et de la maternité dans son roman *Fécondité*, qui parut en octobre 1899.

VIE DE ZOLA

1840 : le 2 avril, naissance à Paris d'Émile Zola, fils de François Zola (né Francesco Zolla à Venise en 1795), « le père adoré, noble et grand » (*dixit* Zola en 1898) [1], ingénieur spécialisé dans les travaux publics, et d'Émilie Aubert (née en 1819), « une jeune fille pauvre épousée pour sa beauté et pour son charme ».

1843 : les Zola s'installent à Aix-en-Provence. Depuis cinq ans, François Zola, « ce héros de l'énergie et du travail », met au point le projet, accepté par l'État et la municipalité, d'un canal qui alimenterait la ville en eau pendant toute l'année.

1847 : François Zola meurt, à cinquante et un ans, d'une pneumonie contractée sur le chantier du canal qui portera son nom. « Il laisse la mémoire d'une grande intelligence et d'un bienfaiteur. » Sa veuve et son fils, seulement assistés de quelques proches parents, se retrouvent néanmoins dans une situation financière très difficile. La famille orpheline mènera une vie de plus en plus précaire.

1852-1857 : après sa scolarité élémentaire, Émile Zola entre au collège Bourbon d'Aix-en-Provence (aujourd'hui lycée Mignet). C'est un bon élève, plusieurs fois primé, de tempérament plutôt sérieux et réfléchi. À son entrée en troisième (octobre 1856), il choisit la section des sciences. Intense activité de lecture personnelle, en marge de l'enseignement obligatoire : les romanciers populaires d'abord (Alexandre Dumas, Eugène Sue, Paul Féval), puis les romantiques (Hugo, Musset), pour lesquels il éprouve un grand enthou-

1. Cette citation ainsi que les suivantes sont extraites de « Mon père », paru dans *L'Aurore*, le 28 mai 1898 (*OC*, t. XIV, p. 1005 *sq*.).

siasme, comme la plupart des adolescents de son temps. Ses meilleurs amis sont Baille, futur savant et industriel, et Cézanne, le futur peintre. Pendant les vacances, ils parcourent ensemble la campagne aixoise, où Zola fait provision de souvenirs bucoliques radieux, qui informeront sa vision panthéiste de la nature et seront transposés dans son œuvre future, notamment les *Contes à Ninon*.

Zola écrit très tôt. Une liste des manuscrits perdus, conservée dans la famille, fait état de nombreux textes et projets, surtout poétiques, mais le jeune homme ébauche aussi des récits : romans, contes et nouvelles. Les narrations du collégien (*Retour d'Anarchasis dans sa patrie*, *Charles VI dans la forêt du Mans*...) attestent une bonne qualité de l'inspiration et une grande facilité de rédaction : « Elles sont toutes très lestement enlevées et se lisent comme de petites nouvelles », selon Henri Mitterand [1].

1858 : en février, Zola rejoint sa mère, qui a décidé de s'installer à Paris pour défendre ses intérêts menacés. Il entre en seconde (section des sciences), comme boursier, au lycée Saint-Louis. Vacances d'été à Aix, où il retrouve son ami Cézanne, qui a eu son baccalauréat. De retour à Paris, il tombe gravement malade (fièvre typhoïde) et sa rentrée au lycée est retardée jusqu'en janvier 1859.

1859 : Zola échoue par deux fois au baccalauréat, mais il continue à écrire. Un journal d'Aix, *La Provence*, publie trois de ses poèmes et un conte : *La Fée amoureuse*.

1860-1861 : pendant deux ans, Zola sera un jeune homme pauvre à Paris. Sans diplôme, sans emploi stable et régulier, il végète socialement mais il met à profit cette période incertaine pour affermir sa vocation artistique et littéraire. Il lit beaucoup, les modernes (Michelet, qui l'influence profondément, George Sand, Sainte-Beuve...) et les classiques (Montaigne). Il projette déjà un volume de nouvelles, qui se serait intitulé *Contes de mai*.

1862-1866 : le 1er mars 1862, Zola entre comme employé à la Librairie Hachette, le temple de l'édition moderne, en pleine extension. Il intègre rapidement le service de

1. Henri Mitterand, *Zola*, t. I : *Sous le regard d'Olympia. 1840-1871*, Fayard, 1999, p. 122.

la publicité dont il deviendra directeur. Son travail consiste alors à rédiger des annonces, à composer des catalogues, à obtenir des articles dans la presse... Il est en contact avec les rédactions des journaux et avec les auteurs de la maison. Sa situation privilégiée, au cœur du marché du livre et des idées, le conduit naturellement à y prendre part comme acteur, d'abord comme journaliste littéraire et chroniqueur – il publie son premier article en 1863 – puis en tant qu'*homme de lettres*, avec des chassés-croisés du journalisme à la fiction. C'est dans ce contexte qu'il publie, en 1864, son premier livre, les *Contes à Ninon*, bien accueilli par la critique et assez bien vendu. La même année, il rencontre Gabrielle Alexandrine Meley (1839-1925), qui deviendra son épouse en 1870. En 1865, il fait paraître son deuxième livre, qui est aussi son premier roman, *La Confession de Claude*, d'inspiration autobiographique.

Le 31 janvier 1866, Zola quitte la Librairie Hachette et se consacre entièrement au journalisme et à l'écriture. Initié par sa connivence avec les peintres modernes, il renouvelle, d'une plume originale, libre et incisive, la critique d'art. Il prend en particulier la défense de Manet, dont le tableau *Olympia* avait scandalisé le public et les salonniers. En littérature aussi il se fait l'ardent défenseur de la modernité, dans une série d'articles iconoclastes et enthousiastes, qui deviendront *Mes Haines* (publié en 1866).

1867 : après des romans alimentaires et assez anodins, *Le Vœu d'une morte* et *Les Mystères de Marseille*, Zola, influencé par Taine, Balzac, les frères Goncourt, crée l'événement et le scandale avec *Thérèse Raquin*, dont la nouvelle *Un mariage d'amour* est le synopsis.

Comme beaucoup de ses confrères, Zola pratique une écriture plurielle et publie notamment de nombreuses nouvelles dans la presse parisienne, sous des rubriques variées : génériques (*Chronique*, *Causerie*, *Portraits-cartes*, *Variétés*), thématiques (*Dans Paris*) ou mixtes (*Esquisses parisiennes*, *Lettres parisiennes*).

1868-1871 : Zola mène activement sa carrière de journaliste et d'homme de lettres, au gré d'une actualité politique de plus en plus pressante et aléatoire. En 1868, il publie le dernier roman de son cycle de la femme déchue : *Madeleine Férat*. Puis, accumulant les notes de lectures (divers ouvrages scientifiques, relecture des œuvres de Balzac), les notes préparatoires et les plans généraux, et cherchant à déployer son inspiration, il conçoit une série de dix romans, pensée comme l'*Histoire d'une famille*, dont le premier tome, *La Fortune des Rougon*, paraît en 1871. Il entame la même année une carrière de chroniqueur parlementaire, de Bordeaux puis de Versailles. Pendant la Commune, il déplorera les excès des deux camps.

1872 : les ambitions du romancier s'affirment avec *La Curée*. En quête de stabilité professionnelle, Zola change d'éditeur : *Les Rougon-Macquart* deviennent la propriété de Georges Charpentier, avec qui l'écrivain se lie d'une étroite amitié. Déjà familier de Goncourt, Zola sympathise avec d'autres grands écrivains contemporains, notamment Flaubert, Tourgueniev et Alphonse Daudet. La première grande période de la carrière de Zola – dix années de labeur têtu et d'expériences d'écriture variées – montre comment le jeune homme d'abord déclassé s'est obstiné pour devenir un *self-made man* de la littérature, reconnu par ses pairs. Pour les hommes proches du pouvoir politique, en revanche, et pour les tenants de la morale bourgeoise, bien-pensante, il apparaît comme un agitateur et un écrivain obscène.

1873-1874 : l'écrivain est bien lancé dans son entreprise romanesque de longue haleine. Il écrit tous les jours. Il a mis au point sa méthode : il prend des notes très libres sur le terrain, à la fois comme un peintre, un *reporter* et un sociologue, puis se documente, en accumulant les lectures et les renseignements. Il se lance ensuite dans un ample travail d'organisation et de création, sur la base du dossier préparatoire, qui inclut l'ébauche du roman en cours, des fiches et des plans. *Le Ventre de Paris* paraît en 1873, *La Conquête de Plassans* en 1874. Zola, comme la plupart des romanciers de son temps, lorgne aussi du côté du théâtre – avec, en 1873, une adaptation de *Thérèse Raquin* –, mais il ne parvient qu'à rejoindre le groupe des « auteurs sifflés », Flaubert, Goncourt, Daudet, Tourgueniev, qui se désignent ainsi par auto-ironie. Il faut dire que le théâtre du temps est essentiellement distrayant et conformiste, comme Zola le remarque lucidement dans sa critique dramatique, qui lui sert de tribune pour ses idées de rénovation du champ littéraire.

Le 9 novembre 1874 paraissent les *Nouveaux Contes à Ninon*, dans le sillage voulu d'une réédition du premier volume de 1864. Zola a rassemblé en recueil, pour l'essentiel, des textes courts, parus souvent plusieurs fois dans la presse, entre 1866 et 1874.

1875-1876 : grâce à l'intercession de Tourgueniev (1818-1883), Zola entame en 1875 une collaboration régulière avec *Le Messager de l'Europe*, grande revue russe francophile, dans laquelle paraîtront jusqu'en décembre 1880 soixante-quatre textes, des « Lettres de Paris » alternant critique littéraire (majoritairement), études sociales et culturelles, et fiction, essentiellement des nouvelles. *Les Rougon-Macquart* se poursuivent, avec *La Faute de l'abbé Mouret* (1875) et *Son Excellence Eugène Rougon* (1876). La même année, début de la publication de *L'Assommoir* en feuilleton dans la presse. Zola commence à rencontrer de jeunes écrivains (notamment Huysmans) et fait figure de chef de file. Pour lui, « les écrivains naturalistes sont ceux dont la méthode d'étude serre la nature et l'humanité du plus près possible, tout en laissant, bien entendu, le tempérament particulier de l'observateur libre de se manifester ensuite dans les œuvres comme bon lui semble [1] ».

1877-1881 : triomphe de *L'Assommoir* (1877). C'est en même temps un énorme scandale, « la bataille d'*Hernani* du roman », comme dit Henri Mitterand [2]. Après la note adoucie d'*Une page d'amour* (1878), le scandale reprend de plus belle avec *Nana* (1879). Mais Zola ne craint pas de s'imposer. Avec le recueil de nouvelles des *Soirées de Médan* (paru chez Charpentier en avril 1880), lui et ses amis (Maupassant, Huysmans, Céard, Hennique, Alexis) accréditent le mythe de l'école littéraire triomphante. Médan est un village de bord de Seine, situé entre Poissy et Meulan, à vingt-trois kilomètres à vol d'oiseau des portes de Paris. Grâce à ses gains, Zola y a acquis une maison [3], qu'il transformera progressivement en une grande et belle propriété, dans laquelle il s'établira pour écrire ses romans au calme. À côté des

---

1. *Le Bien public*, 30 octobre 1876.
2. Henri Mitterand, *Zola*, t. II ; *L'Homme de Germinal. 1871-1893*, Fayard, 2001, p. 309.
3. Cette maison est aujourd'hui le musée Zola et le lieu d'un pèlerinage littéraire annuel, chaque premier dimanche d'octobre.

Rougon-Macquart, il poursuit son travail de critique littéraire pour *Le Messager de l'Europe* et la presse parisienne, en prenant de plus en plus de hauteur. Le *naturalisme* est maintenant brandi par Zola comme une méthode de pensée issue des sciences, et irrésistiblement élargie à tous les domaines de la création, de la morale et de l'action. L'homme de lettres militant publie en 1880-1881 ses principaux articles dans des ouvrages qui accentuent la dimension doctrinale de sa pensée (*Le Roman expérimental* notamment) et fait ses adieux à la presse, après une virulente « campagne » d'un an au *Figaro*, conçue et perçue comme un affront au camp républicain. À quarante ans, l'écrivain est en pleine possession de ses moyens et il a acquis une renommée internationale. *Le Messager de l'Europe* accueille ainsi de longues nouvelles qui seront ensuite rassemblées dans les recueils *Le Capitaine Burle* (1882) et *Naïs Micoulin* (1884).

1882-1887 : publication de la première biographie de Zola (en 1882, par son ami Paul Alexis) qui le consacre homme célèbre. L'écrivain, au faîte de sa carrière, est au centre d'un imposant réseau d'amitiés et de relations professionnelles. Ses œuvres ont en outre de plus en plus de succès à l'étranger (Allemagne, Italie, Espagne, Angleterre, pays du Nord, Russie). Il négocie les traductions et tente de préserver ses droits pour lutter contre le piratage. *Les Rougon-Macquart* se déploient souverainement au rythme d'un roman par an, en respectant une loi des contrastes : *Pot-Bouille* (1882) est une violente satire de la bourgeoisie, *Au bonheur des dames* (1883) sera « le poème de l'activité moderne » et *La Joie de vivre* (1884) un roman sur la douleur et la consolation, plus intimiste. En 1885, Zola retrouve la grande puissance, par la combinaison narrative de l'analyse sociale, du reportage (les *Notes sur Anzin*) et du mythe, et c'est le succès de *Germinal*. En 1886 paraît son roman sur « le monde artistique », *L'Œuvre*, aux accents très personnels. Avec *La Terre*, en 1887, Zola, dans la lignée de ses nouvelles sur le monde paysan (*L'Inondation* et *La Mort du paysan*), substitue aux clichés du roman rustique « le poème vivant de la terre », ample et violent.

1888-1893 : à partir de 1888, Zola, à près de cinquante ans, commence une deuxième vie affective avec sa maîtresse, Jeanne Rozerot, qui lui donnera deux enfants,

Denise, née en 1889, et Jacques, né en 1891, l'année où Alexandrine apprend la liaison de son mari. Ce seront ensuite des années de crise dont le couple sortira meurtri mais sans que soit remis en cause un mode de vie « bourgeois », profitable à la création continue de l'artiste. En 1888, Zola retrouve l'inspiration de ses premiers contes de fées avec *Le Rêve*, qui est aussi le second roman d'église dans le cycle des *Rougon-Macquart*. La même année, il rencontre le jeune musicien Alfred Bruneau, avec qui il écrira des drames lyriques. Nommé chevalier de la Légion d'honneur le 14 juillet 1888, l'écrivain pose sa candidature à l'Académie française. Il n'y sera jamais admis, malgré ses nombreuses tentatives. Il sera en revanche élu président de la Société des gens de lettres en 1892. Son action en faveur des droits des auteurs sera réelle et efficace. Le cycle des *Rougon-Macquart* va vers son achèvement avec des romans de grande envergure : *La Bête humaine* (1890), *L'Argent* (1891) et *La Débâcle* (1892). *Le Docteur Pascal*, en 1893, met un terme à la saga. L'œuvre, qui est une méditation sur les limites de la science, s'ouvre sur l'inconnu et annonce l'attrait du prophétisme.

1894-1902 : en 1893, Zola, qui se sent plein de force, a entamé un nouveau cycle romanesque : *Les Trois Villes*, pour lequel il mènera de nombreuses enquêtes et d'inlassables travaux préparatoires. *Lourdes* paraît en 1894, *Rome* en 1896, *Paris* en 1898. La figure centrale de ce cycle de romans à thèse est Pierre Froment, un jeune prêtre qui perd la foi et adhère finalement aux valeurs de son temps. L'inspiration de Zola, à cette époque, ne se limite pas aux seuls romans. Il se lance dans la composition de nouveaux drames lyriques, en collaboration avec le musicien Alfred Bruneau. Après *L'Attaque du moulin*, adapté de sa nouvelle de 1877 reprise dans *Les Soirées de Médan*, seront représentés *Messidor* (1897) et *L'Ouragan* (1901). *Violaine la chevelue*, une féerie proche par son thème narratif du très ancien *Simplice*, et prête en 1896, ne sera pas représentée.

Loin d'être indifférent à l'actualité, il tâte à nouveau du journalisme pour une *Nouvelle Campagne* tonitruante dans *Le Figaro*, entre le 1er décembre 1895 et le 13 juin 1896, mais cette fois avec le statut d'un véritable maître à penser. C'est ce prestige et les valeurs qu'il incarn qui incitent le journaliste Bernard-Lazare, auteur d'une brochure intitulée *Une erreur judiciaire. La vérité sur l'affaire Dreyfus*, à venir vers lui. Zola entrera en scène en 1897 en publiant dans la presse des articles retentissants pour dénoncer ce qu'il a reconnu comme une infamie. Sa campagne en faveur de Dreyfus prend un tour décisif en 1898 avec sa retentissante « Lettre au président de la République », « J'accuse... », publiée dans *L'Aurore*. Le ministère de la Guerre lui intente un procès et il est condamné à un an de prison et 3 000 francs d'amende. Après un nouveau procès et une nouvelle condamnation, Zola s'exile en Angleterre. En 1899, le procès de Dreyfus devant être révisé, Zola regagne la France, le 5 juin. C'est aussi le début d'une nouvelle série romanesque, *Les Quatre Évangiles*, avec *Fécondité*. En 1900, Zola est acquitté dans son dernier procès. Il rencontre pour la première fois Alfred Dreyfus, qui vient d'arriver à Paris. En 1901, les associations ouvrières offrent un banquet à Zola, en l'honneur de son roman *Travail*. En 1902, paraît *Vérité*.

Le 28 septembre, les Zola reviennent à Paris après avoir passé l'été à Médan. Dans la nuit, le romancier meurt par asphyxie, la cheminée de la chambre tirant mal. L'accident est le résultat d'un acte de malveillance (la cheminée a été bouchée par un antidreyfusard). Mme Zola est sauvée. Les obsèques de l'écrivain sont célébrées le 5 octobre. L'écrivain Anatole France prononce l'oraison funèbre au nom de l'Académie française. Zola laisse inachevé le quatrième *Évangile*, *Justice*.

CHRONOLOGIE DES CONTES ET NOUVELLES DE ZOLA [1]

L'inventaire qui suit a une visée exhaustive. Sont indiquées : la date (probable ou attestée) de composition, les publications dans la presse ou l'édition, l'appartenance à un recueil constitué par Zola. Les titres en gras signalent les textes que nous avons retenus pour cette édition en deux volumes [2]. Tous les autres sont accessibles dans l'édition savante, établie par Roger Ripoll, des *Contes et nouvelles* [3], qui recense de nombreuses variantes parfois apportées par Zola à ses versions originales.

1. D'après la « Chronologie des contes et nouvelles » établie par Henri Mitterand, *OC*, t. IX, p. 1193-1199.

2. Zola, *Contes et nouvelles (1864-1874)* et *Contes et nouvelles (1875-1899)*, GF-Flammarion, 2008.

3. Gallimard, « Bibliothèque de la Pléiade », 1976.

	DATE DE COMPOSITION	PUBLICATIONS DANS LA PRESSE OU L'ÉDITION	RECUEIL
La Fée amoureuse	Décembre 1859	*La Provence* (Aix), 29 décembre 1859 et 26 janvier 1860	*Contes à Ninon*
Un coup de vent	Été 1860		
Le Carnet de danse	1860, terminé en août 1862	*Le Petit Journal*, 6 novembre 1864 (extrait)	*Contes à Ninon*
Le Sang	Août-septembre 1862	*Revue du mois* (Lille), 25 août 1863	*Contes à Ninon*
Les Voleurs et l'âne	Août-septembre 1862		*Contes à Ninon*
Simplice	1862	*Revue du mois* (Lille), 25 octobre 1863 *Nouvelle Revue de Paris*, octobre 1864	*Contes à Ninon*
Celle qui m'aime	1863	*L'Entracte*, novembre 1864	*Contes à Ninon*
Sœur-des-Pauvres	1863	*Le Figaro*, 15 juillet 1877	*Contes à Ninon*
Aventures du grand Sidoine et du petit Médéric	Fin 1863 ou début 1864		*Contes à Ninon*
À Ninon	1er octobre 1864		*Contes à Ninon* (préface)

Réflexions et menus propos d'un sourd-muet, aveugle de naissance	Début 1865		
Les Étrennes de la mendiante	Janvier 1865	*Le Petit Journal*, 21 janvier 1865	
[Le Vieux Cheval]	Janvier 1865	*Le Petit Journal*, 26 janvier 1865	
Un mariage russe	Février 1865	*Le Petit Journal*, 6 février 1865	
Les Bals publics	Février 1865	*Le Petit Journal*, 13 février 1865 *Le Figaro*, 29 décembre 1866 *La Tribune*, 24 janvier 1869 *La Cloche*, 7 juillet 1872	
L'Amour sous les toits	Mars 1865	*Le Petit Journal* (titre : *La Grisette*), 13 mars 1865	*Esquisses parisiennes*
Le Lecteur du Petit Journal	Avril 1865	*Le Petit Journal*, 10 avril 1865	
Villégiature	Avril 1865	*Le Petit Journal*, 1er mai 1865 (titre : *Le Boutiquier campagnard*) *L'Événement illustré*, 1er août 1868 *Revue moderne et naturaliste*, septembre 1880	
Une malade	Mai 1865	*Le Petit Journal*, 1er juin 1865 *L'Événement illustré*, 3 août 1868	
La Vierge au cirage	Septembre 1865	*La Vie parisienne*, 16 septembre 1865 (titre : *La Caque*) *Le Grand Journal*, 8 octobre 1865 *La Cloche*, 11 octobre 1872	*Esquisses parisiennes*

	DATE DE COMPOSITION	PUBLICATIONS DANS LA PRESSE OU L'ÉDITION	RECUEIL
Les Veuves	Septembre 1865	*Le Figaro*, 24 septembre 1865 *Journal pour tous*, 22 août 1894	
Une leçon	Octobre 1865	*Le Figaro*, 5 octobre 1865	
Les Vieilles aux yeux bleus	Octobre 1865	*Le Grand Journal*, 5 novembre 1865	*Esquisses parisiennes*
Mon voisin Jacques	Novembre 1865	*Journal des villes et des campagnes*, 21 novembre 1865 (titre : *Un souvenir du printemps de ma vie*) *L'Événement*, 3 novembre 1866 (titre : *Un croquemort*) *La Tribune*, 10 octobre 1869 *La Cloche*, 24 juin 1872	*Nouveaux Contes à Ninon*
Les Repoussoirs	1865	*La Voie nouvelle* (Marseille), 15 mars 1866	*Esquisses parisiennes*
Printemps (Journal d'un convalescent)	1866 ?		
Une victime de la réclame	Novembre 1866	*L'Illustration*, 17 novembre 1866 *L'Événement illustré*, 29 août 1868 (titre : *Une victime des annonces*) *La Tribune*, 12 décembre 1869 *La Cloche*, 29 juin 1872	

Souvenir VIII	Novembre 1866	*Le Figaro*, 20 novembre 1866 (titre : *Les Violettes*) *La Tribune*, 17 octobre 1869 *La Cloche*, 18 août 1872	*Nouveaux Contes à Ninon*
La Journée d'un chien errant	Novembre 1866	*Le Figaro*, 1er décembre 1866 *La Tribune*, 1er novembre 1868 (titre : *Le Paradis des chats*) *La Cloche*, 12 juin 1872 *Le Figaro*, 28 juillet 1878	*Nouveaux Contes à Ninon* (titre : *Le Paradis des chats*)
Les Quatre Journées de Jean Gourdon	Entre octobre et décembre 1866	*L'Illustration*, du 15 décembre au 16 février 1867	*Nouveaux Contes à Ninon*
Un mariage d'amour	Décembre 1866	*Le Figaro*, 24 décembre 1866	
La Neige	Décembre 1866	*Le Figaro*, 17 janvier 1867 *Revue moderne et naturaliste*, janvier 1880	
Les Disparitions mystérieuses	Février 1867	*Le Figaro*, 20 février 1867	
Souvenir VII	Mai 1867	*Le Figaro*, 15 mai 1867 (titre : *Les Nids*) *La Tribune*, 21 novembre 1869 *La Cloche*, 17 mai 1872	*Nouveaux Contes à Ninon*
Les Squares	Juin 1867	*Le Figaro*, 18 juin 1867 *La Tribune*, 24 octobre 1869 *La Cloche*, 26 mai 1872	

	DATE DE COMPOSITION	PUBLICATIONS DANS LA PRESSE OU L'ÉDITION	RECUEIL
Une cage de bêtes féroces	Août 1867	*La Rue*, 31 août 1867	
Un suicide	Plan : printemps 1867 ; puis début 1868		
Souvenir VI (2e partie)	Avril 1868	*L'Événement illustré*, 4 mai 1868 (titre : *La Tombe de Musset*) *La Tribune*, 7 novembre 1869 *La Cloche*, 7 juin 1872	*Nouveaux Contes à Ninon*
Souvenir X	Mai 1868	*L'Événement illustré*, 23 mai 1868 *La Tribune*, 2 janvier 1870 *La Cloche*, 27 mai 1872	*Nouveaux Contes à Ninon*
[Les Fêtes de Jeanne d'Arc à Orléans]	Mai 1868	*L'Événement illustré*, 13 mai 1868	
[Le Fiacre]	Mai 1868	*L'Événement illustré*, 27 mai 1868	
Les Fraises	Mai 1868	*L'Événement illustré*, 2 juin 1868 *La Tribune*, 9 janvier 1870 *La Cloche*, 3 juin 1872	*Nouveaux Contes à Ninon*

Histoire d'un fou	Mai 1868	*L'Événement illustré*, 8 juin 1868 *La Tribune*, 26 décembre 1869 *La Cloche*, 17 juin 1872	
Lili (2e et 3e parties)	Juin 1868	*L'Événement illustré*, 15 juin 1868 (titre : *Aux Tuileries*) *La Tribune*, 14 novembre 1869 *La Cloche*, 13 mai 1872	*Nouveaux Contes à Ninon*
[Une promenade en canot sur la Seine]	Juin 1868	*L'Événement illustré*, 17 juin 1868 *La Tribune*, 28 juin 1868 *La Cloche*, 26 juin 1872	
Souvenir V	Juin 1868	*L'Événement illustré*, 22 juin 1868 (titre : *Mes chattes*) *La Cloche*, 5 juillet 1872	*Nouveaux Contes à Ninon*
[Le Brocanteur du quai Saint-Paul]	Juin 1868	*L'Événement illustré*, 24 juin 1868 *La Cloche*, 14 mars 1870 (titre : *Vieilles Ferrailles*)	
Le Monstre aux mille sourires	Juin 1868	*L'Événement illustré*, 29 juin 1868	
Le Centenaire	Juillet 1868	*L'Événement illustré*, 13 juillet 1868 *La Cloche*, 25 septembre 1872	
Les Pierrots du Jardin des Plantes	Juillet 1868	*L'Événement illustré*, 8 août 1868	

	Date de composition	Publications dans la presse ou l'édition	Recueil
La Légende du Petit Manteau bleu de l'amour	Août 1868	*L'Événement illustré*, 11 août 1868 (titre : *La Vierge aux baisers. Légende dédiée à ces dames*) *La Tribune*, 9 janvier 1870 *La Cloche*, 17 juillet 1872	*Nouveaux Contes à Ninon*
Souvenir IV	Août 1868	*L'Événement illustré*, 1er septembre 1868 *La Tribune*, 12 septembre 1869 *La Cloche*, 14 août 1872	*Nouveaux Contes à Ninon*
Lili (1re partie)	Septembre 1868	*La Tribune*, 27 septembre 1868 *La Cloche*, 8 juillet 1872	*Nouveaux Contes à Ninon*
Au couvent	Janvier 1870	*La Cloche*, 2 février 1870 *La Libre Pensée*, 5 février 1870	
À quoi rêvent les pauvres filles	Janvier 1870	*Le Rappel*, 3 février 1870	
Les Épaules de la marquise	Février 1870	*La Cloche*, 21 février 1870	*Nouveaux Contes à Ninon*
Le Grand Michu	Février 1870	*La Cloche*, 1er mars 1870	*Nouveaux Contes à Ninon*
Le Jeûne	Mars 1870	*La Cloche*, 29 mars 1870 *La Libre Pensée*, 9 et 16 avril 1870 (titre : *Le Sermon*)	*Nouveaux Contes à Ninon*

Ce que disent les bois	Avril 1870	*La Cloche*, 12 avril 1870	
Catherine	Avril 1870	*La Cloche*, 18 avril 1870	
La Petite Chapelle	Mai 1870	*La Cloche*, 23 mai 1870	
Souvenir XII	Juillet 1870	*La Cloche*, 11 juillet 1870 (1re partie, titre : *La Guerre*) *La Cloche*, 18 juillet 1870 (2e partie, titre : *Chauvin*)	*Nouveaux Contes à Ninon*
Le Petit Village	Entre le 20 et le 23 juillet 1870	*La Cloche*, 25 juillet 1870	*Nouveaux Contes à Ninon*
Souvenir XIV	26 avril 1871 et 4 mai 1871	*Le Sémaphore de Marseille*, 2 mai 1871 (1re partie) *Le Sémaphore de Marseille*, 9 mai 1871 (2e partie)	*Nouveaux Contes à Ninon*
Les Regrets de la marquise	Septembre 1871	*La Cloche*, 2 octobre 1871	
Souvenir XIII	Mai 1872	*La Cloche*, 11 mai 1872	*Nouveaux Contes à Ninon*
Souvenir II	Mai 1872	*La Cloche*, 1er juin 1872	*Nouveaux Contes à Ninon*
Souvenir I	Mai 1872	*La Cloche*, 2 juin 1872 *Revue du monde nouveau*, mars 1874 (titre : *Villégiature*)	*Nouveaux Contes à Ninon*
Souvenir XI	Juin 1872	*La Cloche*, 9 juin 1872	*Nouveaux Contes à Ninon*
Souvenir III	Juin 1872	*La Cloche*, 20 juin 1872	*Nouveaux Contes à Ninon*

	DATE DE COMPOSITION	PUBLICATIONS DANS LA PRESSE OU L'ÉDITION	RECUEIL
Souvenir VI (1re partie)	Juin 1872	*La Cloche*, 27 juin 1872	*Nouveaux Contes à Ninon*
Souvenir IX	Septembre 1872	*La Cloche*, 11 septembre 1872	*Nouveaux Contes à Ninon*
Le Chômage	Décembre 1872	*Le Corsaire*, 22 décembre 1872 (titre : *Le Lendemain de la crise*)	*Nouveaux Contes à Ninon*
Un bain	Août 1873	*La Renaissance littéraire et artistique*, 24 août 1873	*Nouveaux Contes à Ninon*
Le Forgeron	Début 1874	*L'Almanach des travailleurs*, 1874	*Nouveaux Contes à Ninon*
À Ninon	1er octobre 1874		*Nouveaux Contes à Ninon* (préface)
[La Semaine d'une Parisienne]	Avril 1875	*Le Messager de l'Europe*, mai 1875 (titre : *Paris en avril*)	
L'Inondation	Juillet 1875	*Le Messager de l'Europe*, août 1875 *Le Voltaire*, du 26 au 31 août 1880	*Le Capitaine Burle*
Comment on se marie	Décembre 1875	*Le Messager de l'Europe*, janvier 1876 (titre : *Le Mariage en France et ses principaux types*) *Journal pour tous*, du 4 au 25 janvier 1893 Dernier chapitre reproduit dans *En pique-nique*, recueil collectif, Armand Colin, 1895	

Comment on meurt	Juillet 1876	*Le Messager de l'Europe*, août 1876 (titre : *Comment on meurt et comment on enterre en France*) *Le Figaro*, 1er août 1881 (I, titre : *La Mort du riche*) *Le Figaro*, 31 janvier 1881 (IV, titre : *Misère*) *Le Figaro*, 20 juin 1881 (V, titre : *La Mort du paysan*) *Le Nouveau Décaméron. Cinquième journée. La Rue et la route*, 1885 (V, titre : *La Mort d'un paysan*) *Les Annales politiques et littéraires*, 25 octobre 1885 (V, titre : *La Mort du paysan*) *Revue illustrée*, décembre 1895 (V, titre : *La Mort du paysan*)	*Le Capitaine Burle*
Les Coquillages de Monsieur Chabre	Août 1876	*Le Messager de l'Europe*, septembre 1876 (titre : *Bains de mer en France*) *Le Figaro*, 4 juillet 1881 (IV, titre : *La Pêche aux crevettes*)	*Naïs Micoulin*
Pour une nuit d'amour	Septembre 1876	*Le Messager de l'Europe*, octobre 1876 (titre : *Un drame dans une petite ville de province*)	*Le Capitaine Burle*
[Portraits de prêtres]	Décembre 1876	*Le Messager de l'Europe*, janvier 1877 (titre : *Types d'ecclésiastiques français*) *Le Bien public*, du 6 août au 3 septembre 1877	
Les Trois Guerres	Mai 1877	*Le Messager de l'Europe*, juin 1877 (titre : *Mes souvenirs de guerre*) *Le Bien public*, du 10 au 24 septembre 1877 *Les Annales politiques et littéraires*, février-mars 1877 (titre : *Souvenirs de jeunesse. Trois guerres*) *Bagatelles*, Dentu, 1892 (titre : *Les Trois Guerres*)	

	DATE DE COMPOSITION	PUBLICATIONS DANS LA PRESSE OU L'ÉDITION	RECUEIL
L'Attaque du moulin	Juin 1877	*Le Messager de l'Europe*, juillet 1877 (titre : *Un épisode de l'invasion de 1870*) *La Réforme*, 15 août 1878 *Le Figaro*, 25 avril 1880 *La Vie populaire*, 25 avril et 2 mai 1880 *Les Soirées de Médan*, Charpentier, 1880	*Les Soirées de Médan*
Naïs Micoulin	Août 1877	*Le Messager de l'Europe*, septembre 1877 *La Réforme*, du 15 décembre 1879 au 15 janvier 1880	*Naïs Micoulin*
[Les Parisiens en villégiature]	Octobre 1877	*Le Messager de l'Europe*, novembre 1877 (titre : *Le Parisien en villégiature et à la campagne*) *Le Figaro illustré*, 1884-1885 (II, titre : *Voyage circulaire*) *Anthologie contemporaine des écrivains français et belges*, Bruxelles et Paris, 1888 (V, titre : *Une farce*) *Les Types de Paris*, Plon et Nourrit, 1889 (V, titre : *Bohèmes en villégiature*) *Le Petit Journal*, 31 décembre 1892 (V, titre : *Une farce*)	
[Scènes d'élections]	Novembre 1877	*Le Messager de l'Europe*, décembre 1877 (titre : *Scènes d'élection en France*)	
Aux champs	Juillet 1878	*Le Messager de l'Europe*, août 1878 (titre : *Les Environs de Paris*) *Le Figaro*, 18 octobre 1880 (*La Rivière*, titre : *Dans l'herbe*) *Le Figaro*, 2 mai 1881 (*Le Bois*, titre : *Printemps*) *Le Figaro*, 25 juillet 1881 (*La Banlieue*, titre : *Aux champs*)	*Le Capitaine Burle*

Nantas	Septembre 1878	*Le Messager de l'Europe*, octobre 1878 (titre : *La Vie contemporaine*) *Le Voltaire*, du 19 au 26 juillet 1879	*Naïs Micoulin*
La Mort d'Olivier Bécaille	Février 1879	*Le Messager de l'Europe*, mars 1879 *Le Voltaire*, du 30 avril au 5 mai 1879	*Naïs Micoulin*
Madame Neigeon	Mai 1879	*Le Messager de l'Europe*, juin 1879 (titre : *Une parisienne*)	*Naïs Micoulin*
La Fête à Coqueville	Juillet 1879	*Le Messager de l'Europe*, août 1879 *Le Voltaire*, du 12 au 18 mai 1880	*Le Capitaine Burle*
Madame Sourdis	Mars 1880	*Le Messager de l'Europe*, avril 1880 *La Grande Revue*, 1er mai 1900	
Jacques Damour	Juillet 1880	*Le Messager de l'Europe*, août 1880 *Le Figaro*, du 27 avril au 2 mai 1883	*Naïs Micoulin*
Le Capitaine Burle	Novembre 1880	*Le Messager de l'Europe*, décembre 1880 (titre : *Un duel*) *La Vie moderne*, du 19 février au 5 mars 1881 *Le Rabelais*, du 25 septembre au 16 octobre 1882	*Le Capitaine Burle*
Théâtre de campagne	Avant juin 1884	*Revue indépendante*, juin 1884	
Angeline	Décembre 1898	*The Star*, 16 janvier 1899 *Le Petit Bleu de Paris*, 4 février 1899	

COMPOSITION DES RECUEILS DE NOUVELLES PUBLIÉS PAR ZOLA

CONTES À NINON (1864)

À Ninon (préface). – *Simplice.* – *Le Carnet de danse.* – *Celle qui m'aime.* – *La Fée amoureuse.* – *Le Sang.* – *Les Voleurs et l'âne.* – *Sœur-des-Pauvres.* – *Aventures du grand Sidoine et du petit Médéric.*

ESQUISSES PARISIENNES (1866)

La Vierge au cirage. – *Les Vieilles aux yeux bleus.* – *Les Repoussoirs.* – *L'Amour sous les toits.*

NOUVEAUX CONTES À NINON (1874)

À Ninon (préface). – *Un bain.* – *Les Fraises.* – *Le Grand Michu.* – *Le Jeûne.* – *Les Épaules de la marquise.* – *Mon voisin Jacques.* – *Le Paradis des chats.* – *Lili.* – *La Légende du Petit Manteau bleu de l'amour.* – *Le Forgeron.* – *Le Chômage.* – *Le Petit Village.* – *Souvenirs (I à XIV).* – *Les Quatre Journées de Jean Gourdon.*

LE CAPITAINE BURLE (1882)

Le Capitaine Burle. – Comment on meurt. – Pour une nuit d'amour. – Aux champs. – La Fête à Coqueville. – L'Inondation.

NAÏS MICOULIN (1884)

Naïs Micoulin. – Nantas. – La Mort d'Olivier Bécaille. – Madame Neigeon. – Les Coquillages de Monsieur Chabre. – Jacques Damour.

BIBLIOGRAPHIE

Pour toute recherche sur Zola, on utilisera les répertoires de David Baguley : *Bibliographie de la critique sur Émile Zola*, vol. 1 : 1864-1970, vol. 2 : 1971-1980, University of Toronto Press (1976 et 1982). Pour la période postérieure à 1981, la bibliographie est présentée annuellement par David Baguley dans *Les Cahiers naturalistes*, revue de la Société littéraire des amis de Zola (http://www.cahiers-naturalistes.com). Elle est accessible *via* ce site sur Internet.

Nos références aux œuvres de Zola renvoient d'une part à l'édition Henri Mitterand des *Œuvres complètes* au Cercle du Livre précieux, en 15 tomes, de 1966 à 1970 (abrégée en *OC*, suivi du numéro du tome), et à l'édition des *Rougon-Macquart* en cinq tomes, publiés chez Gallimard, « Bibliothèque de la Pléiade », 1960-1967 (édition présentée par Armand Lanoux et établie par Henri Mitterand).

OUVRAGES GÉNÉRAUX

Sur Zola et le naturalisme

Paul ALEXIS, *Émile Zola. Notes d'un ami*, Charpentier, 1882. [La première biographie de l'écrivain, rédigée avec son accord par son ami le plus proche, est une instructive présentation « en direct ». L'ouvrage est accessible sur Internet.]

David BAGULEY, *Le Naturalisme et ses genres*, Nathan, « Le Texte à l'œuvre », 1995. [Dans cet ouvrage, l'auteur montre que le naturalisme, loin d'être une représentation directe de la réalité, exploite abondamment les ressources des genres, des textes, des modèles littéraires.]

Colette BECKER, Gina GOURDIN-SERVENIÈRE et Véronique LAVIELLE, *Dictionnaire d'Émile Zola*, Robert Laffont, « Bouquins », 1993. [Cet ouvrage de 700 pages, très complet, est un précieux outil de travail.]

Jean BORIE, *Zola et les mythes ou De la nausée au salut*, Seuil, 1971 ; rééd. LGF, Le Livre de poche, « Biblio Essais », 2003. [L'ouvrage qui explore le mieux les obsessions de l'imaginaire zolien, selon une grille psychanalytique. Une lecture toujours rafraîchissante.]

Jacques DUBOIS, *Les Romanciers du réel*, Seuil, « Points », 2000. [Voir le chapitre consacré à Zola, p. 230-249.]

Henri MITTERAND, *Zola journaliste*, Armand Colin, « Kiosque », 1962.

–, *Zola*, Fayard, 1999-2002, 3 tomes : t. I : *Sous le regard d'Olympia. 1840-1871*, 1999 ; t. II : *L'Homme de Germinal. 1871-1893*, 2001 ; t. III : *L'Honneur. 1893-1902*, 2002. [La biographie de référence sur Zola, par un spécialiste qui a joué un rôle majeur dans le développement des études zoliennes depuis les années 1960.]

–, *Zola et le naturalisme*, PUF, « Que sais-je ? », 2002 (1re éd. 1986).

François-Marie MOURAD, *Zola critique littéraire*, Honoré Champion, « Romantisme et modernités », 2002. [Les choix et les projets de l'écrivain sont à mettre en relation avec sa longue carrière de critique, qui témoigne d'une connaissance précise des tendances littéraires en vigueur et qui a permis de nourrir et de formuler, dès le début des années 1860, une conception originale de la création artistique, aujourd'hui à redécouvrir.]

Alain PAGÈS, *Émile Zola. Bilan critique*, Nathan Université, « 128 », 1993. [L'ouvrage, partiellement rédigé dans l'esprit d'un « état présent », est aujourd'hui un peu ancien, mais il peut encore rendre service.]

Alain PAGÈS et Owen MORGAN, *Guide Émile Zola*, Ellipses, 2002. [Ce guide propose successivement une analyse biographique, une étude littéraire de l'œuvre et une exploration de son destin sous le regard de la postérité.]

Roger RIPOLL, *Réalité et mythe chez Zola*, Lille, Atelier national de reproduction des thèses/Honoré Champion, 1981, 2 tomes.

Sur le conte et la nouvelle

Walter BENJAMIN, « Le conteur. Réflexions sur l'œuvre de Nicolas Leskov », in *Œuvres*, III, Gallimard, « Folio », p. 114-151.

Pierre-Georges CASTEX, *Le Conte fantastique en France, de Nodier à Maupassant*, José Corti, 1951.

René GODENNE, *La Nouvelle française*, PUF, 1974.

Florence GOYET, *La Nouvelle. 1870-1925*, PUF, 1993.

Daniel GROJNOWSKI, *Lire la nouvelle*, Nathan Université, « Lettres Sup », 2000.

Thierry OZWALD, *La Nouvelle*, Hachette Supérieur, 1996.

Daniel SANGSUE, « Le conte et la nouvelle au XIXe siècle », in *Histoire littéraire de la France*, t. III : *Modernités XIXe-XXe siècle*, volume dirigé par Patrick Berthier et Michel Jarrety, PUF, « Quadrige/Dicos poche », 2006, p. 90-113.

ÉDITIONS DES CONTES ET NOUVELLES DE ZOLA

L'édition de référence est celle de Roger Ripoll : Émile ZOLA, *Contes et nouvelles*, Gallimard, « Bibliothèque de la Pléiade », 1976.

Dans les *Œuvres complètes* du Cercle du Livre précieux (édition épuisée, mais fréquemment disponible en bibliothèque universitaire), établies sous la direction d'Henri Mitterand entre 1966 et 1970, le tome IX (1968) est consacré aux *Contes et nouvelles*, avec des préfaces de Jean-Jacques Brochier, Jacques Joly, Henri Mitterand, Roger Ripoll et André Stil, des notices et des notes d'Henri Mitterand.

Un autre éditeur, Nouveau Monde, s'est lancé dans la publication des *Œuvres complètes d'Émile Zola*, toujours sous la direction scientifique d'Henri Mitterand. Le principe retenu est celui de l'ordre chronologique. Quatorze tomes sont déjà parus, depuis 2002. On trouvera des contes et des nouvelles dans les tomes I, II, III, VI, VII, IX, XI et XII.

Émile ZOLA, *Naïs Micoulin et autres nouvelles*, présentation par Nadine Satiat, GF-Flammarion, 1997.

Émile ZOLA, *Le Carnet de danse*, suivi de *Celle qui m'aime*, avec une postface d'Henri Mitterand (« L'abyme du regard »), Mille et Une Nuits, 2004.

Émile ZOLA, *Nantas* suivi de *Madame Sourdis*, édition établie et présentée par Jacques Noiray, LGF, Le Livre de poche, 2004.

ÉTUDES SUR ZOLA ET LA NOUVELLE [1]

Paul ALEXIS, *Émile Zola. Notes d'un ami*, Charpentier, 1882.

David BAGULEY, « Les sources et la fortune des nouvelles de Zola », *Les Cahiers naturalistes*, n° 32, 1966, p. 118-132. [Sur les nouvelles publiées dans *Le Messager de l'Europe* entre 1875 et 1880.]

–, « Maupassant avant la lettre ? A study of short story : *Les Coquillages de Monsieur Chabre* », *Nottingham French Studies*, VI, n° 2, octobre 1967, p. 77-86.

–, « L'envers de la guerre. *Les Soirées de Médan* et le mode ironique », *French Forum*, 1982, p. 235-244.

Kelly BASILIO, « Du naturalisme du conte zolien », *Excavatio*, n° 1-2, 2001, p. 16-26.

–, « L'ironie chez Zola : un principe d'invention naturaliste », in *Ironies et inventions naturalistes*, sous la direction de Colette Becker, Anne-Simone Dufief et Jean-Louis Cabanès, Université de Paris X, 2002, p. 43-51.

Michelle E. BLOOM, « Zola fantastique : an analysis of the story *La Mort d'Olivier Bécaille* », *Symposium*, LIII, n° 2, été 1999, p. 69-81.

Patrick BRADY, « Symbolic structures of mediation and conflict in Zola's fiction : from *Une farce* to *Madame Sourdis* to *L'Œuvre* », *SubStance* (University of Winsconsin Press), n° 2, hiver 1971-1972, p. 85-92.

John CHRISTIE, « The enigma of Zola's *Madame Sourdis* », *Nottingham French Studies*, V, n° 1, mai 1966, p. 13-28.

---

1. Les titres qui suivent concernent essentiellement les nouvelles publiées dans ce volume ; le lecteur trouvera dans notre édition des *Contes et nouvelles (1864-1874)*, GF-Flammarion, 2008, d'autres références, portant sur les nouvelles antérieures de Zola.

Pierre COGNY, « L'antimilitarisme dans la littérature, des *Soirées de Médan* au *Feu* de Barbusse », *Europe*, LII, septembre 1974, p. 59-67.

Auguste DEZALAY, « Le thème du souterrain chez Zola », *Europe*, avril-mai 1968, p. 110-121.

René DUMESNIL, *La Publication des Soirées de Médan*, Paris, Malfère, 1933.

Antonia FONYI, « *Les Soirées de Médan* : un livre à lire », *Romantisme*, n° 103, 1999, p. 97-111.

–, « Les nouvelles de la maturité de Zola. Genre, structure, logique », in *Actualité de Zola en l'an 2000*, Actes du colloque international des 22, 23 et 24 mai 2000, édités par Mario Petrone et Giovanna Romano, Naples, L'Orientale Editrice, 2004, p. 283-297.

Jacqueline FRICHET-RECHOU, « *Nantas* : de la nouvelle au drame », *Les Cahiers naturalistes*, n° 41, 1971, p. 22-34.

E. Paul GAUTHIER, « Zola's literary reputation in Russia prior to *L'Assommoir* », *French Review*, 1959, p. 37-44.

F.W.J. HEMMINGS, « The genesis of Zola's *La Joie de vivre* », *French Studies*, 1952, p. 114-125.

John LAPP, « The watcher betrayed and the fatal woman : some recurring patterns in Zola », *PMLA*, vol. 74, n° 3, 1959, p. 276-284.

Béatrice LAVILLE, « Le rire dans les contes », in *Zola et le rire*, Actes du colloque de Dijon des 30, 31 mai et 1er juin 2002, organisé par Marie-Ange Voisin-Fougère, Éditions du Murmure, Neuilly-les-Dijon, 2003, p. 93-104.

Henri MITTERAND, « La correspondance (inédite) entre Émile Zola et Michel Stassioulevitch. 1875-1881 », *Les Cahiers naturalistes*, n° 22, 1962, p. 754-765.

Florence MONTREYNAUD, « La correspondance entre Zola et Stassioulevitch, directeur du *Messager de l'Europe* », *Les Cahiers naturalistes*, n° 47, 1974, p. 1-39.

– (éd.), « Les relations de Zola et de Tourgueniev (avec treize lettres inédites de Zola à Tourgueniev) », *Les Cahiers naturalistes*, n° 52, 1978, p. 206-229.

Robert NIESS, « Zola's *La Joie de vivre* and *La Mort d'Olivier Bécaille* », *Modern Language Notes*, LVII, n° 3, mars 1942, p. 205-207.

Pierre OUVRARD, « Zola chroniqueur (1876-1880) au *Messager de l'Europe*, revue mensuelle de Saint-Pétersbourg », in *Voix d'ouest en Europe, Souffles d'Europe en ouest*, Actes du colloque international d'Angers (21-

24 mai 1993), Presses universitaires d'Angers, 1993, p. 421-430.

Alain PAGÈS, « Le mythe de Médan », *Les Cahiers naturalistes*, n° 55, 1981, p. 31-40.

–, « À propos d'une origine littéraire : *Les Soirées de Médan* », *Nineteenth French Studies*, XII, n° 1-2, 1983-1984, p. 207-212.

Marion V. PIPER, « *Les Soirées de Médan.* Quelques attitudes modernes envers la guerre », *Signum* (Kingston, Ontario), III, n° 1, janvier 1976, p. 29-44.

Sandrine RABOSSEAU, « Zola, Maupassant et l'adultère : étude comparée des *Coquillages de Monsieur Chabre* et de *Pierre et Jean* », *Les Cahiers naturalistes*, n° 77, 2003, p. 139-149.

Robert RICATTE, « Zola conteur », *Europe*, avril-mai 1968, p. 209-217.

Murray SACHS, « Zola's art of short story », *Excavatio*, I, mai 1992, p. 110-116.

Konrad SCHOELL, « Zola : *L'Inondation* », in *Die französische Novelle*, éd. Wolfram Krömer, Düsseldorf, Bagel, 1976, p. 163-170 et 362-364.

Marie-Ève THÉRENTY, *La Littérature au quotidien. Poétiques journalistiques au XIXe siècle*, Seuil, « Poétique », 2007.

Jean TRIOMPHE, « Zola collaborateur du *Messager de l'Europe* », *Revue de littérature comparée*, 17e année, 1937, p. 754-765.

Ernest VIZETELLY, *With Zola in England*, Londres, Chatto and Windus, 1899.

–, *Émile Zola, Novelist and Reformer*, Londres, Lane, 1904.

TABLE

Présentation 5
Note sur l'édition 34

CONTES ET NOUVELLES (1875-1899)

Le Capitaine Burle 37
Comment on meurt 77
L'Inondation 114
Nantas 146
La Mort d'Olivier Bécaille 183
Les Coquillages de Monsieur Chabre 216
L'Attaque du moulin 256
Angeline 294

Vie de Zola 309
Chronologie des contes et nouvelles de Zola 317
Composition des recueils de nouvelles publiés par Zola 330
Bibliographie 332

Composition Nord Compo
Villeneuve-d'Ascq

GF Flammarion

08/01/135051-I-2008 – Impr. MAURY Imprimeur, 45330 Malesherbes.
N° d'édition LO1EHPN000150N001. – Février 2008. – Printed in France.